頻出度順

漢字検定 2級 合格！問題集

新星出版社

本書の特長と使い方

「漢検」最新の試験問題を再現掲載！

令和2年度第1回(6月)から日本漢字能力検定の審査基準が新しくなり、出題対象が変更されました。本書はこの新審査基準と毎年の出題傾向に対応した上で過去に出題された問題を分析し、実際に出題される問題を高い精度で再現しています。

常に最新の問題傾向が反映されるよう、毎年改訂を行っています。

出題テーマごとの頻出度順

検定試験で出題される出題テーマごとに、A・B・Cランクの頻出度順で掲載しています。

Aランク

2級配当漢字表① 読み

次の——線の**漢字の読み**を**ひらがな**で記せ。

1 転勤の挨拶状を出す。
2 曖昧な返事では伝わらない。
3 自分宛ての返信用封筒を同封する。
4 砂嵐を避けるルートをとる。
5 先輩を畏れ敬う。
6 小言を聞くとやる気が萎える。
7 来訪者に椅子を勧める。
8 彼は英語の語彙が豊富だ。
9 全快をして色艶がよくなる。
10 耳鼻咽喉科にかかる。

解答
1 あいさつ
2 あいまい
3 あ
4 すなあらし
5 おそ
6 な
7 いす
8 ごい
9 いろつや
10 いんこう

11 その表現はあまりに淫らだ。
12 発表会に向けて長唄の練習をする。
13 試験のことを考えると憂鬱だ。
14 怨恨がらみの事件が起きる。
15 敵の牙城を攻める。
16 表面に艶消しを施す。
17 子供が元気旺盛に走り回る。
18 苛政に人々が苦しめられる。
19 情報不足で臆測が飛び交う。
20 俺とお前は親友だ。

解答
11 みだ
12 ながうた
13 ゆううつ
14 えんこん
15 がじょう
16 つや
17 おうせい
18 かせい
19 おくそく
20 おれ

目標時間 15分
合格ライン 39点
得点 /48
月 日

14

目標時間と得点

実際の試験時間と合格基準から換算した目標時間と合格ラインです。時間配分も意識して問題に取り組みましょう。

Aランク …過去の試験で最も出題頻度が高い問題

Bランク …よく出題されている問題

Cランク …出題頻度は高くはないが、実力に差をつける問題

解答が消える赤シート付き

「問題を解く」「解答を確認する」がスピーディーに行えます。
解けない問題がなくなるまで、繰り返しましょう！

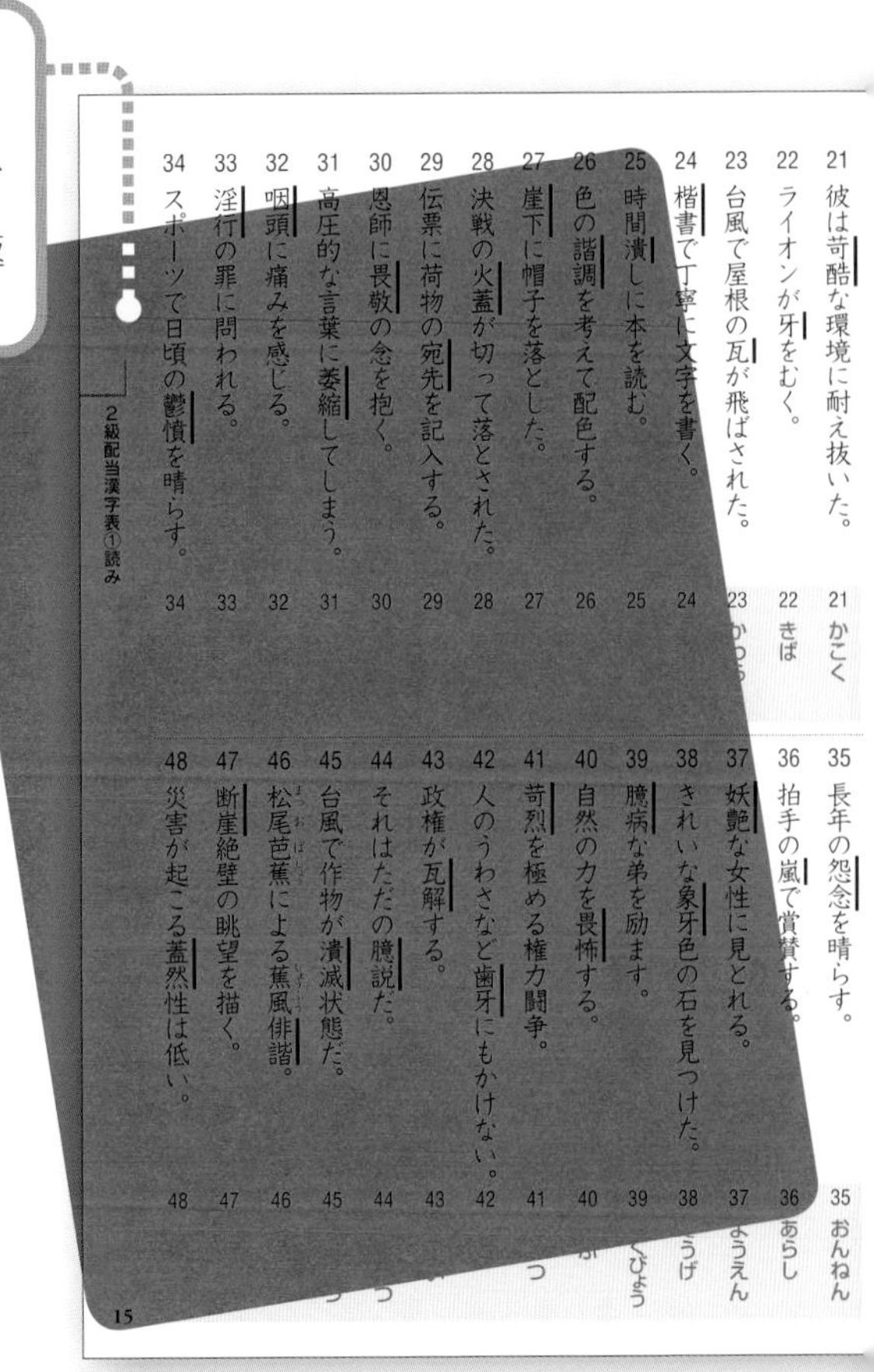

2級配当漢字表① 読み

21 彼は苛酷な環境に耐え抜いた。
22 ライオンが牙をむく。
23 台風で屋根の瓦が飛ばされた。
24 楷書で丁寧に文字を書く。
25 時間潰しに本を読む。
26 色の諧調を考えて配色する。
27 崖下に帽子を落とした。
28 決戦の火蓋が切って落とされた。
29 伝票に荷物の宛先を記入する。
30 恩師に畏敬の念を抱く。
31 高圧的な言葉に萎縮してしまう。
32 咽頭に痛みを感じる。
33 淫行の罪に問われる。
34 スポーツで日頃の鬱憤を晴らす。

21 かこく
22 きば

35 長年の怨念を晴らす。
36 拍手の嵐で賞賛する。
37 妖艶な女性に見とれる。
38 きれいな象牙色の石を見つけた。
39 臆病な弟を励ます。
40 自然の力を畏怖する。
41 苛烈を極める権力闘争。
42 人のうわさなど歯牙にもかけない。
43 政権が瓦解する。
44 それはただの臆説だ。
45 台風で作物が潰滅状態だ。
46 松尾芭蕉による蕉風俳諧。
47 断崖絶壁の眺望を描く。
48 災害が起こる蓋然性は低い。

35 おんねん
36 あらし
37 ようえん

15

付録も充実!

出題範囲の漢字表や部首一覧、四字熟語の解説、本試験の答案用紙例など、役に立つ資料を巻末に掲載しました。

別冊には模擬テスト3回分収録!

試験前の総仕上げ、弱点の発見に活用できる模擬試験問題３回分を収録しました。

学習のワンポイントアドバイス

まずは模擬試験を１回分解いてみて、自分の不得意な分野を知りましょう。

目次

※本書は2024年２月現在の情報をもとに作成しています。最新の情報に関しては財団法人日本漢字能力検定協会（本冊７ページ参照）にお問い合わせください。

付録　実力アップの2級用資料

別冊の解答と答案用紙のサンプル

別冊

●STAFF
デザイン・DTP／株式会社グラフト

受検ガイドと採点基準

検定日と検定時間

日本漢字能力検定が公開会場で実施されるのは、**年3回**です。1～7級の検定時間は60分です。開始時間の異なる級を選べば同時に複数級受検できます。

第1回　2024年6月16日
第2回　2024年10月20日
第3回　2025年2月16日

※変更の可能性があります

検定会場

個人：すべて公開会場での受検。受検地は、願書に載っている中から選ぶことができます。

団体（2級以下）：準会場で受検することもできます。準会場は、担当者の監督のもとに検定を行う会場です。公開会場とは異なる日にも検定を行えます。検定日ごとに問題は変わります。

漢検CBT：漢検CBT会場でコンピューターを使って漢検（2～7級）を受検できます。公開会場での年3回の検定日に限定されずに、都合のよい日程を選んで受検することができます。詳細についてはインターネット上で確認してください。

申し込み方法と受検料

2級の受検料は公開会場が4500円、準会場は3500円。原則、検定日の約2か月前から約1か月前までに、インターネットより申し込んでください。

日本漢字能力検定協会のホームページ（https://www.kanken.or.jp/kanken/）にアクセスし、必要事項を入力することで申し込みができます。クレジットカードによる支払い、コンビニ決済が可能です。申し込み方法などは変更になることがありますので、最新情報は日本漢字能力検定協会のホームページでご確認ください。

漢字検定の採点基準（２級以下）

字の書き方	正しい筆画で大きく明確に書きましょう。行書体や草書体のようにくずした字や、乱雑な書き方は採点の対象外です。
字種・字体・読み	解答は内閣告示「常用漢字表」（平成22年）によります。ただし、旧字体での解答は正答と認められません。
仮名遣い	内閣告示「現代仮名遣い」によります。
送りがな	内閣告示「送り仮名の付け方」によります。
部　首	『漢検要覧　2～10級対応 改訂版』（公益財団法人日本漢字能力検定協会発行）収録の「部首一覧表と部首別の常用漢字」によります。
筆　順	原則は、文部省編『筆順指導の手びき』（昭和33年）によります。常用漢字一字一字の筆順は『漢検要覧　2～10級対応 改訂版』によります。

新審査基準による各級のレベルと出題内容

級	レベル（対象漢字数）	程度	主な出題内容										合格基準
準1	大学・一般程度（約3000字）	常用漢字を含めて、約3000字の漢字(の音・訓)を理解し、文章の中で適切に使える。	漢字の読み	漢字の書き取り			対義語・類義語	同音・同訓異字	誤字訂正	四字熟語		故事・諺	200点満点中80%程度
2	高校卒業・大学・一般程度（2136字）	すべての常用漢字を理解し、文章の中で適切に使える。	漢字の読み	漢字の書き取り	部首・部首名	送りがな	対義語・類義語	同音・同訓異字	誤字訂正	四字熟語	熟語の構成		
準2	高校在学程度（1951字）	常用漢字のうち1951字を理解し、文章の中で適切に使える。	漢字の読み	漢字の書き取り	部首・部首名	送りがな	対義語・類義語	同音・同訓異字	誤字訂正	四字熟語	熟語の構成		200点満点中70%程度

＊常用漢字とは、平成22年11月30日付内閣告示による「常用漢字表」に示された2136字をいう。

検定に関する問い合わせ先

公益財団法人　日本漢字能力検定協会

〒605-0074 京都市東山区祇園町南側551番地

TEL：075-757-8600　FAX：075-532-1110

URL：https://www.kanken.or.jp/kanken/

◆**お問い合わせ窓口**

TEL：0120-509-315（無料）

出題内容と得点のポイント

2級で出題される漢字

2級のレベルは、常用漢字がすべて読み書きでき、そして漢字を適切に運用できる程度を、到達度としています。2020年の学習指導要領改訂に伴い、2級の配当漢字が変更されました。新学習指導要領では、小学校4年生で都道府県名を漢字で読み書きできるように配当漢字表の見直しが行われました。それまで中学での学習漢字であった「茨・媛・熊・栃・奈」などの都道府県名で使用される漢字が、小学校4年配当漢字へと変わりました。そこで、2級の配当漢字は196字から185字へ変更になりました。

しかし、実際の試験では従来通り、準2級のみの配当漢字となった328字が多く出題され、**準2級以下の漢字が試験問題の90%程度を占めることもあります**ので、本書でしっかりと勉強しておきましょう。

1 読み　30問×1点

出題内容　短文中の傍線部の漢字の読みをひらがなで書く問題です。準2級配当漢字が中心に出題されますが、2級配当漢字や高校で習う読み（226ページ）も多く出題されます。熟字訓・当て字など（230ページ）も出題されることがあります。

ポイント　30問のうち、20問が音読み、10問が訓読み（当て字・熟字訓含む）で、「書き取り」に次いで配点が高いところです。「ず」と「づ」、「じ」と「ぢ」など仮名遣いに注意しましょう。

2 部首　10問×1点

出題内容　与えられた漢字の部首を書く問題で、準2級配当漢字が中心に出題されます。

ポイント　受検者の平均点が低いところです。部首の定義は漢和辞典により異なる場合があります。実際の試験では『漢検要覧　2～10級対応　改訂版』（公益財団法人日本漢字能力検定協会発行）収録の「部首一覧表と部首別の常用漢字」によります。

3 熟語の構成　10問×2点

出題内容　熟語の構成のしかたの5つのパターンを示し、問題の熟語がどれにあたるかを答える問題です。2・準2級配当漢字を含む熟語が中心です。

示される熟語の構成のパターンは、次のア～オの5つです。

ア　同じような意味の漢字を重ねたもの
イ　反対または対応の意味を表す字を重ねたもの
ウ　上の字が下の字を修飾しているもの
エ　下の字が上の字の目的語・補語になっているもの
オ　上の字が下の字の意味を打ち消しているもの

ポイント　ウの場合は短文に直してみましょう（例えば、「誓詞」なら「誓いの↓詞」）。エの場合は下の字に「に」または「を」をつけて上の字にかけてみましょう（例えば、「着席」なら「着く↑席に」）。

4 四字熟語　10問×2点＋5問×2点

出題内容　2つの小問に分かれています。問1は四字熟語を完成させる問題で、10問出題されます。ひらがなで示された四字熟語の2字分を選択欄から選んで漢字に直します。

問2は意味から四字熟語を選ぶ問題で、5問出題され、問1で示された四字熟語の中から選びます。

ポイント　四字熟語は苦手とする受検者が多いところですが、「書き取り」に次いで配点の高いところです。四字熟語の学習では、その意味も合わせて理解するようにしましょう。

5 対義語・類義語　10問×2点

出題内容　対義語5問、類義語5問が出題されます。いずれも、対応する熟語をひらがなで示された選択欄から選んで漢字に直します。熟語は2・準2級以下の漢字も含めて幅広く出題されます。

ポイント　選択欄にある熟語は一度しか使えません。選んだ熟語には印を付けておきましょう。

6 同音・同訓異字　10問×2点

出題内容　2つの短文が一組として出題され、各短文中にカタカナで示された共通する音訓を、それぞれ漢字に直す問題です。準2級配当漢字を中心に、幅広く出題されています。

ポイント　5組の出題のうち、4組が音読み、1組が訓読みです。

7 誤字訂正　5問×2点

出題内容　短文としてはやや長めの文章中で、まちがって使われている漢字一字を選び出し、正しい漢字に直す問題です。

ポイント　誤字には音読みも訓読みもあります。問題の短文を注意深く読み取りましょう。

8 送りがな　5問×2点

出題内容　短文中のカタカナの部分を漢字一字と送りがなに直す問題で、準2級以下の漢字も含めて幅広く出題されます。

ポイント　送りがなのつけ方には原則があり、内閣告示「送り仮名の付け方」によります。
受検者の平均点が低いところです。一つひとつ丁寧に覚えていきましょう。

9 書き取り　25問×2点

出題内容　短文中のカタカナ部分を漢字に直す問題で、音・訓合わせて25問出題されます。また、故事やことわざの類いも2～3問出題されます。

ポイント　高校で習う読みの漢字も含め、幅広く出題されます。問題の短文を注意深く読み、答えは楷書ではっきり書きましょう。

例　楷書体　行書体　草書体

風　風　風

はねるところ、とめるところにも注意しましょう。

例　はねる　とめる　つきだす　つける

純　車　事　全

第1章

よく出る！2級・準2級配当漢字の

漢字表と「読み」の問題

2級配当漢字表①

POINT

「楷」と「諧」は同音で形が似ているので、使い分けに注意しよう！

漢字	許容字体	読み（音）	読み（訓）	部首	部首名	用例
挨		アイ	—	扌	てへん	挨拶(あいさつ)
曖		アイ	—	日	ひへん	曖昧(あいまい)
宛		—	あ(てる)	宀	うかんむり	友(とも)に宛(あ)てた手紙(てがみ)・宛先(あてさき)・宛(あ)て名(な)
嵐		—	あらし	山	やま	拍手(はくしゅ)の嵐(あらし)・砂嵐(すなあらし)・山嵐(やまあらし)
畏		イ	おそ(れる)	田	た	畏敬(いけい)・畏怖(いふ)・師(し)を畏(おそ)れ敬(うやま)う
萎		イ	な(える)	艹	くさかんむり	萎縮(いしゅく)・気持(きも)ちが萎(な)える

漢字	許容字体	読み（音）	読み（訓）	部首	部首名	用例
椅		イ	—	木	きへん	椅子(いす)
彙		イ	—	彑	けいがしら	語彙(ごい)・彙報(いほう)・彙類(いるい)
咽		イン	—	口	くちへん	咽喉(いんこう)・咽頭(いんとう)
淫	淫	イン	みだ(ら)㊫	氵	さんずい	淫行(いんこう)・淫乱(いんらん)・淫雨(いんう)・淫(みだ)らな心(こころ)
唄		—	うた	口	くちへん	小唄(こうた)・長唄(ながうた)・端唄(はうた)
鬱		ウツ	—	鬯	ちょう	憂鬱(ゆううつ)・鬱病(うつびょう)・鬱勃(うつぼつ)・鬱憤(うっぷん)・鬱屈(うっくつ)

※「読み」の欄の（　）内のひらがなは送りがな、㊫は高校で習う読みです。

漢字	許容字体	読み（音）	読み（訓）	部首	部首名	用例
怨		エン高・オン	―	心	こころ	怨恨（えんこん）・怨言（えんげん）・怨念（おんねん）・怨霊（おんりょう）・怨親平等（おんしんびょうどう）
艶		エン高	つや	色	いろ	妖艶（ようえん）・艶笑（えんしょう）・艶冶（えんや）・艶（つや）のある声（こえ）・色艶（いろつや）
旺		オウ	―	日	ひへん	旺盛（おうせい）
臆		オク	―	月	にくづき	臆説（おくせつ）・臆測（おくそく）・臆病（おくびょう）
俺		―	おれ	亻	にんべん	一人称（いちにんしょう）を俺（おれ）とする
苛		カ	―	艹	くさかんむり	苛酷（かこく）・苛烈（かれつ）・苛政（かせい）
牙	牙	ガ高・ゲ	きば	牙	きば	牙城（がじょう）・歯牙（しが）・象牙（ぞうげ）・鋭（するど）い牙（きば）・伯牙絶弦（はくがぜつげん）
瓦		ガ高	かわら	瓦	かわら	瓦解（がかい）・玉砕瓦全（ぎょくさいがぜん）・瓦（かわら）を割（わ）る・瓦屋根（かわらやね）

漢字	許容字体	読み（音）	読み（訓）	部首	部首名	用例
楷		カイ	―	木	きへん	楷書（かいしょ）・楷書体（かいしょたい）
潰		カイ	つぶ（す）・つぶ（れる）	氵	さんずい	潰瘍（かいよう）・潰滅（かいめつ）・時間（じかん）を潰（つぶ）す・卵（たまご）が潰（つぶ）れる
諧		カイ	―	言	ごんべん	俳諧（はいかい）・諧調（かいちょう）
崖		ガイ	がけ	山	やま	断崖（だんがい）・崖岸（がいがん）・崖下（がけした）・崖（がけ）を登（のぼ）る
蓋		ガイ	ふた	艹	くさかんむり	頭蓋骨（ずがいこつ）・蓋然性（がいぜんせい）・蓋世（がいせい）・蓋（ふた）をする・火蓋（ひぶた）を切（き）る

2級配当漢字表① 読み

目標時間 15分

合格ライン 39点

得点 /48

月 日

● 次の――線の**漢字の読み**を**ひらがな**で記せ。

1 転勤の挨拶状を出す。
2 曖昧な返事では伝わらない。
3 自分宛ての返信用封筒を同封する。
4 砂嵐を避けるルートをとる。
5 先輩を畏れ敬う。
6 小言を聞くとやる気が萎える。
7 来訪者に椅子を勧める。
8 彼は英語の語彙が豊富だ。
9 全快をして色艶がよくなる。
10 耳鼻咽喉科にかかる。

解答

1 あいさつ
2 あいまい
3 あ
4 すなあらし
5 おそ
6 な
7 いす
8 ごい
9 いろつや
10 いんこう

11 その表現はあまりに淫らだ。
12 発表会に向けて長唄の練習をする。
13 試験のことを考えると憂鬱だ。
14 怨恨がらみの事件が起きる。
15 敵の牙城を攻める。
16 表面に艶消しを施す。
17 子供が元気旺盛に走り回る。
18 苛政に人々が苦しめられる。
19 情報不足で臆測が飛び交う。
20 俺とお前は親友だ。

解答

11 みだ
12 ながうた
13 ゆううつ
14 えんこん
15 がじょう
16 つや
17 おうせい
18 かせい
19 おくそく
20 おれ

21 彼は苛酷な環境に耐え抜いた。
22 ライオンが牙をむく。
23 台風で屋根の瓦が飛ばされた。
24 楷書で丁寧に文字を書く。
25 時間潰しに本を読む。
26 色の諧調を考えて配色する。
27 崖下に帽子を落とした。
28 決戦の火蓋が切って落とされた。
29 伝票に荷物の宛先を記入する。
30 恩師に畏敬の念を抱く。
31 高圧的な言葉に萎縮してしまう。
32 咽頭に痛みを感じる。
33 淫行の罪に問われる。
34 スポーツで日頃の鬱憤を晴らす。

21 かこく
22 きば
23 かわら
24 かいしょ
25 つぶ
26 かいちょう
27 がけした（がいか）
28 ひぶた
29 あてさき
30 いけい
31 いしゅく
32 いんとう
33 いんこう
34 うっぷん

35 長年の怨念を晴らす。
36 拍手の嵐で賞賛する。
37 妖艶な女性に見とれる。
38 きれいな象牙色の石を見つけた。
39 臆病な弟を励ます。
40 自然の力を畏怖する。
41 苛烈を極める権力闘争。
42 人のうわさなど歯牙にもかけない。
43 政権が瓦解する。
44 それはただの臆説だ。
45 台風で作物が潰滅状態だ。
46 松尾芭蕉（まつおばしょう）による蕉風（しょうふう）俳諧。
47 断崖絶壁の眺望を描く。
48 災害が起こる蓋然性は低い。

35 おんねん
36 あらし
37 ようえん
38 ぞうげ
39 おくびょう
40 いふ
41 かれつ
42 しが
43 がかい
44 おくせつ
45 かいめつ
46 はいかい
47 だんがい
48 がいぜん

2級配当漢字表②

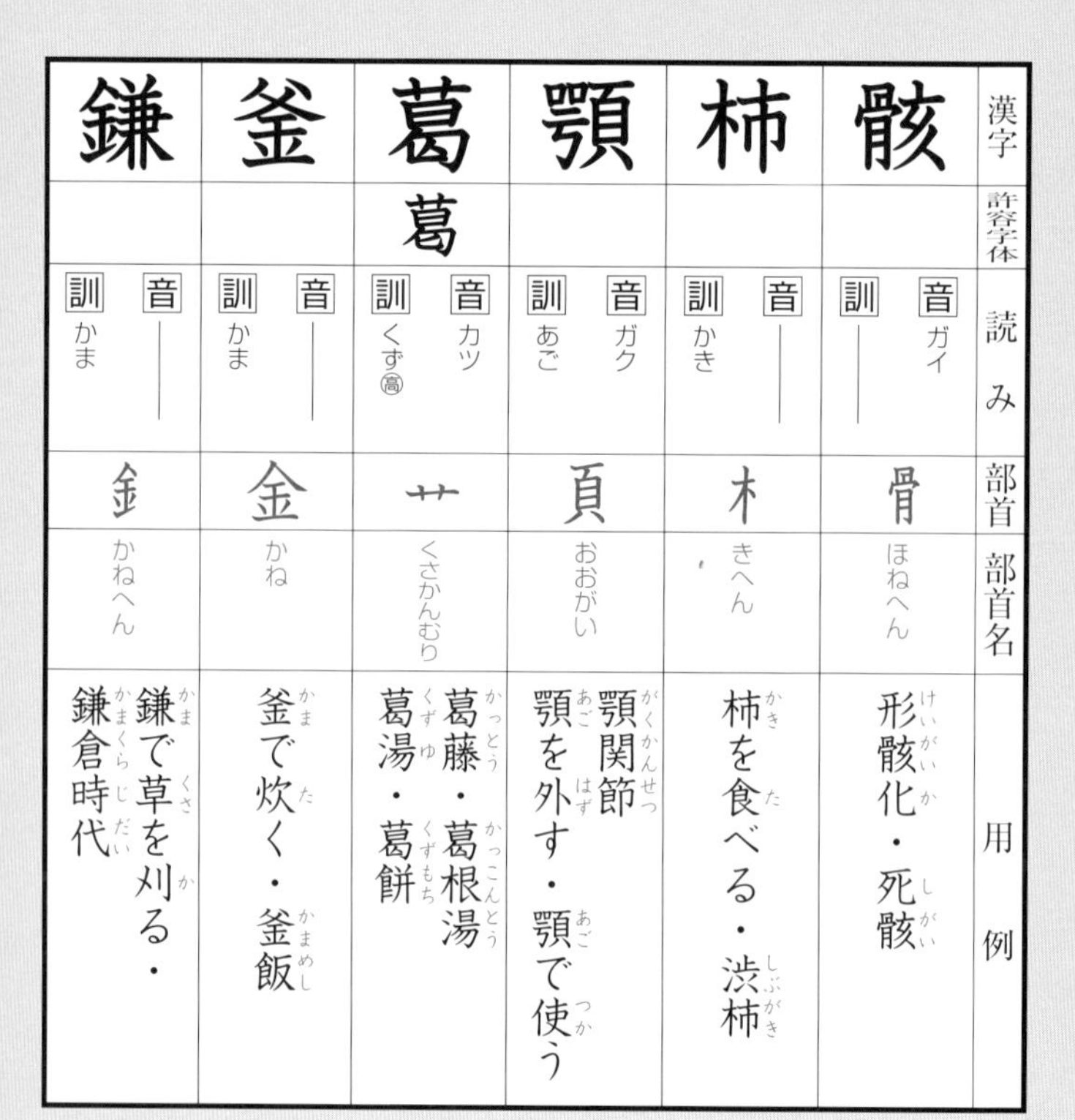

漢字	許容字体	読み 音	読み 訓	部首	部首名	用例
骸		ガイ	—	骨	ほねへん	形骸化（けいがいか）・死骸（しがい）
柿		—	かき	木	きへん	柿（かき）を食（た）べる・渋柿（しぶがき）
顎		ガク	あご	頁	おおがい	顎関節（がくかんせつ）・顎（あご）を外（はず）す・顎（あご）で使（つか）う
葛	葛	カツ	くず㊢	艹	くさかんむり	葛藤（かっとう）・葛根湯（かっこんとう）・葛湯（くずゆ）・葛餅（くずもち）
釜		—	かま	金	かね	釜（かま）で炊（た）く・釜飯（かまめし）
鎌		—	かま	釒	かねへん	鎌（かま）で草（くさ）を刈（か）る・鎌倉時代（かまくらじだい）

漢字	許容字体	読み 音	読み 訓	部首	部首名	用例
韓		カン	—	韋	なめしがわ	韓国（かんこく）
玩		ガン	—	王	おうへん たまへん	玩具（がんぐ）・愛玩（あいがん）・玩読（がんどく）・玩物喪志（がんぶつそうし）
伎		キ	—	亻	にんべん	歌舞伎（かぶき）
亀		キ	かめ	亀	かめ	亀裂（きれつ）・亀甲（きっこう）・盲亀浮木（もうきふぼく）・亀（かめ）の甲羅（こうら）
毀		キ	—	殳	るまた ほこづくり	毀損（きそん）・毀誉（きよ）・哀毀骨立（あいきこつりつ）
畿		キ	—	田	た	畿内（きない）・近畿（きんき）

POINT

「釜」の部首は「父」でなくて「金」。「畿」の部首は「戈」でなくて「田」。注意しよう！

漢字	許容字体	読み（音）	読み（訓）	部首	部首名	用例
臼		キュウ	うす	臼	うす	臼歯(きゅうし)・脱臼(だっきゅう)・石臼(いしうす)
嗅	嗅	キュウ	か(ぐ)	口	くちへん	嗅覚(きゅうかく)・匂(にお)いを嗅(か)ぐ
巾		キン	—	巾	はば	頭巾(ずきん)・雑巾(ぞうきん)
僅	僅	キン	わず(か)	亻	にんべん	僅差(きんさ)・僅少(きんしょう)・僅(わず)かな望(のぞ)み
錦		キン	にしき	釒	かねへん	錦秋(きんしゅう)・錦上(きんじょう)に花(はな)を添(そ)える・錦絵(にしきえ)
惧	惧	グ	—	忄	りっしんべん	危惧(きぐ)
串		—	くし	丨	ぼう たてぼう	串刺(くしざ)し・串焼(くしや)き
窟		クツ	—	穴	あなかんむり	巣窟(そうくつ)・洞窟(どうくつ)・石窟(せっくつ)・岩窟(がんくつ)

漢字	許容字体	読み（音）	読み（訓）	部首	部首名	用例
詣		ケイ㊖	もう(でる)	言	ごんべん	参詣(さんけい)・詣拝(けいはい)・造詣(ぞうけい)・寺(てら)に詣(もう)でる・初詣(はつもうで)
憬		ケイ	—	忄	りっしんべん	憧憬(しょうけい/どうけい)
稽	稽	ケイ	—	禾	のぎへん	稽古(けいこ)・滑稽(こっけい)・荒唐無稽(こうとうむけい)
隙		ゲキ㊖	すき	阝	こざとへん	間隙(かんげき)・隙意(げきい)・空隙(くうげき)・隙間(すきま)・隙(すき)がない
桁		—	けた	木	きへん	桁違(けたちが)い・桁外(けたはず)れ・橋桁(はしげた)
拳		ケン	こぶし	手	て	拳銃(けんじゅう)・拳法(けんぽう)・空拳(くうけん)・握(にぎ)り拳(こぶし)・拳(こぶし)を固(かた)める
鍵		ケン	かぎ	釒	かねへん	鍵盤(けんばん)・鍵(かぎ)を開(あ)ける・鍵穴(かぎあな)

2級配当漢字表② 読み

目標時間 15分
合格ライン 39点
得点 ／48
月　日

● 次の――線の**漢字の読み**を**ひらがな**で記せ。

1 次第に組織の形骸化が進む。
2 庭の柿の木が沢山の実をつけた。
3 顎関節が痛んで食事がとりづらい。
4 小説に親子の葛藤が描かれている。
5 彼とは同じ釜の飯を食べた仲だ。
6 鎌倉時代の歴史を学ぶ。
7 韓国語の勉強のために留学する。
8 商店街で玩具店を営む。
9 海外で歌舞伎の公演を行う。
10 友人との間に亀裂が生じる。

解答
1 けいがいか
2 かき
3 がくかんせつ
4 かっとう
5 かま
6 かまくら
7 かんこくご
8 がんぐ
9 かぶき
10 きれつ

11 名誉毀損で訴える。
12 近畿地方で梅雨が明けた。
13 空手の試合で肩を脱臼した。
14 嗅覚は五感の一つである。
15 避難訓練で防災頭巾をかぶる。
16 僅差で試合に負けてしまった。
17 錦絵の製作過程を見学する。
18 上層部の経営に危惧の念を抱く。
19 肉や魚を串焼きにする。
20 洞窟を探検する。

解答
11 きそん
12 きんき
13 だっきゅう
14 きゅうかく
15 ずきん
16 きんさ
17 にしきえ
18 きぐ
19 くしや
20 どうくつ

21 臼歯で噛(か)み砕く。
22 出雲大社を参詣する。
23 外国映画に憧憬する。
24 舞台の稽古に余念がない。
25 家具の隙間を掃除する。
26 今までの建物とは桁違いの大きさだ。
27 思わず拳を振り上げた。
28 部屋の鍵が壊れたので修理する。
29 砂漠で動物の死骸が見つかる。
30 顎を引き姿勢を正す。
31 葛湯を飲んで温まる。
32 鎌で草を刈り取る。
33 愛玩動物の安全を守る。
34 亀の甲羅の大きさを測る。

21 きゅうし
22 さんけい
23 しょうけい（どうけい）
24 けいこ
25 すきま
26 けたちが
27 こぶし
28 かぎ
29 しがい
30 あご
31 くずゆ
32 かま
33 あいがん
34 かめ

35 石臼でひいた小麦でパンを焼く。
36 咲き誇るバラの香りを嗅ぐ。
37 床を固くしぼった雑巾でふく。
38 僅かな望みにかける。
39 鮮やかな錦秋の風景が広がる。
40 渋柿を干すと甘くなる。
41 悪の巣窟を根絶する。
42 葛餅をほおばる。
43 元日の朝から初詣に行く。
44 滑稽な話に失笑する。
45 群衆の間隙を縫って進む。
46 橋桁の下を客船が通過する。
47 拳銃を装備した警察官。
48 ピアノの鍵盤を強くたたく。

35 いしうす
36 か
37 ぞうきん
38 わず
39 きんしゅう
40 しぶがき
41 そうくつ
42 くずもち
43 はつもうで
44 こっけい
45 かんげき
46 はしげた
47 けんじゅう
48 けんばん

2級配当漢字表③

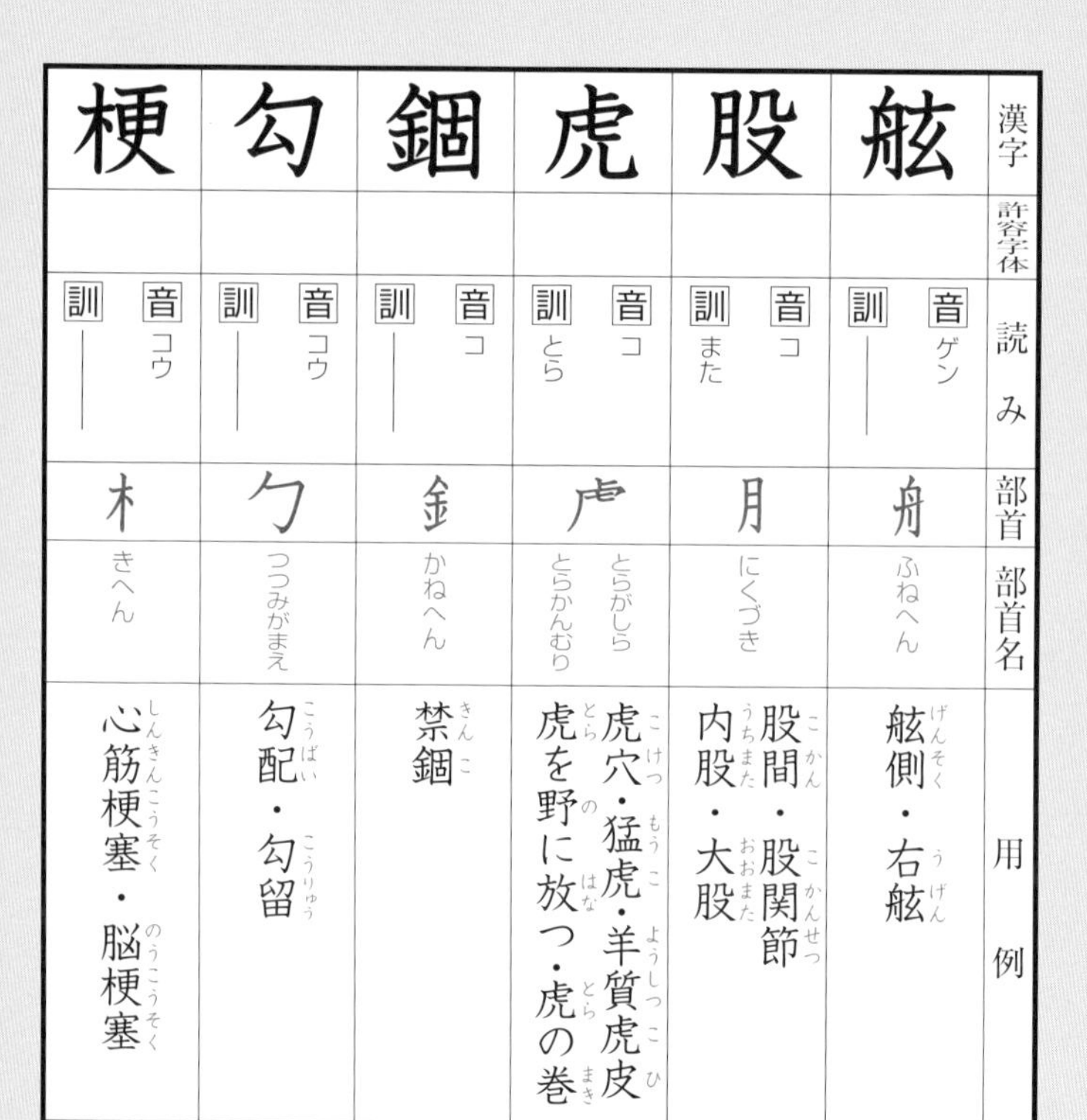

漢字	許容字体	読み（音）	読み（訓）	部首	部首名	用例
舷		ゲン	—	舟	ふねへん	舷側(げんそく)・右舷(うげん)
股		コ	また	月	にくづき	股間(こかん)・股関節(こかんせつ)・内股(うちまた)・大股(おおまた)
虎		コ	とら	虍	とらがしら とらかんむり	虎穴(こけつ)・猛虎(もうこ)・羊質虎皮(ようしつこひ)・虎を野(の)に放(はな)つ・虎(とら)の巻(まき)
錮		コ	—	金	かねへん	禁錮(きんこ)
勾		コウ	—	勹	つつみがまえ	勾配(こうばい)・勾留(こうりゅう)
梗		コウ	—	木	きへん	心筋梗塞(しんきんこうそく)・脳梗塞(のうこうそく)

漢字	許容字体	読み（音）	読み（訓）	部首	部首名	用例
喉		コウ	のど	口	くちへん	喉頭(こうとう)・咽喉(いんこう)・喉(のど)・喉元(のどもと)
乞		—	こ(う)	乙	おつ	教(おし)えを乞(こ)う・命乞(いのちご)い
傲		ゴウ	—	亻	にんべん	傲然(ごうぜん)・傲慢(ごうまん)・傲岸不遜(ごうがんふそん)
駒		—	こま	馬	うまへん	持(も)ち駒(ごま)・駒(こま)を進(すす)める
頃		—	ころ	頁	おおがい	頃(ころ)を見計(みはか)らう・日頃(ひごろ)
痕		コン	あと	疒	やまいだれ	痕跡(こんせき)・血痕(けっこん)・手術(しゅじゅつ)の痕(あと)・傷痕(きずあと/しょうこん)

POINT

「餌」の部首は「飠」。同じ「しょくへん」でも「𩙿」ではないので注意しよう！

漢字	許容字体	読み（音）	読み（訓）	部首	部首名	用例
沙		サ	—	氵	さんずい	沙汰（さた）・表沙汰（おもてざた）・音沙汰（おとさた）
挫		ザ	—	扌	てへん	挫折（ざせつ）・頓挫（とんざ）
采		サイ	—	釆	のごめ	采配（さいはい）・喝采（かっさい）・風采（ふうさい）
塞		サイ ソク	ふさ（ぐ） ふさ（がる）	土	つち	要塞（ようさい）・脳梗塞（のうこうそく）・閉塞（へいそく） 耳（みみ）を塞（ふさ）ぐ・穴（あな）が塞（ふさ）がる
柵		サク	—	木	きへん	鉄柵（てっさく）・柵門（さくもん）
刹		サツ（高） セツ	—	刂	りっとう	古刹（こさつ）・名刹（めいさつ）・刹那（せつな）
拶		サツ	—	扌	てへん	挨拶（あいさつ）
斬		ザン	き（る）	斤	おのづくり	斬殺（ざんさつ）・斬新（ざんしん） 刃物（はもの）で斬（き）る

漢字	許容字体	読み（音）	読み（訓）	部首	部首名	用例
恣		シ	—	心	こころ	恣意的（しいてき）・恣行（しこう）・放恣（ほうし）
摯		シ	—	手	て	真摯（しんし）・摯実（しじつ）
餌	餌	ジ（高）	えさ え	飠	しょくへん	好餌（こうじ）・食餌（しょくじ） 餌（えさ）・餌食（えじき）
叱		シツ	しか（る）	口	くちへん	叱責（しっせき）・叱声（しっせい） 子（こ）どもを叱（しか）る
嫉		シツ	—	女	おんなへん	嫉妬（しっと）・嫉視（しっし）
腫		シュ	は（れる） は（らす）	月	にくづき	腫瘍（しゅよう）・筋腫（きんしゅ）・浮腫（ふしゅ） 足首（あしくび）が腫（は）れる

2級配当漢字表③ 読み

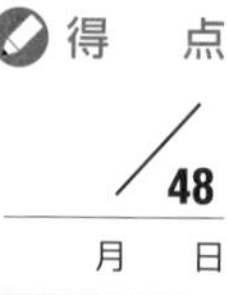

● 次の――線の**漢字の読み**を**ひらがな**で記せ。

1 船の舷側から海を見下ろす。
2 股関節を痛めて歩行困難になった。
3 虎穴に入らずんば虎子を得ず。
4 法廷で禁錮刑が言い渡される。
5 急勾配の坂道を上っていく。
6 世の中に閉塞感が漂う。
7 喉頭がんの手術が成功する。
8 心から謝罪し、許しを乞う。
9 傲慢な態度にあきれかえる。
10 決勝戦へ駒を進める。

解答
1 げんそく
2 こかんせつ
3 こけつ
4 きんこけい
5 こうばい
6 へいそく
7 こうとう
8 こ
9 ごうまん
10 こま

11 日頃の努力が実を結んだ。
12 手術の痕が次第に消える。
13 詳細は追って沙汰する。
14 挫折を味わって強くなる。
15 客席から拍手喝采を浴びる。
16 動物園でキリンに餌をやる。
17 部下に叱声を放つ。
18 私有地の周囲に柵を巡らす。
19 京都の名刹の写真集を買う。
20 友人と挨拶を交わす。

解答
11 ひごろ
12 あと
13 さた
14 ざせつ
15 かっさい
16 えさ
17 しっせい
18 さく
19 めいさつ
20 あいさつ

21 日本刀で竹を斬る。
22 恣意的な判断に戸惑う。
23 批判を真摯に受け止める。
24 肉食動物の餌食となる。
25 奈良の古刹を訪れる。
26 株主から厳しい叱責を受ける。
27 優勝したライバルを嫉視する。
28 手術で悪性の腫瘍を切除した。
29 話題の小説の梗概を教えてもらう。
30 得意技の内股で勝利した。
31 虎の巻をひもといて調べる。
32 勾留期間を延長して取り調べる。
33 堅牢（けんろう）な要塞がそびえたつ。
34 感情が喉元までせり上がる。

21 き
22 しいてき
23 しんし
24 えじき
25 こさつ
26 しっせき
27 しっし
28 しゅよう
29 こうがい
30 うちまた
31 とら
32 こうりゅう
33 ようさい
34 のどもと

35 涙ながらに命乞いをする。
36 頃を見計らって食事を出す。
37 山道に小動物の痕跡が残る。
38 社長に代わって采配を振る。
39 栓が塞がって水が詰まる。
40 頑丈な鉄柵で周りを囲う。
41 最近の若者は刹那主義だ。
42 斬新なデザインが好評だ。
43 恣行的な選択をする。
44 彼は摯実な人物だ。
45 好餌に釣られてしまう。
46 何の音沙汰もない。
47 頭ごなしに叱るものではない。
48 泣きすぎて目を腫らす。

35 いのちご
36 ころ
37 こんせき
38 さいはい
39 ふさ
40 てっさく
41 せつな
42 ざんしん
43 しこう
44 しじつ
45 こうじ
46 おとさた
47 しか
48 は

2級配当漢字表④

漢字	許容字体	読み	部首	部首名	用例
呪		音 ジュ 訓 のろ(う)	口	くちへん	呪縛(じゅばく)・呪文(じゅもん)・呪術(じゅじゅつ) 世(よ)を呪(のろ)う
袖		音 シュウ(高) 訓 そで	衤	ころもへん	領袖(りょうしゅう)・長袖(ちょうしゅう(ながそで)) 舞台(ぶたい)の袖(そで)・半袖(はんそで)
羞		音 シュウ 訓 —	羊	ひつじ	羞恥心(しゅうちしん)・羞悪(しゅうお)・羞辱(しゅうじょく)
蹴		音 シュウ 訓 け(る)	𧾷	あしへん	一蹴(いっしゅう)・蹴球(しゅうきゅう)・蹴然(しゅうぜん) 石(いし)を蹴(け)る・蹴散(けち)らす
憧		音 ショウ 訓 あこが(れる)	忄	りっしんべん	憧憬(しょうけい(どうけい)) 憧(あこが)れの職(しょく)に就(つ)く
拭		音 ショク(高) 訓 ふ(く) ぬぐ(う)	扌	てへん	払拭(ふっしょく)・拭浄(しょくじょう) 手(て)を拭(ふ)く・汗(あせ)を拭(ぬぐ)う

漢字	許容字体	読み	部首	部首名	用例
尻		音 — 訓 しり	尸	かばね しかばね	尻込(しりご)み・目尻(めじり)・尻餅(しりもち)
芯		音 シン 訓 —	艹	くさかんむり	鉛筆(えんぴつ)の芯(しん)・鉄芯(てっしん)
腎		音 ジン 訓 —	肉	にく	腎臓(じんぞう)・肝腎(かんじん)
須		音 ス 訓 —	頁	おおがい	必須(ひっす)・急須(きゅうす)
裾		音 — 訓 すそ	衤	ころもへん	裾(すそ)が汚(よご)れる・裾野(すその)・山裾(やますそ)
凄		音 セイ 訓 —	冫	にすい	凄惨(せいさん)・凄絶(せいぜつ)

POINT

「遡」の部首は「辶」。同じ「しんにょう・しんにゅう」でも「⻍」ではないので注意しよう！

漢字	許容字体	読み	部首	部首名	用例
醒		音 セイ 訓 ―	酉	とりへん	覚醒(かくせい)・醒悟(せいご)
脊		音 セキ 訓 ―	肉	にく	脊髄(せきずい)・脊柱(せきちゅう)・脊椎(せきつい)
戚		音 セキ 訓 ―	戈	ほこづくり ほこがまえ	親戚(しんせき)・縁戚(えんせき)・戚然(せきぜん)
煎	煎	音 セン 訓 い(る)	灬	れんが れっか	煎茶(せんちゃ)・煎餅(せんべい)・煎薬(せんやく) 大豆(だいず)を煎(い)る・煎り豆(まめ)
羨		音 セン(高) 訓 うらや(む) うらや(ましい)	羊	ひつじ	羨望(せんぼう)・羨慕(せんぼ) 成功(せいこう)を羨(うらや)む
腺		音 セン 訓 ―	月	にくづき	前立腺(ぜんりつせん)・涙腺(るいせん)
詮	詮	音 セン 訓 ―	言	ごんべん	詮索(せんさく)・所詮(しょせん)・詮議(せんぎ)
箋	箋	音 セン 訓 ―	⺮	たけかんむり	処方箋(しょほうせん)・便箋(びんせん)・付箋(ふせん)

漢字	許容字体	読み	部首	部首名	用例
膳		音 ゼン 訓 ―	月	にくづき	膳(ぜん)・配膳(はいぜん)
狙		音 ソ 訓 ねら(う)	犭	けものへん	狙撃(そげき) 優勝(ゆうしょう)を狙(ねら)う
遡	遡	音 ソ(高) 訓 さかのぼ(る)	辶	しんにょう しんにゅう	遡及(そきゅう)・遡上(そじょう)・遡行(そこう) 過去(かこ)に遡(さかのぼ)る
曽		音 ソウ ゾ 訓 ―	日	ひらび いわく	曽祖父(そうそふ)・曽孫(そうそん)・未曽有(みぞう)
爽		音 ソウ 訓 さわ(やか)	大	だい	爽快(そうかい)・爽然(そうぜん)・爽昧(そうまい) 爽(さわ)やかな風(かぜ)
痩		音 ソウ(高) 訓 や(せる)	疒	やまいだれ	痩身(そうしん) 土(つち)が痩(や)せる・痩(や)せ我慢(がまん)
踪		音 ソウ 訓 ―	𧾷	あしへん	失踪(しっそう)・踪跡(そうせき)
捉		音 ソク 訓 とら(える)	扌	てへん	捕捉(ほそく)・把捉(はそく) 心(こころ)を捉(とら)える

2級配当漢字表④ 読み

15分

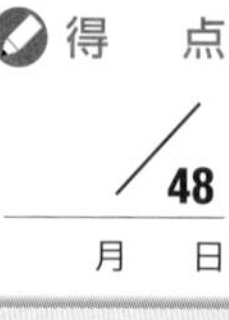

39点

／48
月　日

● 次の――線の**漢字の読み**を**ひらがな**で記せ。

1 過去の呪縛から解放される。
2 派閥の領袖が会合を開く。
3 羞恥心のない若者が増えた。
4 ゴールを狙い定めてボールを蹴る。
5 夢がかない、憧れの地に住む。
6 アルコールで拭浄する。
7 長時間の着席で尻が痛む。
8 鉛筆の芯が折れた。
9 何事も初めが肝腎だ。
10 必須科目の単位を修得する。

解答
1 じゅばく
2 りょうしゅう
3 しゅうちしん
4 け
5 あこが
6 しょくじょう
7 しり
8 しん
9 かんじん
10 ひっす

11 山裾に牧草地が広がる。
12 凄惨な事故に目を覆う。
13 カフェインには覚醒作用がある。
14 脊椎を図鑑で調べる。
15 親戚縁者が一堂に会する。
16 応接室で煎茶をいただく。
17 世界記録保持者の彼は羨望の的だ。
18 映画に感動して涙腺がゆるむ。
19 あれこれと詮索するのはやめよう。
20 便箋十枚にも及ぶ長い手紙。

解答
11 やますそ
12 せいさん
13 かくせい
14 せきつい
15 しんせき
16 せんちゃ
17 せんぼう
18 るいせん
19 せんさく
20 びんせん

21 旅館の配膳係として働く。
22 狙撃犯を取り押さえる。
23 サケが川を遡上する。
24 曽祖父は今も健在だ。
25 高原の爽やかな朝を満喫する。
26 彼は長身で痩身である。
27 失踪宣告を受ける。
28 名曲が心を捉えて離さない。
29 戦争の世を呪う。
30 出演者が舞台の袖で待機する。
31 羞悪の念が生じる。
32 新しい提案は議会で一蹴された。
33 高校時代の恩師を憧憬する。
34 床にこぼした牛乳を拭く。

21 はいぜん
22 そげき
23 そじょう
24 そうそふ
25 さわ
26 そうしん
27 しっそう
28 とら
29 のろ
30 そで
31 しゅうお
32 いっしゅう
33 しょうけい（どうけい）
34 ふ

35 急須でお茶をいれる。
36 制服の裾が汚れる。
37 縁戚を友人に紹介する。
38 焦げないようにゴマを煎る。
39 運動神経が良く羨ましい限りだ。
40 罪人を引き出し詮議する。
41 ハンカチで額の汗を拭う。
42 薬膳料理を食べる。
43 狙いは古地図が示す財宝だ。
44 時代を遡って検証する。
45 未曽有の不景気に見舞われる。
46 避暑地で過ごす時間は爽快だ。
47 土が痩せて作物が育たない。
48 海賊を捕捉する。

35 きゅうす
36 すそ
37 えんせき
38 い
39 うらや
40 せんぎ
41 ぬぐ
42 やくぜん
43 ねら
44 さかのぼ
45 みぞう
46 そうかい
47 や
48 ほそく

2級配当漢字表⑤

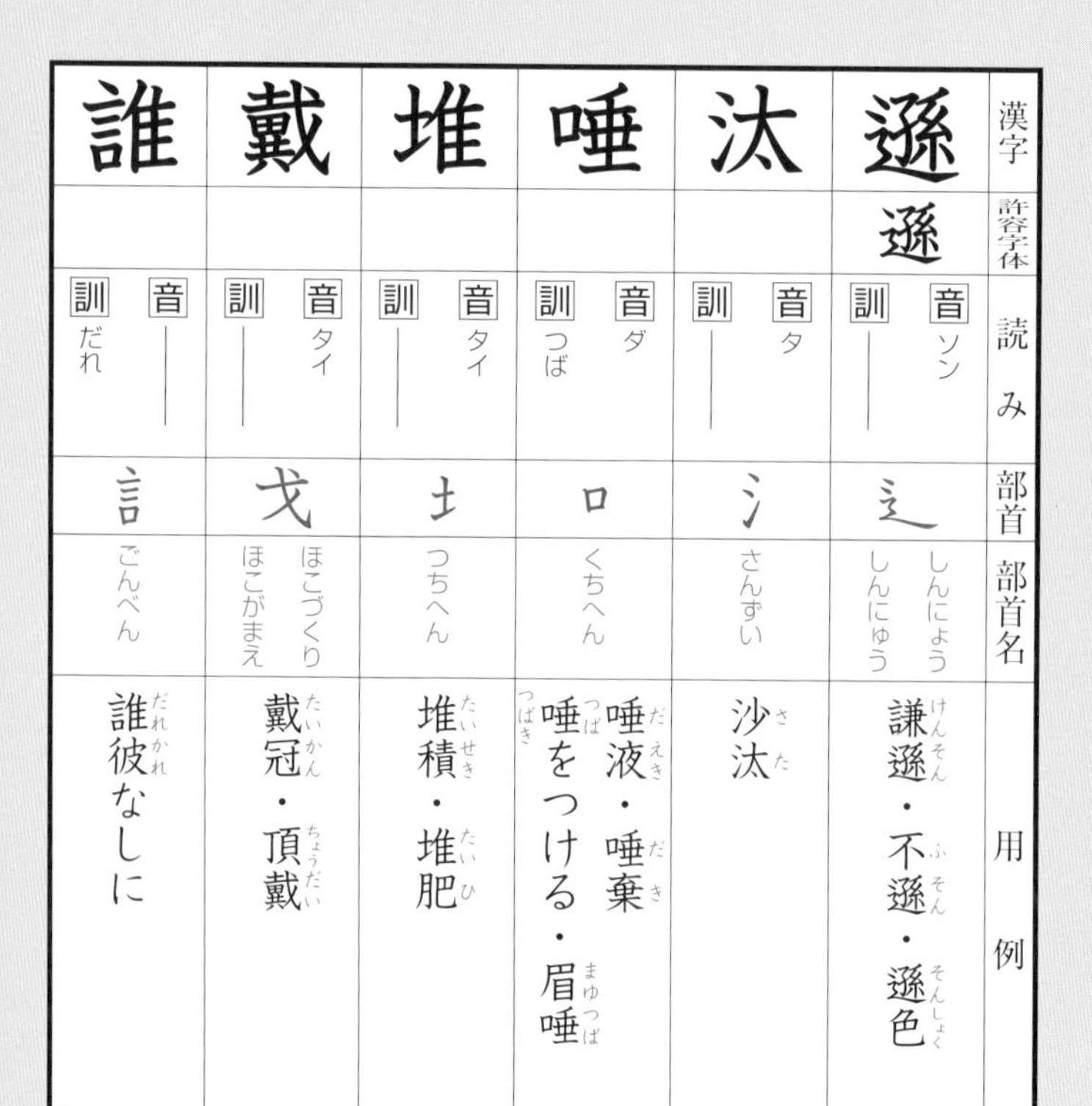

漢字	許容字体	読み	部首	部首名	用例
遜	遜	音 ソン 訓 —	辶	しんにょう しんにゅう	謙遜(けんそん)・不遜(ふそん)・遜色(そんしょく)
汰		音 タ 訓 —	氵	さんずい	沙汰(さた)
唾		音 ダ 訓 つば	口	くちへん	唾液(だえき)・唾棄(だき) 唾(つば)をつける・眉唾(まゆつば)
堆		音 タイ 訓 —	土	つちへん	堆積(たいせき)・堆肥(たいひ)
戴		音 タイ 訓 —	戈	ほこづくり ほこがまえ	戴冠(たいかん)・頂戴(ちょうだい)
誰		音 — 訓 だれ	言	ごんべん	誰彼(だれかれ)なしに

漢字	許容字体	読み	部首	部首名	用例
旦		音 タン ダン 訓 —	日	ひ	一旦(いったん)・元旦(がんたん)・旦夕(たんせき)・旦那(だんな)
綻		音 タン 訓 ほころ(びる)	糸	いとへん	破綻(はたん) 口元(くちもと)が綻(ほころ)びる
緻		音 チ 訓 —	糸	いとへん	緻密(ちみつ)・精緻(せいち)・細緻(さいち)・巧緻(こうち)
酎		音 チュウ 訓 —	酉	とりへん	焼酎(しょうちゅう)
貼		音 チョウ 訓 は(る)	貝	かいへん	貼用(ちょうよう)・貼付(ちょうふ(てんぷ)) 切手(きって)を貼(は)る
嘲	嘲	音 チョウ 訓 あざけ(る)	口	くちへん	嘲笑(ちょうしょう)・自嘲(じちょう)・嘲罵(ちょうば) 人(ひと)の失敗(しっぱい)を嘲(あざけ)る

POINT

「戴」は「載」と似た形だが、「戴」は「頭上に物をのせる」の意で、「載」は「車などに物をのせる」の意。

漢字	許容字体	読み（音）	読み（訓）	部首	部首名	用例
捗	捗	チョク	—	扌	てへん	進捗（しんちょく）
椎		ツイ	—	木	きへん	椎間板（ついかんばん）・脊椎（せきつい）
爪		—	つめ つま	爪	つめ	爪（つめ）・生爪（なまづめ）・爪先（つまさき）・爪弾（つまび）く
鶴		—	つる	鳥	とり	鶴（つる）の一声（ひとこえ）・千羽鶴（せんばづる）
諦		テイ	あきら(める)	言	ごんべん	諦観（ていかん）・諦念（ていねん）・諦視（ていし）・真諦（しんてい） 雨（あめ）で外出（がいしゅつ）を諦（あきら）める
溺	溺	デキ	おぼ(れる)	氵	さんずい	溺愛（できあい）・溺死（できし）・溺惑（できわく） プールで溺（おぼ）れる
塡	填	テン	—	土	つちへん	装塡（そうてん）・補塡（ほてん）・充塡（じゅうてん）・塡塞（てんそく）
妬		ト	ねた(む)	女	おんなへん	嫉妬（しっと）・妬心（としん） 他人（たにん）を妬（ねた）む

漢字	許容字体	読み（音）	読み（訓）	部首	部首名	用例
賭	賭	ト㊂	か(ける)	貝	かいへん	賭場（とば）・賭博（とばく） 社運（しゃうん）を賭（か）ける・賭（か）けに勝（か）つ
藤		トウ	ふじ	艹	くさかんむり	葛藤（かっとう） 藤（ふじ）が咲（さ）く・藤色（ふじいろ）
瞳		ドウ	ひとみ	目	めへん	瞳孔（どうこう） つぶらな瞳（ひとみ）
頓		トン	—	頁	おおがい	頓着（とんちゃく）・整頓（せいとん）・頓挫（とんざ） 停頓（ていとん）・頓首再拝（とんしゅさいはい）
貪		ドン	むさぼ(る)	貝	かい こがい	貪欲（どんよく） 利益（りえき）を貪（むさぼ）る
丼		—	どんぶり どん	丶	てん	丼飯（どんぶりめし）・丼勘定（どんぶりかんじょう）・天丼（てんどん）
那		ナ	—	阝	おおざと	刹那（せつな）・旦那（だんな）

2級配当漢字表⑤ 読み

目標時間 15分
合格ライン 39点
得点 ／48
月　日

● 次の――線の**漢字の読み**を**ひらがな**で記せ。

1 プロの作品と比べても遜色がない。
2 不正の数々が表沙汰になる。
3 唾液の分泌を促す。
4 堆積岩を採掘する。
5 ありがたく頂戴します。
6 誰もが国の平和を願っている。
7 一旦帰宅して着替える。
8 銀行が経営破綻に追い込まれる。
9 緻密な作業が必要とされる。
10 差し入れに焼酎を持参する。

解答
1 そんしょく
2 おもてざた
3 だえき
4 たいせき
5 ちょうだい
6 だれ
7 いったん
8 はたん
9 ちみつ
10 しょうちゅう

11 履歴書に写真を貼付する。
12 自嘲の笑いを浮かべる。
13 進捗状況を報告する。
14 椎間板ヘルニアの治療を受ける。
15 爪を伸ばしてマニキュアを塗る。
16 平和を祈り、千羽鶴をささげる。
17 物事を諦観して進めていく。
18 初孫を溺愛している。
19 損失の補塡が巨額になる。
20 悔しさから妬心がわいてくる。

解答
11 ちょうふ（てんぷ）
12 じちょう
13 しんちょく
14 ついかんばん
15 つめ
16 せんばづる
17 ていかん
18 できあい
19 ほてん
20 としん

21 賭博を取り締まる法律を作る。
22 藤色は高貴な色として愛された。
23 瞳孔が開いているのが確認された。
24 苦難を経て諦念に至る。
25 整理整頓を心がける。
26 貪欲に学び知識を吸収する。
27 昼食の献立は天井だ。
28 友人の旦那様を紹介された。
29 謙遜して自分のことは語らない。
30 眉唾な話だと全く信用されない。
31 落ち葉を集めて堆肥にする。
32 戴冠式を執り行う。
33 一斉に花のつぼみが綻びる。
34 精緻な細工を施した美術品。

21 とばく
22 ふじいろ
23 どうこう
24 ていねん
25 せいとん
26 どんよく
27 てんどん
28 だんな
29 けんそん
30 まゆつば
31 たいひ
32 たいかん
33 ほころ
34 せいち

35 腰に湿布薬を貼る。
36 人の失敗を嘲ってはいけない。
37 脊椎動物の分類を調べる。
38 昼下がりにギターを爪弾く。
39 社長の鶴の一声で決定した。
40 雨のため野球大会の実施を諦める。
41 溺れないように準備体操をする。
42 印刷機にインクを充填する。
43 努力もせずに他人の成功を妬む。
44 賭け事には興味がない。
45 少年はつぶらな瞳で見つめていた。
46 計画が頓挫する。
47 休日に惰眠を貪る。
48 兄は丼飯を食べる。

35 は
36 あざけ
37 せきつい
38 つまび
39 つる
40 あきら
41 おぼ
42 じゅうてん
43 ねた
44 か
45 ひとみ
46 とんざ
47 むさぼ
48 どんぶりめし

2級配当漢字表⑥

漢字	許容字体	読み	部首	部首名	用例
謎	謎	音 ― 訓 なぞ	言	ごんべん	謎を解明する
鍋		音 ― 訓 なべ	金	かねへん	鍋を洗う・鍋料理・土鍋・夜鍋
匂		音 ― 訓 にお(う)	勹	つつみがまえ	香水が匂う・花の匂い
虹		音 ― 訓 にじ	虫	むしへん	七色の虹
捻		音 ネン 訓 ―	扌	てへん	捻挫・捻出
罵		音 バ 訓 ののし(る)	罒	あみがしら あみめ よこめ	罵声・罵倒・痛罵・嘲罵・大声で罵る

漢字	許容字体	読み	部首	部首名	用例
剝	剥	音 ハク 訓 は(がす) は(ぐ) は(がれる) は(げる)	刂	りっとう	剝製・剝奪・剝離・剝脱・皮を剝がす・皮を剝ぐ
箸	箸	音 ― 訓 はし	⺮	たけかんむり	箸を作る・箸置き・菜箸
氾		音 ハン 訓 ―	氵	さんずい	氾濫
汎		音 ハン 訓 ―	氵	さんずい	汎愛・汎用・汎論・広汎
斑		音 ハン 訓 ―	文	ぶん	斑点・母斑・死斑
眉		音 ビ ミ(高) 訓 まゆ	目	め	眉目・焦眉・眉間・眉毛・眉唾

POINT

「璧」と「壁」は似た形だが、「璧」は「たま。立派なもの」の意で、「壁」は「かべ。がけ。とりで」の意。

漢字	許容字体	読み（音）	読み（訓）	部首	部首名	用例
膝		―	ひざ	月	にくづき	膝(ひざ)を交(まじ)える・膝頭(ひざがしら)・膝枕(ひざまくら)
肘		―	ひじ	月	にくづき	肘(ひじ)をつく・肘掛(ひじか)け・肘枕(ひじまくら)
訃		フ	―	言	ごんべん	訃報(ふほう)・訃音(ふいん)・訃告(ふこく)
蔽	蔽	ヘイ	―	艹	くさかんむり	隠蔽(いんぺい)・遮蔽(しゃへい)・蔽塞(へいそく)
餅	餠	ヘイ	もち	𩙿	しょくへん	煎餅(せんべい)・画餅(がべい)・餅屋(もちや)・尻餅(しりもち)
璧		ヘキ	―	玉	たま	完璧(かんぺき)・双璧(そうへき)・白璧断獄(はくへきだんごく)
蔑		ベツ	さげす(む)	艹	くさかんむり	蔑視(べっし)・軽蔑(けいべつ)・侮蔑(ぶべつ)・相手(あいて)を蔑(さげす)む
哺		ホ	―	口	くちへん	哺乳類(ほにゅうるい)・哺乳瓶(ほにゅうびん)・吐哺握髪(とほあくはつ)

漢字	許容字体	読み（音）	読み（訓）	部首	部首名	用例
蜂		ホウ	はち	虫	むしへん	蜂起(ほうき)・養蜂場(ようほうじょう)・蜜蜂(みつばち)・蜂(はち)の巣(す)
貌		ボウ	―	豸	むじなへん	変貌(へんぼう)・美貌(びぼう)・容貌(ようぼう)・相貌(そうぼう)
頰	頬	―	ほお	頁	おおがい	頰(ほお／ほほ)がゆるむ・頰張(ほおば)る
睦		ボク	―	目	めへん	親睦(しんぼく)・和睦(わぼく)

2級配当漢字表⑥
読み

目標時間 15分
合格ライン 39点
得点 ／48　月　日

● 次の――線の**漢字の読み**を**ひらがな**で記せ。

1 画餅に帰す。
2 彼の話は眉唾だ。
3 歴史には謎が多く秘められている。
4 年末は家族で鍋を囲む。
5 部屋の中で花の香りが匂う。
6 太陽光の反射と屈折で虹ができる。
7 家計から娯楽費を捻出する。
8 会場に罵声が飛び交う。
9 床の間にワシの剝製が置かれた。
10 幼児に箸の使い方を教える。

解答

1 がべい
2 まゆつば
3 なぞ
4 なべ
5 にお
6 にじ
7 ねんしゅつ
8 ばせい
9 はくせい
10 はし

11 台風で河川が氾濫する。
12 鉄や銅などは汎用金属といわれる。
13 土鍋で飯を炊く。
14 魚の体表に斑点模様がある。
15 財政再建は焦眉の課題だ。
16 膝頭をそろえてきちんと座る。
17 骨折して肘を固定する。
18 怒りのままに罵倒する。
19 突然の訃報に驚き悲しむ。
20 不正の隠蔽工作が発覚する。

解答

11 はんらん
12 はんよう
13 どなべ
14 はんてん
15 しょうび
16 ひざがしら
17 ひじ
18 ばとう
19 ふほう
20 いんぺい

21 実演販売の煎餅を買う。
22 防災対策は完璧だ。
23 暴力をふるう人は軽蔑に値する。
24 くじらは魚類ではなく哺乳類だ。
25 人民が武装蜂起する。
26 めざましい変貌を遂げる。
27 とめどなく涙が頰を伝う。
28 レクリエーションで親睦を深める。
29 侮蔑したような態度をとる。
30 階段を踏み外し足首を捻挫する。
31 面と向かって罵る。
32 木の皮を剝がす。
33 菜箸で卵をほぐす。
34 全てのものを汎愛する。

21 せんべい
22 かんぺき
23 けいべつ
24 ほにゅうるい
25 ほうき
26 へんぼう
27 ほお(ほほ)
28 しんぼく
29 ぶべつ
30 ねんざ
31 ののし
32 は
33 さいばし
34 はんあい

35 養蜂を営む。
36 マナーのない振る舞いに眉をひそめる。
37 転倒し、膝を痛める。
38 肘掛け椅子に座る。
39 祖父の訃告を聞く。
40 分厚い壁で外の音が遮蔽される。
41 草餅を手作りする。
42 両者は現代絵画の双璧といわれる。
43 相手を蔑むような目で見る。
44 哺乳瓶を消毒する。
45 軒下の蜂の巣を撤去する。
46 美貌を保つには努力が必要だ。
47 テレビを見ながらお菓子を頰張る。
48 和平交渉の結果、隣国と和睦する。

35 ようほう
36 まゆ
37 ひざ
38 ひじか
39 ふこく
40 しゃへい
41 くさもち
42 そうへき
43 さげす
44 ほにゅうびん
45 はち
46 びぼう
47 ほおば
48 わぼく

2級配当漢字表⑦

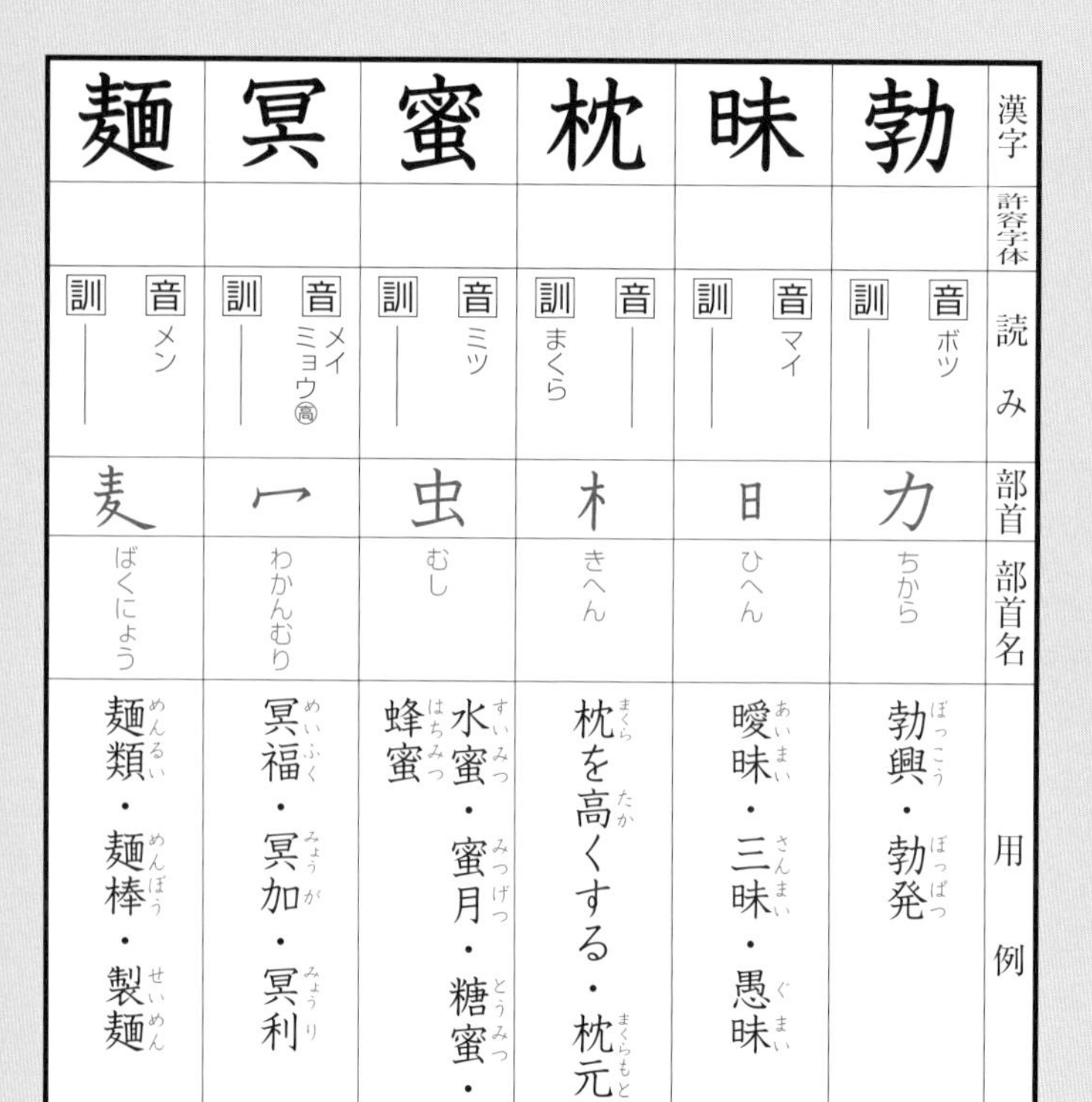

漢字	許容字体	読み（音）	読み（訓）	部首	部首名	用例
勃		ボツ	―	力	ちから	勃興（ぼっこう）・勃発（ぼっぱつ）
昧		マイ	―	日	ひへん	曖昧（あいまい）・三昧（さんまい）・愚昧（ぐまい）
枕		―	まくら	木	きへん	枕（まくら）を高（たか）くする・枕元（まくらもと）
蜜		ミツ	―	虫	むし	水蜜（すいみつ）・蜜月（みつげつ）・糖蜜（とうみつ）・蜂蜜（はちみつ）
冥		メイ ミョウ㊥	―	冖	わかんむり	冥福（めいふく）・冥加（みょうが）・冥利（みょうり）
麺		メン	―	麦	ばくにょう	麺類（めんるい）・麺棒（めんぼう）・製麺（せいめん）

漢字	許容字体	読み（音）	読み（訓）	部首	部首名	用例
冶		ヤ	―	冫	にすい	冶金（やきん）・陶冶（とうや）・妖冶（ようや）
弥		―	や	弓	ゆみへん	弥生（やよい）・弥生土器（やよいどき）
闇		―	やみ	門	もんがまえ	闇夜（やみよ）・暗闇（くらやみ）・宵闇（よいやみ）
喩	喻	ユ	―	口	くちへん	比喩（ひゆ）・直喩（ちょくゆ）・暗喩（あんゆ）
湧		ユウ	わ（く）	氵	さんずい	湧水（ゆうすい）・湧出（ゆうしゅつ）・湧起（ゆうき）・温泉（おんせん）が湧（わ）く
妖		ヨウ	あや（しい）	女	おんなへん	妖怪（ようかい）・妖艶（ようえん）・妖精（ようせい）・面妖（めんよう）・妖（あや）しい魅力（みりょく）

POINT

「冶」は「治」に似た形だが、意味は似ておらず、「金属を精錬する、溶かす。なまめかしい」の意。

漢字	許容字体	読み	部首	部首名	用例
瘍		音 ヨウ / 訓 —	疒	やまいだれ	潰瘍(かいよう)・腫瘍(しゅよう)
沃		音 ヨク / 訓 —	氵	さんずい	肥沃(ひよく)・豊沃(ほうよく)・沃土(よくど)
拉		音 ラ / 訓 —	扌	てへん	拉致(らち)
辣		音 ラツ / 訓 —	辛	からい	辣腕(らつわん)・辛辣(しんらつ)
藍		音 ラン㊉高 / 訓 あい	艹	くさかんむり	出藍(しゅつらん)・青藍(せいらん)・藍色(あいいろ)・藍染(あいぞ)め
璃		音 リ / 訓 —	王	おうへん たまへん	浄瑠璃(じょうるり)・瑠璃色(るりいろ)
慄		音 リツ / 訓 —	忄	りっしんべん	慄然(りつぜん)・戦慄(せんりつ)
侶		音 リョ / 訓 —	亻	にんべん	僧侶(そうりょ)・伴侶(はんりょ)

漢字	許容字体	読み	部首	部首名	用例
瞭		音 リョウ / 訓 —	目	めへん	明瞭(めいりょう)・瞭然(りょうぜん)
瑠		音 ル / 訓 —	王	おうへん たまへん	浄瑠璃(じょうるり)・瑠璃色(るりいろ)
呂		音 ロ / 訓 —	口	くち	風呂(ふろ)・語呂(ごろ)
賂		音 ロ / 訓 —	貝	かいへん	賄賂(わいろ)・貨賂(かろ)
弄		音 ロウ / 訓 もてあそ(ぶ)	廾	こまぬき にじゅうあし	愚弄(ぐろう)・翻弄(ほんろう)・嘲弄(ちょうろう) 制度(せいど)を弄(もてあそ)ぶ
籠		音 ロウ㊉高 / 訓 かご こ(もる)	⺮	たけかんむり	籠城(ろうじょう)・印籠(いんろう)・籠絡(ろうらく)・籠球(ろうきゅう) 籠(かご)を編(あ)む・部屋(へや)に籠(こ)もる
麓		音 ロク / 訓 ふもと	木	き	山麓(さんろく) 山(やま)の麓(ふもと)に住(す)む
脇		音 — / 訓 わき	月	にくづき	脇腹(わきばら)・両脇(りょうわき)・脇役(わきやく)・脇見(わきみ)

2級配当漢字表⑦ 読み

目標時間 15分

合格ライン 39点

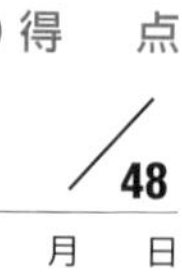
得点 ／48
月 日

● 次の——線の**漢字の読み**を**ひらがな**で記せ。

1 紛争が勃発する。
2 愚昧な人と言われて反省する。
3 枕を高くして眠る。
4 パンに蜂蜜をつけて食べる。
5 拍手を浴び役者冥利に尽きる。
6 製麺所を見学する。
7 人格を陶冶する。
8 出土した土器は弥生時代のものだ。
9 暗闇に明かりをともす。
10 比喩の技法を多用した詩を書く。

解答

1 ぼっぱつ
2 ぐまい
3 まくら
4 はちみつ
5 みょうり
6 せいめん
7 とうや
8 やよい
9 くらやみ
10 ひゆ

11 思わぬ場所に温泉が湧く。
12 古くから妖怪の話が伝わる。
13 ストレスで胃に潰瘍ができた。
14 豊沃な土地を耕す。
15 拉致事件の解決を切に願う。
16 会議では辛辣な意見も出された。
17 出藍の誉れ高い弟子だ。
18 人形浄瑠璃の舞台を鑑賞する。
19 震災の映像は見る人を戦慄させる。
20 僧侶となり仏道に入る。

解答

11 わ
12 ようかい
13 かいよう
14 ほうよく
15 らち
16 しんらつ
17 しゅつらん
18 じょうるり
19 せんりつ
20 そうりょ

21 発言の意図が不明瞭だ。
22 宇宙から瑠璃色の地球を見る。
23 風呂に入り、疲れを癒やす。
24 賄賂の要求を拒否する。
25 不確かな情報に翻弄される。
26 籠城して最期を遂げる。
27 山の頂上から山麓を見下ろす。
28 脇見運転による事故が起きた。
29 新たに対抗勢力が勃興してきた。
30 昼寝三昧の休日を過ごす。
31 枕元に明かりをともす。
32 葬儀に参列し故人の冥福を祈る。
33 麺棒で生地を薄く伸ばす。
34 冶金の技術を習得する。

21 ふめいりょう
22 るりいろ
23 ふろ
24 わいろ
25 ほんろう
26 ろうじょう
27 さんろく
28 わきみ
29 ぼっこう
30 ざんまい
31 まくらもと
32 めいふく
33 めんぼう
34 やきん

35 部屋に籠もって勉強をする。
36 石油の湧出で国が栄える。
37 彼女には妖しい魅力がある。
38 腫瘍には悪性と良性がある。
39 彼は辣腕編集者だ。
40 藍染めは染めの回数で濃淡を出す。
41 街の荒廃に慄然とする。
42 生涯の伴侶を得る。
43 大半が女性であるのは一目瞭然だ。
44 歴史年号を語呂合わせで覚える。
45 人の気持ちを弄ぶ。
46 籠の中の鳥を空に放す。
47 麓の村から山に登る。
48 脇目も振らず勉強した。

35 こ
36 ゆうしゅつ
37 あや
38 しゅよう
39 らつわん
40 あいぞ
41 りつぜん
42 はんりょ
43 りょうぜん
44 ごろ
45 もてあそ
46 かご
47 ふもと
48 わきめ

準2級配当漢字表①

漢字	読み	部首	部首名	用例
泥	音 デイ(高) 訓 どろ	氵	さんずい	拘泥(こうでい)・雲泥(うんでい)・汚泥(おでい)・泥炭(でいたん) 泥縄(どろなわ)
渇	音 カツ(高) 訓 かわ(く)	氵	さんずい	渇水(かっすい)・渇望(かつぼう)・枯渇(こかつ) のどが渇(かわ)く
懐	音 カイ 訓 ふところ(高) なつ(かしい)(高) なつ(かしむ)(高) なつ(く)(高) なつ(ける)(高)	忄	りっしんべん	懐中(かいちゅう)・懐柔(かいじゅう)・懐郷(かいきょう) 懐刀(ふところがたな)・懐(なつ)かしい人(ひと)
薫	音 クン(高) 訓 かお(る)	艹	くさかんむり	薫陶(くんとう)・薫製(くんせい)・薫風(くんぷう)・余薫(よくん) 風薫(かぜかお)る
疎	音 ソ 訓 うと(い)(高) うと(む)(高)	𤴔	ひきへん	疎遠(そえん)・疎漏(そろう)・過疎(かそ)・疎外(そがい) 世事(せじ)に疎(うと)い
緒	音 ショ チョ 訓 お	糸	いとへん	一緒(いっしょ)・由緒(ゆいしょ)・情緒(じょうちょ/じょうしょ) 鼻緒(はなお)

漢字	読み	部首	部首名	用例
寡	音 カ 訓 ―	宀	うかんむり	寡欲(かよく)・寡聞(かぶん)・多寡(たか)・寡婦(かふ)・ 寡占(かせん)・衆寡(しゅうか)
甚	音 ジン(高) 訓 はなは(だ) はなは(だしい)	甘	かん あまい	幸甚(こうじん)・激甚(げきじん)・甚大(じんだい) 甚(はなは)だ残念(ざんねん)だ
壮	音 ソウ 訓 ―	士	さむらい	勇壮(ゆうそう)・豪壮(ごうそう)・壮健(そうけん)・壮図(そうと)・ 壮行会(そうこうかい)・壮挙(そうきょ)・悲壮(ひそう)
廃	音 ハイ 訓 すた(れる) すた(る)	广	まだれ	廃案(はいあん)・撤廃(てっぱい)・荒廃(こうはい) 商店街(しょうてんがい)が廃(すた)れる
紡	音 ボウ 訓 つむ(ぐ)(高)	糸	いとへん	紡績(ぼうせき)・混紡(こんぼう)・紡織(ぼうしょく) 糸(いと)を紡(つむ)ぐ
禍	音 カ 訓 ―	礻	しめすへん	惨禍(さんか)・舌禍(ぜっか)・禍根(かこん)・筆禍(ひっか)・ 災禍(さいか)

※「読み」の欄の(　)内のひらがなは送りがな、高は高校で習う読みです。

POINT

「禍」と「渦」は、同音で形も似ているので書き誤りやすい。意味をしっかり覚えて用例をチェック！

漢字	読み	部首	部首名	用例
偽	音 ギ 訓 いつわ(る)・にせ㊋	亻	にんべん	真偽・虚偽・偽善・学歴を偽る・偽物
粛	音 シュク 訓 ―	聿	ふでづくり	厳粛・静粛・自粛・粛正・粛清
還	音 カン 訓 ―	辶	しんにょう・しんにゅう	還元・還付・帰還
暁	音 ギョウ㊋ 訓 あかつき	日	ひへん	払暁・暁光・通暁・早暁・暁の空
献	音 ケン・コン 訓 ―	犬	いぬ	献身・文献・献立・一献・献本・献金
砕	音 サイ 訓 くだ(く)・くだ(ける)	石	いしへん	粉砕・砕氷船・岩を砕く
煩	音 ハン・ボン㊋ 訓 わずら(う)・わずら(わす)	火	ひへん	煩雑・煩忙・煩悩・思い煩う
逸	音 イツ 訓 ―	辶	しんにょう・しんにゅう	散逸・安逸・逸脱・逸材・逸品

漢字	読み	部首	部首名	用例
閑	音 カン 訓 ―	門	もんがまえ	繁閑・安閑・閑暇・閑雅・等閑視・閑却・閑古鳥
懇	音 コン 訓 ねんご(ろ)㊋	心	こころ	懇懇・懇親会・懇切・懇意・懇ろに弔う
宵	音 ショウ㊋ 訓 よい	宀	うかんむり	春宵・徹宵・宵越し・宵の明星
渦	音 カ㊋ 訓 うず	氵	さんずい	渦中・渦紋・渦潮・渦巻く
窮	音 キュウ 訓 きわ(める)㊋・きわ(まる)㊋	穴	あなかんむり	困窮・窮余・窮乏・進退窮まる
嫌	音 ケン・ゲン 訓 きら(う)・いや	女	おんなへん	嫌疑・嫌悪・機嫌・人嫌い・嫌み
索	音 サク 訓 ―	糸	いと	思索・捜索・索引・探索
漆	音 シツ 訓 うるし	氵	さんずい	漆器・漆黒・乾漆・漆塗り・漆細工

準2級配当漢字表① 読み

目標時間 15分

合格ライン 39点

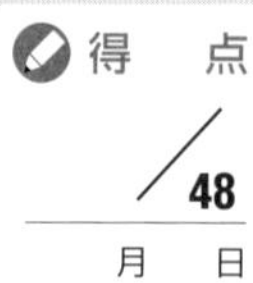

得点 ／48 月 日

● 次の――線の**漢字の読み**を**ひらがな**で記せ。

1 転んで泥だらけになる。
2 のどが渇いてしかたがない。
3 懐かしい歌を聞く。
4 風薫る五月。
5 近ごろ疎遠になった。
6 堪忍袋の緒が切れる。
7 夫に先立たれて寡婦となる。
8 津波による被害は甚大だ。
9 勇壮な行進曲で入場する。
10 戦乱続きで祖国は荒廃した。

解答

1 どろ
2 かわ
3 なつ
4 かお
5 そえん
6 お
7 かふ
8 じんだい
9 ゆうそう
10 こうはい

11 昔、ここに官製の紡績工場があった。
12 将来に禍根を残してはならない。
13 彼は偽善者だ。
14 事実を厳粛に受け止める。
15 税金の還付を受ける。
16 成功の暁には祝いの宴を張る。
17 合宿の献立を考える。
18 砕氷船が出航する。
19 煩雑なシステムだ。
20 これは清水焼の逸品だ。

解答

11 ぼうせき
12 かこん
13 ぎぜん
14 げんしゅく
15 かんぷ
16 あかつき
17 こんだて
18 さいひょう
19 はんざつ
20 いっぴん

21 業種によって繁閑の差がある。
22 懇親会に出席する。
23 江戸っ子は宵越しの金は持たない。
24 騒動の渦中に身を置く。
25 生活が困窮する。
26 彼女は嫌悪感をあらわにした。
27 静かに思索にふける。
28 漆細工の盛んな土地。
29 細かいことに拘泥する。
30 ダムの水が枯渇した。
31 敵の幹部を懐柔する。
32 著名な作家の薫陶を受ける。
33 箱入り娘で世事に疎い。
34 下町情緒の残る町を歩く。

21 はんかん
22 こんしんかい
23 よい
24 かちゅう
25 こんきゅう
26 けんお
27 しさく
28 うるしざいく
29 こうでい
30 こかつ
31 かいじゅう
32 くんとう
33 うと
34 じょうちょ（じょうしょ）

35 金額の多寡は問わないことにする。
36 甚だ遺憾である。
37 はやり廃りのあるデザイン。
38 糸を紡ぐ。
39 身分を偽る。
40 地域の発展に献身する。
41 何事にも当たって砕けろ。
42 家業の前途を思い煩う。
43 亡父の霊を懇ろに弔う。
44 春宵一刻値千金。
45 ここは渦潮で名高い海峡だ。
46 彼は進退が窮まった。
47 彼女は猫が嫌いだ。
48 旅行の土産に漆器を買った。

35 たか
36 はなは
37 すた
38 つむ
39 いつわ
40 けんしん
41 くだ
42 わずら
43 ねんご
44 しゅんしょう
45 うずしお
46 きわ
47 きら
48 しっき

準2級配当漢字表②

漢字	読み	部首	部首名	用例
酌	音 シャク 訓 く(む)高	酉	とりへん	媒酌・晩酌・酌量 酌み交わす
渋	音 ジュウ 訓 しぶ しぶ(い) しぶ(る)	氵	さんずい	苦渋・難渋・渋滞 茶渋・渋渋・返事を渋る
誓	音 セイ 訓 ちか(う)	言	げん	宣誓・誓約 再会を誓う
侮	音 ブ 訓 あなど(る)高	亻	にんべん	侮辱・軽侮 相手を侮る
沸	音 フツ 訓 わ(く) わ(かす)	氵	さんずい	煮沸・沸騰・沸沸 湯を沸かす
履	音 リ 訓 は(く)	尸	かばね しかばね	履行・履修・履歴 履物・靴を履く

漢字	読み	部首	部首名	用例
患	音 カン 訓 わずら(う)高	心	こころ	患者・疾患 長患い
襟	音 キン高 訓 えり	衤	ころもへん	開襟・胸襟 襟足・襟元
愁	音 シュウ 訓 うれ(える)高 うれ(い)高	心	こころ	哀愁・郷愁・愁嘆場 死を愁える・愁いを帯びる
汁	音 ジュウ 訓 しる	氵	さんずい	果汁・墨汁 汁粉
充	音 ジュウ 訓 あ(てる)高	儿	ひとあし にんにょう	充電・充血・補充・拡充 交通費に充てる
軟	音 ナン 訓 やわ(らか) やわ(らかい)	車	くるまへん	柔軟・軟式・軟派・硬軟 軟らかく煮る

POINT

「侮」「軟」「陥」「醸」の訓読みは送りがなを間違えやすい。用例でしっかり確認しよう。

漢字	読み	部首	部首名	用例
扉	音 ヒ(高) 訓 とびら	戸	とだれ・とかんむり	門扉(もんぴ)・鉄扉(てっぴ)・扉絵(とびらえ)・扉(とびら)を開(ひら)く
顕	音 ケン 訓 ―	頁	おおがい	顕著(けんちょ)・顕示(けんじ)・顕在(けんざい)・顕微鏡(けんびきょう)・顕彰(けんしょう)・露顕(ろけん)
弦	音 ゲン 訓 つる(高)	弓	ゆみへん	下弦(かげん)・上弦(じょうげん)・弦楽器(げんがっき)・弦(つる)を引(ひ)き絞(しぼ)る
賜	音 シ(高) 訓 たまわ(る)	貝	かいへん	賜杯(しはい)・恩賜(おんし)・下賜(かし)・祝杯(しゅくはい)を賜(たまわ)る
刃	音 ジン(高) 訓 は	刀	かたな	凶刃(きょうじん)・自刃(じじん)・刃物(はもの)
弊	音 ヘイ 訓 ―	廾	こまぬき・にじゅうあし	弊社(へいしゃ)・弊害(へいがい)・旧弊(きゅうへい)・宿弊(しゅくへい)・疲弊(ひへい)・語弊(ごへい)・悪弊(あくへい)・病弊(びょうへい)
癒	音 ユ 訓 い(える)・い(やす)	疒	やまいだれ	快癒(かいゆ)・平癒(へいゆ)・治癒(ちゆ)・癒着(ゆちゃく)・病(やまい)が癒(い)える
靴	音 カ(高) 訓 くつ	革	かわへん	製靴(せいか)・軍靴(ぐんか)・革靴(かわぐつ)・靴下(くつした)・靴墨(くつずみ)

漢字	読み	部首	部首名	用例
陥	音 カン 訓 おちい(る)・おとしい(れる)(高)	阝	こざとへん	欠陥(けっかん)・陥落(かんらく)・陥没(かんぼつ)・術中(じゅっちゅう)に陥(おちい)る・敵(てき)を陥(おとしい)れる
寛	音 カン 訓 ―	宀	うかんむり	寛大(かんだい)・寛容(かんよう)・寛厚(かんこう)・寛厳(かんげん)
謹	音 キン 訓 つつし(む)	言	ごんべん	謹啓(きんけい)・謹慎(きんしん)・謹呈(きんてい)・謹(つつし)んで申(もう)し上(あ)げる
渉	音 ショウ 訓 ―	氵	さんずい	干渉(かんしょう)・交渉(こうしょう)・渉外(しょうがい)・渉猟(しょうりょう)
醸	音 ジョウ 訓 かも(す)(高)	酉	とりへん	醸造(じょうぞう)・醸成(じょうせい)・醸(かも)し出(だ)す
遷	音 セン 訓 ―	辶	しんにょう・しんにゅう	遷都(せんと)・遷宮(せんぐう)・左遷(させん)・変遷(へんせん)
漸	音 ゼン 訓 ―	氵	さんずい	漸次(ぜんじ)・漸進(ぜんしん)・漸増(ぜんぞう)

準2級配当漢字表②読み

目標時間 15分

合格ライン 39点

● 次の――線の**漢字の読み**を**ひらがな**で記せ。

1 部下の媒酌の労をとる。
2 協力を強要され返事を渋った。
3 核兵器の廃絶を誓う。
4 人を侮辱してはいけない。
5 観衆は大いに沸いた。
6 新しい靴を履いた。
7 病院の患者専用のエレベーター。
8 襟元のブローチがよく似合う。
9 どことなく愁いを帯びた後ろ姿。
10 果汁百%のジュース。

解答

1 ばいしゃく
2 しぶ
3 ちか
4 ぶじょく
5 わ
6 は
7 かんじゃ
8 えりもと
9 うれ
10 かじゅう

11 学校の実験施設を拡充する。
12 彼は硬軟あわせ持つ人間だ。
13 鉄の扉に頑丈な錠をおろす。
14 長年にわたる功労が顕彰される。
15 西の空に下弦の月がかかる。
16 会長より激励の言葉を賜る。
17 連敗して最下位に陥落する。
18 刃物で指を切る。
19 その言い方には語弊がある。
20 病気が治癒した。

解答

11 かくじゅう
12 こうなん
13 とびら
14 けんしょう
15 かげん
16 たまわ
17 かんらく
18 はもの
19 ごへい
20 ちゆ

21 通気のよい夏物の靴下。
22 自動車に欠陥が見つかった。
23 寛厚な人柄を慕われた。
24 選手は謹慎処分になった。
25 古書店で西洋の書物を渉猟する。
26 去年の冬に醸造した酒。
27 時代の変遷をたどる。
28 原因が漸次解明されていく。
29 酒を酌み交わす。
30 山越えは悪路続きで難渋した。
31 誓約書にサインをする。
32 相手が子供でも侮ってはいけない。
33 煮沸消毒をした調理器具。
34 履歴書を送る。

21 くつした
22 けっかん
23 かんこう
24 きんしん
25 しょうりょう
26 じょうぞう
27 へんせん
28 ぜんじ
29 く
30 なんじゅう
31 せいやく
32 あなど
33 しゃふつ
34 りれき

35 父は長く患っている。
36 友と胸襟を開いて語り合う。
37 役者が愁嘆場を演じる。
38 退職金はローンの返済に充てた。
39 土を耕して軟らかくする。
40 重い鉄の門扉が開かれた。
41 弓の弦をぐっと引き絞る。
42 力士に賜杯を授与する。
43 選手宣誓を行う。
44 民主化の志半ばで凶刃に倒れた。
45 軍靴の響きは二度と聞きたくない。
46 敵を陥れる作戦を考える。
47 謹んで新年を祝う。
48 不注意な発言が物議を醸した。

35 わずら
36 きょうきん
37 しゅうたんば
38 あ
39 やわ
40 もんぴ
41 つる
42 しはい
43 せんせい
44 きょうじん
45 ぐんか
46 おとしい
47 つつし
48 かも

準2級配当漢字表③

漢字	読み	部首	部首名	用例
霜	音 ソウ(高) 訓 しも	⻗	あめかんむり	星霜(せいそう)・霜髪(そうはつ)・霜害(そうがい)・風霜(ふうそう) 初霜(はつしも)・霜柱(しもばしら)
駄	音 ダ 訓 ―	馬	うまへん	無駄(むだ)・足駄(あしだ)・駄賃(だちん)・駄作(ださく)・ 駄弁(だべん)・駄菓子(だがし)・駄駄(だだ)
弔	音 チョウ 訓 とむら(う)	弓	ゆみ	慶弔(けいちょう)・弔辞(ちょうじ)・弔問(ちょうもん)・弔意(ちょうい) 遺族(いぞく)を弔(とむら)う・弔(とむら)い合戦(がっせん)
呈	音 テイ 訓 ―	口	くち	露呈(ろてい)・贈呈(ぞうてい)・進呈(しんてい)・呈示(ていじ)
悼	音 トウ 訓 いた(む)(高)	忄	りっしんべん	哀悼(あいとう)・追悼(ついとう)・悼辞(とうじ)・悼惜(とうせき) 友人(ゆうじん)の死(し)を悼(いた)む
褒	音 ホウ 訓 ほ(める)	衣	ころも	褒賞(ほうしょう)・褒美(ほうび) 褒(ほ)め言葉(ことば)

漢字	読み	部首	部首名	用例
磨	音 マ 訓 みが(く)	石	いし	錬磨(れんま)・研磨(けんま) 技(わざ)を磨(みが)く
羅	音 ラ 訓 ―	罒	あみがしら あみめ よこめ	網羅(もうら)・甲羅(こうら)・羅針盤(らしんばん)・ 羅列(られつ)
疫	音 エキ ヤク(高) 訓 ―	疒	やまいだれ	検疫(けんえき)・免疫(めんえき)・疫病(えきびょう)・防疫(ぼうえき)・ 疫病神(やくびょうがみ)
懸	音 ケン ケ(高) 訓 か(ける) か(かる)	心	こころ	懸賞(けんしょう)・懸案(けんあん)・懸垂(けんすい)・懸念(けねん) 優勝(ゆうしょう)が懸(か)かった試合(しあい)
遮	音 シャ 訓 さえぎ(る)	辶	しんにょう しんにゅう	遮断(しゃだん)・遮光(しゃこう)・遮音(しゃおん) 視線(しせん)を遮(さえぎ)る
醜	音 シュウ 訓 みにく(い)	酉	とりへん	美醜(びしゅう)・醜聞(しゅうぶん)・醜悪(しゅうあく)・醜態(しゅうたい) 醜(みにく)い争(あらそ)い

POINT

「褒」の部首は「衣」(ころも)、「喪」の部首は「口」(くち)。字形は似ているが部首は違うので注意!

漢字	読み（音）	読み（訓）	部首	部首名	用例
循	ジュン	—	彳	ぎょうにんべん	因循(いんじゅん)・循環(じゅんかん)
据	—	す(える) す(わる)	扌	てへん	据(す)え物(もの)・据(す)え置(お)く・首(くび)が据(す)わる
斉	セイ	—	斉	せい	均斉(きんせい)・一斉(いっせい)・斉唱(せいしょう)
拙	セツ	つたな(い)	扌	てへん	稚拙(ちせつ)・巧拙(こうせつ)・拙速(せっそく)・拙劣(せつれつ)・拙(つたな)い字(じ)
挿	ソウ	さ(す)	扌	てへん	挿入(そうにゅう)・挿話(そうわ)・挿(さ)し絵(え)・花(はな)を挿(さ)す
喪	ソウ	も	口	くち	喪失(そうしつ)・喪心(そうしん)・喪(も)が明(あ)ける・喪中(もちゅう)・喪主(もしゅ)
逐	チク	—	辶	しんにょう しんにゅう	放逐(ほうちく)・駆逐(くちく)・逐一(ちくいち)・逐次(ちくじ)・角逐(かくちく)
衷	チュウ	—	衣	ころも	折衷(せっちゅう)・苦衷(くちゅう)・衷心(ちゅうしん)・衷情(ちゅうじょう)

漢字	読み（音）	読み（訓）	部首	部首名	用例
挑	チョウ	いど(む)	扌	てへん	挑発(ちょうはつ)・挑戦(ちょうせん)・戦(たたか)いを挑(いど)む
覇	ハ	—	襾	おおいかんむり	連覇(れんぱ)・制覇(せいは)・覇気(はき)・覇業(はぎょう)・覇権(はけん)・覇者(はしゃ)
肌	—	はだ	月	にくづき	素肌(すはだ)・地肌(じはだ)・肌身(はだみ)・一肌(ひとはだ)脱(ぬ)ぐ
猫	ビョウ(高)	ねこ	犭	けものへん	愛猫(あいびょう)・猫舌(ねこじた)・猫背(ねこぜ)・化(ば)け猫(ねこ)
憤	フン	いきどお(る)(高)	忄	りっしんべん	発憤(はっぷん)・義憤(ぎふん)・憤然(ふんぜん)・憤慨(ふんがい)・大企業(だいきぎょう)の横暴(おうぼう)に憤(いきどお)る
偏	ヘン	かたよ(る)	亻	にんべん	偏重(へんちょう)・偏屈(へんくつ)・偏在(へんざい)・偏狭(へんきょう)・偏(かたよ)った意見(いけん)
奔	ホン	—	大	だい	出奔(しゅっぽん)・狂奔(きょうほん)・奔走(ほんそう)・奔放(ほんぽう)・東奔西走(とうほんせいそう)
厄	ヤク	—	厂	がんだれ	災厄(さいやく)・厄介(やっかい)・厄年(やくどし)・厄難(やくなん)

準2級配当漢字表③ 読み

目標時間 15分

合格ライン 39点

得点 ／48 月 日

● 次の――線の**漢字の読み**を**ひらがな**で記せ。

1 霜柱を踏みながら登校する。
2 この小説は駄作だ。
3 葬式で弔辞を読む。
4 受賞者に記念品を贈呈する。
5 恩師の死を心から悼む。
6 陰でいさめて人前で褒めよ。
7 腕を磨いて出直してこい。
8 あらゆる言語を網羅する。
9 疫病が流行した。
10 懸垂を二十回する。

解答

1 しもばしら
2 ださく
3 ちょうじ
4 ぞうてい
5 いた
6 ほ
7 みが
8 もうら
9 えきびょう
10 けんすい

11 交通を一時遮断する。
12 醜態をさらした。
13 因循こそくな手段をとる。
14 賃金は据え置かれたままだ。
15 彼は均斉のとれた体つきだ。
16 拙劣な文字が恥ずかしい。
17 花瓶に花を挿す。
18 父の葬式で喪主を務める。
19 悪貨は良貨を駆逐する。
20 衷心よりおわび申し上げます。

解答

11 しゃだん
12 しゅうたい
13 いんじゅん
14 す
15 きんせい
16 せつれつ
17 さ
18 もしゅ
19 くちく
20 ちゅうしん

21 挑発に乗らないようにする。
22 新入社員に覇気が感じられない。
23 手帳を肌身離さず持っている。
24 猫舌なので熱いものは苦手だ。
25 兄はひどく憤慨した。
26 学歴偏重の社会は改めるべきだ。
27 金策に奔走する。
28 厄介な問題が解決した。
29 春は霜害がひどい。
30 亡き主君の弔い合戦をする。
31 哀悼の意を表する。
32 永年勤続者が褒賞を受けた。
33 研磨剤を使う。
34 羅針盤は中国で発明された。

21 ちょうはつ
22 はき
23 はだみ
24 ねこじた
25 ふんがい
26 へんちょう
27 ほんそう
28 やっかい
29 そうがい
30 とむら
31 あいとう
32 ほうしょう
33 けんま
34 らしんばん

35 あの男は疫病神だ。
36 優勝を懸けて戦う。
37 煙に遮られて見えない。
38 身内同士の醜い争い。
39 卒業式に全員で校歌を斉唱する。
40 前文にこの一文を挿入したい。
41 母の死に深い喪失感を味わった。
42 事の成り行きを逐一説明する。
43 数学の難問に挑む。
44 愛猫の死を悲しむ。
45 大企業の横暴に憤る。
46 栄養が偏る。
47 藩士が出奔した。
48 昨日はとんだ厄難に遭った。

35 やくびょうがみ
36 か
37 さえぎ
38 みにく
39 せいしょう
40 そうにゅう
41 そうしつ
42 ちくいち
43 いど
44 あいびょう
45 いきどお
46 かたよ
47 しゅっぽん
48 やくなん

準2級配当漢字表④

POINT

「宜」は「セン」と読み間違えやすい。また「衡」を「衝」と書き誤らないように注意しよう。

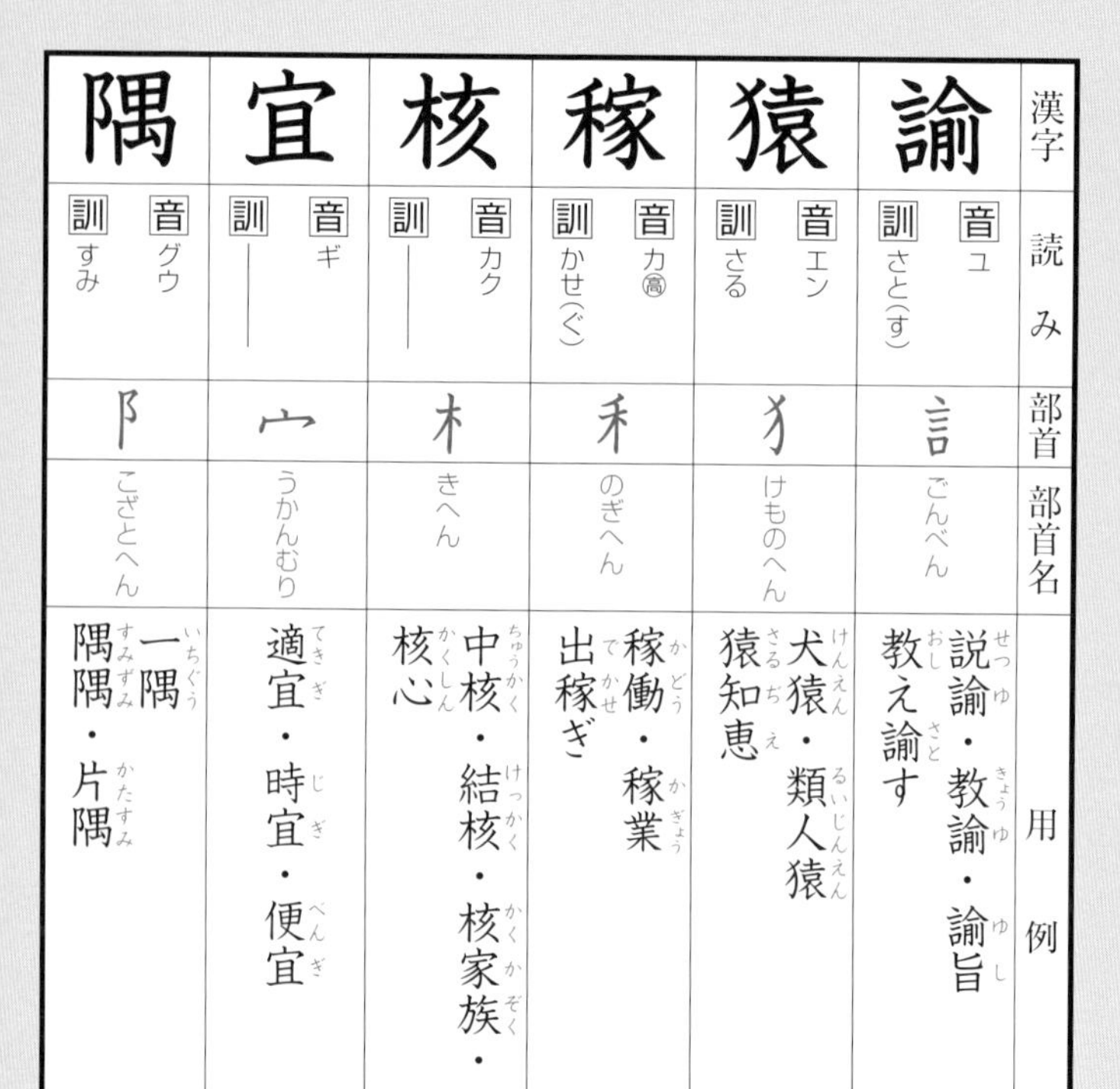

漢字	読み	部首	部首名	用例
諭	音 ユ / 訓 さと(す)	言	ごんべん	説諭(せつゆ)・教諭(きょうゆ)・諭旨(ゆし) 教え諭す(おしえさとす)
猿	音 エン / 訓 さる	犭	けものへん	犬猿(けんえん)・類人猿(るいじんえん) 猿知恵(さるぢえ)
稼	音 カ(高) / 訓 かせ(ぐ)	禾	のぎへん	稼働(かどう)・稼業(かぎょう) 出稼ぎ(でかせぎ)
核	音 カク / 訓 ―	木	きへん	中核(ちゅうかく)・結核(けっかく)・核家族(かくかぞく)・ 核心(かくしん)
宜	音 ギ / 訓 ―	宀	うかんむり	適宜(てきぎ)・時宜(じぎ)・便宜(べんぎ)
隅	音 グウ / 訓 すみ	阝	こざとへん	一隅(いちぐう) 隅隅(すみずみ)・片隅(かたすみ)

漢字	読み	部首	部首名	用例
茎	音 ケイ / 訓 くき	艹	くさかんむり	球茎(きゅうけい)・塊茎(かいけい)・地下茎(ちかけい) 歯茎(はぐき)
渓	音 ケイ / 訓 ―	氵	さんずい	雪渓(せっけい)・渓谷(けいこく)・渓流(けいりゅう)
衡	音 コウ / 訓 ―	行	ぎょうがまえ ゆきがまえ	平衡(へいこう)・均衡(きんこう)・度量衡(どりょうこう)
剛	音 ゴウ / 訓 ―	刂	りっとう	剛腹(ごうふく)・金剛力士(こんごうりきし)・剛健(ごうけん)・ 剛胆(ごうたん)・剛直(ごうちょく)
宰	音 サイ / 訓 ―	宀	うかんむり	主宰(しゅさい)・宰領(さいりょう)・宰相(さいしょう)
俊	音 シュン / 訓 ―	亻	にんべん	英俊(えいしゅん)・俊敏(しゅんびん)・俊才(しゅんさい)・俊傑(しゅんけつ)

漢字	読み	部首	部首名	用例
償	音 ショウ 訓 つぐな(う)	亻	にんべん	補償(ほしょう)・弁償(べんしょう)・賠償(ばいしょう)・償却(しょうきゃく) 罪(つみ)を償(つぐな)う
荘	音 ソウ 訓 —	艹	くさかんむり	別荘(べっそう)・荘厳(そうごん)・荘重(そうちょう)
妥	音 ダ 訓 —	女	おんな	妥結(だけつ)・妥当(だとう)・妥協(だきょう)
釣	音 チョウ(高) 訓 つ(る)	釒	かねへん	釣果(ちょうか)・釣魚(ちょうぎょ) 釣(つ)り銭(せん)
漬	音 — 訓 つ(ける) つ(かる)	氵	さんずい	漬物(つけもの)・茶漬(ちゃづ)け・白菜(はくさい)が漬(つ)かる
坪	音 — 訓 つぼ	土	つちへん	建坪(たてつぼ)・坪庭(つぼにわ)・坪数(つぼすう)
邸	音 テイ 訓 —	阝	おおざと	公邸(こうてい)・私邸(してい)・豪邸(ごうてい)・邸宅(ていたく)・邸内(ていない)
撤	音 テツ 訓 —	扌	てへん	撤収(てっしゅう)・撤去(てっきょ)・撤退(てったい)・撤回(てっかい)・撤廃(てっぱい)

漢字	読み	部首	部首名	用例
筒	音 トウ 訓 つつ	⺮	たけかんむり	水筒(すいとう)・封筒(ふうとう)・発煙筒(はつえんとう) 茶筒(ちゃづつ)・筒抜(つつぬ)け
騰	音 トウ 訓 —	馬	うま	高騰(こうとう)・沸騰(ふっとう)・騰貴(とうき)
培	音 バイ 訓 つちか(う)(高)	土	つちへん	培養(ばいよう)・栽培(さいばい) 友情(ゆうじょう)を培(つちか)う
伯	音 ハク 訓 —	亻	にんべん	画伯(がはく)・伯爵(はくしゃく)・伯仲(はくちゅう)・伯父(おじ/はくふ)・伯母(おば/はくぼ)
泡	音 ホウ 訓 あわ	氵	さんずい	気泡(きほう)・水泡(すいほう)・発泡(はっぽう)・泡雪(あわゆき)・口角泡(こうかくあわ)を飛(と)ばす
融	音 ユウ 訓 —	虫	むし	金融(きんゆう)・融合(ゆうごう)・融資(ゆうし)・融通(ゆうずう)
窯	音 ヨウ(高) 訓 かま	穴	あなかんむり	窯業(ようぎょう) 窯跡(かまあと)・窯元(かまもと)
涼	音 リョウ 訓 すず(しい) すず(む)	氵	さんずい	涼感(りょうかん)・納涼(のうりょう)・荒涼(こうりょう)・清涼(せいりょう) 涼(すず)しい風(かぜ)

準2級配当漢字表④ 読み

目標時間 15分

合格ライン 39点

得点 ／48

月 日

● 次の――線の**漢字の読み**を**ひらがな**で記せ。

1 諭旨免職になる。
2 類人猿の骨格を調べる。
3 時間を稼ぐ。
4 事件の核心にふれる。
5 この処置は時宜にかなっている。
6 敷地の一隅をきれいに掃く。
7 歯茎がはれた。
8 雪渓を豪快に滑り降りる。
9 力の均衡が崩れる。
10 金剛力士像を見上げる。

解答

1 ゆし
2 るいじんえん
3 かせ
4 かくしん
5 じぎ
6 いちぐう
7 はぐき
8 せっけい
9 きんこう
10 こんごう

11 劇団を主宰する。
12 俊敏な動きに目を見張る。
13 賠償金を支払う。
14 荘厳な雰囲気の中を読経が流れる。
15 労使が歩み寄って妥結した。
16 えびでたいを釣る。
17 たくあんを漬ける。
18 建築基準法に合った建坪にする。
19 知事は休日も公邸で過ごす。
20 地雷の撤去作業が行われる。

解答

11 しゅさい
12 しゅんびん
13 ばいしょう
14 そうごん
15 だけつ
16 つ
17 つ
18 たてつぼ
19 こうてい
20 てっきょ

21 企画会議の内容が外部に筒抜けだ。
22 やかんのお湯が沸騰している。
23 シャーレの中で菌を培養する。
24 両者の実力は伯仲している。
25 口角泡を飛ばして主張する。
26 両者の理論を融合させる。
27 伝統ある窯元で修業する。
28 日差しを避けて涼む場所を探す。
29 ものの道理を教え諭す。
30 結局は猿知恵に終わった。
31 役者稼業も楽ではない。
32 部屋の隅隅まできれいにふく。
33 ジャガイモは塊茎が食用となる。
34 渓谷の見事な紅葉を眺める。

21 つつ
22 ふっとう
23 ばいよう
24 はくちゅう
25 あわ
26 ゆうごう
27 かまもと
28 すず
29 さと
30 さるぢえ
31 かぎょう
32 すみずみ
33 かいけい
34 けいこく

35 彼女は平衡感覚が優れている。
36 剛腹で小さな事にこだわらない。
37 彼は一門の俊傑として敬われた。
38 罪を償いなさい。
39 軽井沢の別荘へ出かけた。
40 今までにない最高の釣果だ。
41 白菜の漬物が大好きだ。
42 規制の撤廃を求める。
43 封筒にあて名を書いた。
44 長年培ってきた実力だ。
45 せっかくの努力も水泡に帰した。
46 彼は融通がきかない。
47 山村で窯業を営む。
48 納涼大会が開かれた。

35 へいこう
36 ごうふく
37 しゅんけつ
38 つぐな
39 べっそう
40 ちょうか
41 つけもの
42 てっぱい
43 ふうとう
44 つちか
45 すいほう
46 ゆうずう
47 ようぎょう
48 のうりょう

準2級配当漢字表⑤

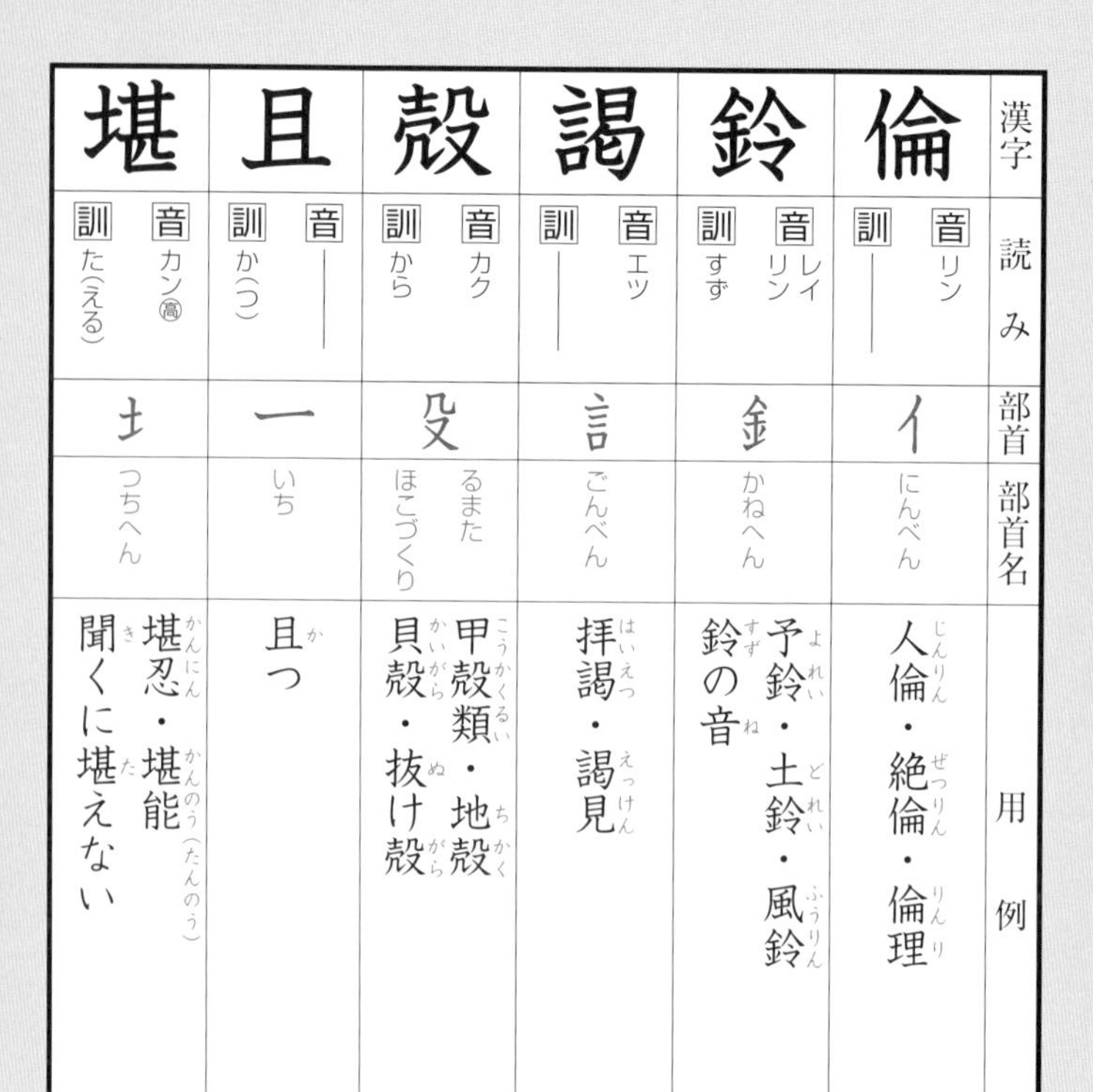

漢字	読み（音）	読み（訓）	部首	部首名	用例
倫	リン	—	亻	にんべん	人倫（じんりん）・絶倫（ぜつりん）・倫理（りんり）
鈴	レイ リン	すず	金	かねへん	予鈴（よれい）・土鈴（どれい）・風鈴（ふうりん） 鈴（すず）の音（ね）
謁	エツ	—	言	ごんべん	拝謁（はいえつ）・謁見（えっけん）
殻	カク	から	殳	るまた ほこづくり	甲殻類（こうかくるい）・地殻（ちかく） 貝殻（かいがら）・抜（ぬ）け殻（がら）
且	—	か（つ）	一	いち	且（か）つ
堪	カン㊂	た（える）	土	つちへん	堪忍（かんにん）・堪能（かんのう）（たんのう） 聞（き）くに堪（た）えない

漢字	読み（音）	読み（訓）	部首	部首名	用例
糾	キュウ	—	糸	いとへん	紛糾（ふんきゅう）・糾明（きゅうめい）・糾弾（きゅうだん）
矯	キョウ	た（める）㊂	矢	やへん	矯正（きょうせい）・矯風（きょうふう）・奇矯（ききょう） 枝（えだ）を矯（た）める
傑	ケツ	—	亻	にんべん	女傑（じょけつ）・傑作（けっさく）・傑物（けつぶつ）・傑出（けっしゅつ）
碁	ゴ	—	石	いし	囲碁（いご）・碁石（ごいし）・碁敵（ごがたき）・碁盤（ごばん）
溝	コウ	みぞ	氵	さんずい	側溝（そっこう）・排水溝（はいすいこう）・地溝帯（ちこうたい） 溝（みぞ）を埋（う）める
購	コウ	—	貝	かいへん	購買（こうばい）・購読（こうどく）・購入（こうにゅう）

POINT

「溝」も「購」も音読みが同じで形も似ている。用例をチェック！

漢字	読み	部首	部首名	用例
酷	音 コク 訓 —	酉	とりへん	過酷(かこく)・冷酷(れいこく)・酷評(こくひょう)・酷似(こくじ)
唆	音 サ 訓 そそのか(す)㊕	口	くちへん	教唆(きょうさ)・示唆(しさ) 万引(まんび)きをするよう唆(そそのか)す
傘	音 サン㊕ 訓 かさ	人	ひとやね	傘下(さんか)・落下傘(らっかさん) 雨傘(あまがさ)・番傘(ばんがさ)
升	音 ショウ 訓 ます	十	じゅう	一升(いっしょう) 升(ます)で量(はか)る・升目(ますめ)
尚	音 ショウ 訓 —	⺌	しょう	尚早(しょうそう)・尚古(しょうこ)・高尚(こうしょう)・和尚(おしょう)・ 好尚(こうしょう)
症	音 ショウ 訓 —	疒	やまいだれ	重症(じゅうしょう)・炎症(えんしょう)・症状(しょうじょう)・症例(しょうれい)
浄	音 ジョウ 訓 —	氵	さんずい	清浄(せいじょう)・洗浄(せんじょう)・浄化(じょうか)・浄財(じょうざい)
唇	音 シン㊕ 訓 くちびる	口	くち	口唇(こうしん)・読唇術(どくしんじゅつ) 唇(くちびる)を震(ふる)わせる

漢字	読み	部首	部首名	用例
藻	音 ソウ 訓 も	艹	くさかんむり	海藻(かいそう)・詞藻(しそう)・藻類(そうるい) 藻(も)を食(た)べる貝(かい)
棚	音 — 訓 たな	木	きへん	書棚(しょだな)・棚卸(たなおろ)し・棚上(たなあ)げ・ 棚引(たなび)く
逓	音 テイ 訓 —	辶	しんにょう しんにゅう	逓増(ていぞう)・逓減(ていげん)・逓信(ていしん)・駅逓(えきてい)
督	音 トク 訓 —	目	め	監督(かんとく)・家督(かとく)・督促(とくそく)・督励(とくれい)
寧	音 ネイ 訓 —	宀	うかんむり	丁寧(ていねい)・安寧(あんねい)・寧日(ねいじつ)
媒	音 バイ 訓 —	女	おんなへん	触媒(しょくばい)・風媒花(ふうばいか)・媒介(ばいかい)・ 媒体(ばいたい)・媒酌(ばいしゃく)
扶	音 フ 訓 —	扌	てへん	扶助(ふじょ)・扶養(ふよう)・扶育(ふいく)
併	音 ヘイ 訓 あわ(せる)	亻	にんべん	合併(がっぺい)・併発(へいはつ)・併記(へいき)・併合(へいごう) 両案(りょうあん)を併(あわ)せて検討(けんとう)する

準2級配当漢字表⑤ 読み

合格ライン
39点

● 次の――線の**漢字の読み**を**ひらがな**で記せ。

1 その事件では企業倫理が問われた。
2 遠くから鈴の音が響いてきた。
3 国王に拝謁を賜った。
4 卵の殻を使ってモザイク画を作る。
5 必要にして且つ十分な条件だ。
6 見るに堪えない光景。
7 安全保障問題で国会が紛糾する。
8 メガネで視力を矯正する。
9 彼の才能は傑出していた。
10 父の趣味は囲碁だ。

解答

1 りんり
2 すず
3 はいえつ
4 から
5 か
6 た
7 ふんきゅう
8 きょうせい
9 けっしゅつ
10 いご

11 車輪が側溝にはまってしまった。
12 文芸誌を毎月購読する。
13 この顔は犯人に酷似している。
14 示唆に富む話である。
15 宿の番傘を借りて散歩する。
16 一升瓶をぶら下げて行った。
17 行動を起こすのは時期尚早だ。
18 重症患者が運ばれてくる。
19 空気清浄装置の付いたエアコン。
20 寒さで唇の色が真っ青だ。

解答

11 そっこう
12 こうどく
13 こくじ
14 しさ
15 ばんがさ
16 いっしょう
17 しょうそう
18 じゅうしょう
19 せいじょう
20 くちびる

21 海藻は多くの栄養素を含む。
22 書棚から百科事典を取り出す。
23 都市の人口は逓増している。
24 上手に部下を督励することが必要だ。
25 丁寧な応対を心がける。
26 この物質は触媒の役目をする。
27 扶養家族が二人いる。
28 かつて隣国を併合した歴史がある。
29 それは人倫にもとる行為だ。
30 風鈴は夏の風物詩である。
31 大使が国王に謁見する。
32 地殻変動で地震が起きた。
33 もう堪忍できない。
34 不正を厳しく糾弾する。

21 かいそう
22 しょだな
23 ていぞう
24 とくれい
25 ていねい
26 しょくばい
27 ふよう
28 へいごう
29 じんりん
30 ふうりん
31 えっけん
32 ちかく
33 かんにん
34 きゅうだん

35 奇矯な振る舞いをする。
36 美容界の女傑と言われた人。
37 深い溝を跳び越える。
38 悪友に唆された。
39 多くの企業を傘下に収める。
40 酒を升で量る。
41 本堂の修築に浄財を募る。
42 父は口唇を震わせて怒った。
43 川の中で藻が揺らめいている。
44 税金を滞納して督促状がきた。
45 蚊を媒介とした伝染病が広がる。
46 人間は長所短所を併せ持っている。
47 おみやげに土鈴を買った。
48 角を矯めて牛を殺す。

35 ききょう
36 じょけつ
37 みぞ
38 そそのか
39 さんか
40 ます
41 じょうざい
42 こうしん
43 も
44 とくそく
45 ばいかい
46 あわ
47 どれい
48 た

準2級配当漢字表①

漢字	読み	部首	部首名	用例
銘	音 メイ / 訓 —	釒	かねへん	感銘(かんめい)・無銘(むめい)・銘菓(めいか)・銘柄(めいがら)
悠	音 ユウ / 訓 —	心	こころ	悠揚(ゆうよう)・悠久(ゆうきゅう)・悠長(ゆうちょう)・悠然(ゆうぜん)
庸	音 ヨウ / 訓 —	广	まだれ	凡庸(ぼんよう)・中庸(ちゅうよう)・庸愚(ようぐ)
柳	音 リュウ / 訓 やなぎ	木	きへん	川柳(せんりゅう)・花柳(かりゅう)・柳暗花明(りゅうあんかめい)・柳腰(やなぎごし)・柳に風(かぜ)
賄	音 ワイ / 訓 まかな(う)	貝	かいへん	贈賄(ぞうわい)・収賄(しゅうわい)・会費(かいひ)で賄(まかな)う
枠	音 — / 訓 わく	木	きへん	外枠(そとわく)・窓枠(まどわく)・枠内(わくない)

漢字	読み	部首	部首名	用例
括	音 カツ / 訓 —	扌	てへん	包括(ほうかつ)・一括(いっかつ)・概括(がいかつ)・括弧(かっこ)
款	音 カン / 訓 —	欠	あくび かける	借款(しゃっかん)・落款(らっかん)・定款(ていかん)・約款(やっかん)
頑	音 ガン / 訓 —	頁	おおがい	頑固(がんこ)・頑健(がんけん)・頑迷(がんめい)・頑是(がんぜ)ない
享	音 キョウ / 訓 —	亠	なべぶた けいさんかんむり	享楽的(きょうらくてき)・享年(きょうねん)・享受(きょうじゅ)
恭	音 キョウ / 訓 うやうや(しい)㊈	小	したごころ	恭順(きょうじゅん)・恭賀(きょうが)・恭倹(きょうけん)・恭(うやうや)しく差(さ)し出(だ)す
蛍	音 ケイ / 訓 ほたる	虫	むし	蛍光灯(けいこうとう)・蛍雪(けいせつ)・蛍狩(ほたるが)り

POINT

「捜す」は、見えないものを見つけ出そうとするときに使う。「探す」との使い分けに気をつけよう。

漢字	読み（音）	読み（訓）	部首	部首名	用例
繭	ケン(高)	まゆ	糸	いと	繭糸(けんし)・蚕繭(さんけん) 繭玉(まゆだま)
貢	コウ ク(高)	みつ(ぐ)(高)	貝	かい こがい	貢献(こうけん)・年貢(ねんぐ) 貢ぎ物(みつぎもの)
蛇	ジャ ダ	へび	虫	むしへん	蛇腹(じゃばら)・蛇口(じゃぐち)・蛇足(だそく)・長蛇(ちょうだ) 蛇使い(へびつかい)
臭	シュウ	くさ(い) にお(う)	自	みずから	異臭(いしゅう)・悪臭(あくしゅう)・臭気(しゅうき) きな臭(くさ)い・ガスが臭(にお)う
酬	シュウ	—	酉	とりへん	報酬(ほうしゅう)・応酬(おうしゅう)
抄	ショウ	—	扌	てへん	抄録(しょうろく)・抄出(しょうしゅつ)・抄本(しょうほん)
奨	ショウ	—	大	だい	推奨(すいしょう)・奨励(しょうれい)・奨学金(しょうがくきん)
崇	スウ	—	山	やま	尊崇(そんすう)・崇拝(すうはい)・崇高(すうこう)

漢字	読み（音）	読み（訓）	部首	部首名	用例
旋	セン	—	方	ほうへん かたへん	旋律(せんりつ)・旋回(せんかい)・旋風(せんぷう)・周旋(しゅうせん)
繊	セン	—	糸	いとへん	繊細(せんさい)・繊維(せんい)・繊毛(せんもう)
捜	ソウ	さが(す)	扌	てへん	捜索(そうさく)・捜査(そうさ) 犯人(はんにん)を捜(さが)す
槽	ソウ	—	木	きへん	水槽(すいそう)・浴槽(よくそう)・浄化槽(じょうかそう)
惰	ダ	—	忄	りっしんべん	怠惰(たいだ)・惰眠(だみん)・惰性(だせい)・惰弱(だじゃく)
但	—	ただ(し)	亻	にんべん	但(ただ)し書(が)き
眺	チョウ	なが(める)	目	めへん	眺望(ちょうぼう) 景色(けしき)を眺(なが)める

準2級配当漢字表①
読み

合格ライン
39点

● 次の――線の**漢字の読み**を**ひらがな**で記せ。

1 恩師の言葉に深く感銘を受ける。
2 悠揚迫らぬ態度でいたい。
3 凡庸な人間にはできないことだ。
4 柳に風と受け流す。
5 収賄容疑で逮捕された。
6 予算の枠内で宴会の準備をする。
7 議案を一括して採択する。
8 落款から作者が判明した。
9 彼は頑固者で通っている。
10 自由な生活を享受する。

解答
1 かんめい
2 ゆうよう
3 ぼんよう
4 やなぎ
5 しゅうわい
6 わくない
7 いっかつ
8 らっかん
9 がんこ
10 きょうじゅ

11 将軍に対して恭順の意を表す。
12 蛍狩りに出かける。
13 蚕の繭から生糸をとる。
14 年貢の納め時。
15 有名な曲の旋律を奏(かな)でる。
16 蛇ににらまれたカエル。
17 かび臭いにおいがした。
18 激しい議論の応酬があった。
19 講演内容の要点を抄録する。
20 奨学金をもらう。

解答
11 きょうじゅん
12 ほたる
13 まゆ
14 ねんぐ
15 せんりつ
16 へび
17 くさ
18 おうしゅう
19 しょうろく
20 しょうがく

21 個人崇拝は危険だ。
22 音楽界に旋風を巻き起こした。
23 彼は繊細な神経の持ち主だ。
24 行方不明者を捜す。
25 水槽は雨水でいっぱいになった。
26 休日は惰眠をむさぼる。
27 規約に但し書きを付け加える。
28 峠から眼下の町を眺める。
29 友の忠告を肝に銘じておく。
30 柳暗花明の季節になった。
31 家からの仕送りで生活を賄う。
32 出典を括弧でくくって示す。
33 会社設立にあたり定款を作成する。
34 頑是ない子供の笑顔に慰められる。

21 すうはい
22 せんぷう
23 せんさい
24 さが
25 すいそう
26 だみん
27 ただ
28 なが
29 めい
30 りゅうあん
31 まかな
32 かっこ
33 ていかん
34 がんぜ

35 享年八十二歳で他界した。
36 恭しく一礼する。
37 蛍雪の功を積む。
38 繭糸から絹糸を作る。
39 地域の発展に貢献したい。
40 水道の蛇口が壊れる。
41 駅の構内で異臭騒ぎが起こった。
42 ボランティア活動を奨励する。
43 繊維産業は転機を迎えている。
44 山で遭難した友人の捜索に加わる。
45 怠惰な生活を反省する。
46 眺望のよい部屋に通される。
47 国王に貢ぎ物を差し出す。
48 長蛇の列が続く。

35 きょうねん
36 うやうや
37 けいせつ
38 けんし
39 こうけん
40 じゃぐち
41 いしゅう
42 しょうれい
43 せんい
44 そうさく
45 たいだ
46 ちょうぼう
47 みつ
48 ちょうだ

準2級配当漢字表②

漢字	読み	部首	部首名	用例
懲	音 チョウ 訓 こ(りる) こ(らす) こ(らしめる)	心	こころ	懲罰（ちょうばつ）・懲戒（ちょうかい）・懲役（ちょうえき） 悪人（あくにん）を懲（こ）らしめる
迭	音 テツ 訓 ―	辶	しんにょう しんにゅう	更迭（こうてつ）・迭立（てつりつ）
棟	音 トウ 訓 むね むな(高)	木	きへん	上棟式（じょうとうしき）・病棟（びょうとう） 棟上（むねあ）げ・棟木（むなぎ）
忍	音 ニン 訓 しの(ぶ) しの(ばせる)	心	こころ	残忍（ざんにん）・堪忍（かんにん）・忍耐（にんたい）・忍術（にんじゅつ） 足音（あしおと）を忍（しの）ばせる
漠	音 バク 訓 ―	氵	さんずい	索漠（さくばく）・砂漠（さばく）・空漠（くうばく）・漠然（ばくぜん）
頒	音 ハン 訓 ―	頁	おおがい	頒布（はんぷ）・頒価（はんか）

漢字	読み	部首	部首名	用例
罷	音 ヒ 訓 ―	罒	あみがしら あみめ よこめ	罷免（ひめん）・罷業（ひぎょう）
譜	音 フ 訓 ―	言	ごんべん	採譜（さいふ）・楽譜（がくふ）・系譜（けいふ）・ 譜代（ふだい）・譜面（ふめん）
抹	音 マツ 訓 ―	扌	てへん	一抹（いちまつ）・塗抹（とまつ）・抹殺（まっさつ）・抹消（まっしょう）
岬	音 ― 訓 みさき	山	やまへん	室戸岬（むろとみさき）・岬（みさき）の灯台（とうだい）
竜	音 リュウ 訓 たつ	竜	りゅう	竜宮（りゅうぐう）・竜神（りゅうじん）・恐竜（きょうりゅう） 竜巻（たつまき）
拐	音 カイ 訓 ―	扌	てへん	拐帯（かいたい）・誘拐（ゆうかい）

POINT

「挟」と「狭」、「徹」と「撤」は同音で形が似ている。要注意！

漢字	読み	部首	部首名	用例
涯	音 ガイ 訓 —	氵	さんずい	境涯(きょうがい)・生涯(しょうがい)・天涯(てんがい)
轄	音 カツ 訓 —	車	くるまへん	直轄地(ちょっかつち)・管轄(かんかつ)・所轄(しょかつ)
挟	音 キョウ㊝ 訓 はさ(む) はさ(まる)	扌	てへん	挟撃(きょうげき) 口(くち)を挟(はさ)む・ドアに挟(はさ)まる
吟	音 ギン 訓 —	口	くちへん	詩吟(しぎん)・苦吟(くぎん)・吟詠(ぎんえい)・吟味(ぎんみ)
勲	音 クン 訓 —	力	ちから	殊勲(しゅくん)・叙勲(じょくん)・勲章(くんしょう)
慶	音 ケイ 訓 —	心	こころ	慶賀(けいが)・慶事(けいじ)・慶弔(けいちょう)・同慶(どうけい)
詐	音 サ 訓 —	言	ごんべん	詐称(さしょう)・詐欺(さぎ)・詐取(さしゅ)
肢	音 シ 訓 —	月	にくづき	肢体(したい)・下肢(かし)・四肢(しし)・選択肢(せんたくし)

漢字	読み	部首	部首名	用例
儒	音 ジュ 訓 —	亻	にんべん	儒学(じゅがく)・儒教(じゅきょう)・儒家(じゅか)
肖	音 ショウ 訓 —	肉	にく	不肖(ふしょう)・肖像画(しょうぞうが)
迅	音 ジン 訓 —	辶	しんにょう しんにゅう	迅速(じんそく)・迅雷(じんらい)・迅疾(じんしつ)
堕	音 ダ 訓 —	土	つち	堕落(だらく)・堕胎(だたい)
痴	音 チ 訓 —	疒	やまいだれ	音痴(おんち)・愚痴(ぐち)・痴情(ちじょう)
徹	音 テツ 訓 —	彳	ぎょうにんべん	冷徹(れいてつ)・透徹(とうてつ)・徹底(てってい)・徹夜(てつや)
尼	音 ニ㊝ 訓 あま	尸	かばね しかばね	尼僧(にそう)・国分尼寺(こくぶんにじ) 尼寺(あまでら)
鉢	音 ハチ ハツ㊝ 訓 —	釒	かねへん	鉢植(はちう)え・鉢合(はちあ)わせ・衣鉢(いはつ)

B ランク

準2級配当漢字表② 読み

目標時間 15分

合格ライン 39点

● 次の――線の**漢字の読み**を**ひらがな**で記せ。

1 彼は懲罰会議にかけられた。
2 事務次官を更迭する。
3 母は新病棟に移された。
4 両親の承諾を忍耐強く待つ。
5 心の中に漠とした不安が広がった。
6 頒布された冊子を回収する。
7 裁判官が罷免された。
8 楽譜に忠実に演奏する。
9 彼の名前を名簿から抹消する。
10 岬の突端までドライブした。

解答

1 ちょうばつ
2 こうてつ
3 びょうとう
4 にんたい
5 ばく
6 はんぷ
7 ひめん
8 がくふ
9 まっしょう
10 みさき

11 竜巻は大きな被害をもたらした。
12 誘拐事件が大きく報道された。
13 少年期は不幸な境涯にあった。
14 その事件は他県の警察署の管轄だ。
15 扉に手を挟まれた。
16 材料を吟味して料理を作る。
17 国王から勲章を授かった。
18 慶賀に堪えない。
19 学歴を詐称する。
20 しなやかな肢体が舞う。

解答

11 たつまき
12 ゆうかい
13 きょうがい
14 かんかつ
15 はさ
16 ぎんみ
17 くんしょう
18 けいが
19 さしょう
20 したい

21 儒教の教えを学ぶ。
22 不肖ながら私がお答えします。
23 許認可の決定は迅速に願います。
24 堕落した生活を終わりにする。
25 彼はひどい方向音痴だ。
26 徹夜で仕事をする。
27 出家得度して尼となる。
28 ばったり鉢合わせする。
29 あつものに懲りてなますを吹く。
30 神主を招いて棟上げ式を行う。
31 恥を忍んで申し上げます。
32 索漠とした気持ちになる。
33 小冊子の頒価を決める。
34 賃上げを要求して同盟罷業に入る。

21 じゅきょう
22 ふしょう
23 じんそく
24 だらく
25 おんち
26 てつや
27 あま
28 はち
29 こ
30 むねあ
31 しの
32 さくばく
33 はんか
34 ひぎょう

35 心に一抹の不安を覚える。
36 各地に残る竜神伝説を調べる。
37 公金を拐帯して捕まった。
38 天涯孤独の身になった。
39 官庁直轄の研究所に入る。
40 敵に前後から挟撃される。
41 漢詩を吟詠する。
42 合戦で殊勲を立てた武士。
43 弟は詐欺の被害にあった。
44 自分の肖像画を壁に掛ける。
45 迅雷に耳をおおった。
46 透徹したひとみで見つめられる。
47 境内を歩く尼僧を見かけた。
48 彼は師の衣鉢を継いだ。

35 いちまつ
36 りゅうじん
37 かいたい
38 てんがい
39 ちょっかつ
40 きょうげき
41 ぎんえい
42 しゅくん
43 さぎ
44 しょうぞう
45 じんらい
46 とうてつ
47 にそう
48 いはつ

準2級配当漢字表③

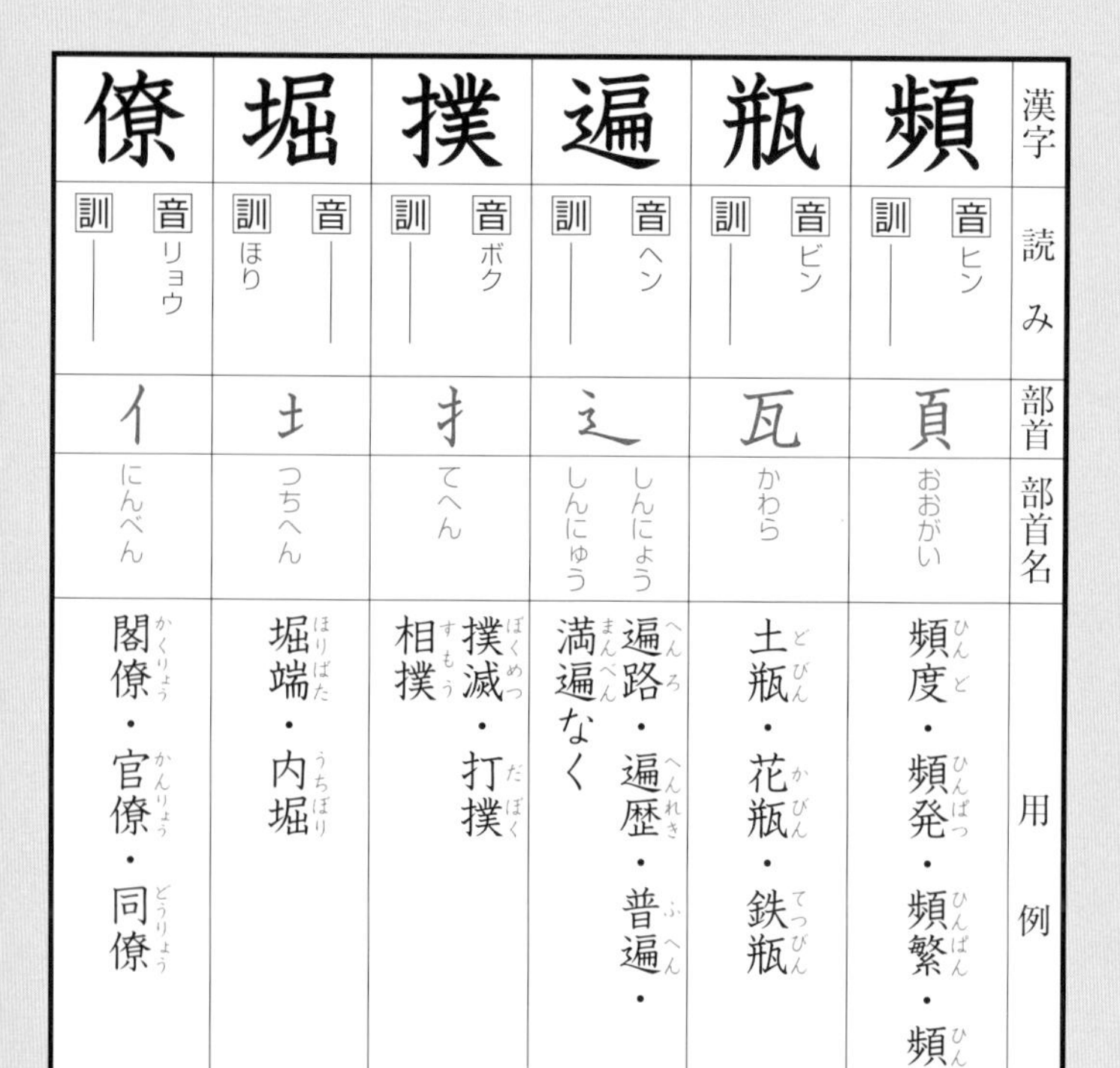

漢字	読み（音）	読み（訓）	部首	部首名	用例
頻	ヒン	—	頁	おおがい	頻度（ひんど）・頻発（ひんぱつ）・頻繁（ひんぱん）・頻出（ひんしゅつ）
瓶	ビン	—	瓦	かわら	土瓶（どびん）・花瓶（かびん）・鉄瓶（てつびん）
遍	ヘン	—	⻌	しんにょう しんにゅう	遍路（へんろ）・遍歴（へんれき）・普遍（ふへん）・満遍（まんべん）なく
撲	ボク	—	扌	てへん	撲滅（ぼくめつ）・打撲（だぼく）・相撲（すもう）
堀	—	ほり	土	つちへん	堀端（ほりばた）・内堀（うちぼり）
僚	リョウ	—	亻	にんべん	閣僚（かくりょう）・官僚（かんりょう）・同僚（どうりょう）

漢字	読み（音）	読み（訓）	部首	部首名	用例
累	ルイ	—	糸	いと	累計（るいけい）・係累（けいるい）・累進（るいしん）・累積（るいせき）
塁	ルイ	—	土	つち	塁審（るいしん）・盗塁（とうるい）・孤塁（こるい）
戻	レイ（高）	もど（す） もど（る）	戸	とだれ とかんむり	返戻金（へんれいきん）・払（はら）い戻（もど）し
蚊	—	か	虫	むしへん	蚊柱（かばしら）・蚊帳（かや）
劾	ガイ	—	力	ちから	弾劾（だんがい）・劾奏（がいそう）
垣	—	かき	土	つちへん	人垣（ひとがき）・生（い）け垣（がき）・石垣（いしがき）・垣根（かきね）

POINT

「頻」「瓶」「戻」「栽」「殉」は部首の問題で特に出題されやすい。要チェック！

漢字	読み	部首	部首名	用例
飢	音 キ 訓 う(える)	飠	しょくへん	飢餓(きが)・飢渇(きかつ) 飢(う)えに苦(くる)しむ
擬	音 ギ 訓 —	扌	てへん	擬人化(ぎじんか)・擬音(ぎおん)・擬態(ぎたい)・模擬(もぎ)・擬似(ぎじ)
拒	音 キョ 訓 こば(む)	扌	てへん	拒否(きょひ)・拒絶(きょぜつ)・抗拒(こうきょ) 申(もう)し入(い)れを拒(こば)む
栽	音 サイ 訓 —	木	き	盆栽(ぼんさい)・栽培(さいばい)・植栽(しょくさい)
酢	音 サク 訓 す	酉	とりへん	酢酸(さくさん)・木酢液(もくさくえき) 甘酢(あまず)・酢(す)の物(もの)
銃	音 ジュウ 訓 —	金	かねへん	銃口(じゅうこう)・銃弾(じゅうだん)・銃声(じゅうせい)・猟銃(りょうじゅう)
殉	音 ジュン 訓 —	歹	かばねへん いちたへん がつへん	殉職(じゅんしょく)・殉死(じゅんし)・殉教(じゅんきょう)・殉難(じゅんなん)
礁	音 ショウ 訓 —	石	いしへん	座礁(ざしょう)・暗礁(あんしょう)・環礁(かんしょう)

漢字	読み	部首	部首名	用例
壌	音 ジョウ 訓 —	土	つちへん	土壌(どじょう)・壌土(じょうど)
仙	音 セン 訓 —	亻	にんべん	仙境(せんきょう)・仙薬(せんやく)・仙人(せんにん)・水仙(すいせん)・画仙(がせん)・歌仙(かせん)
薦	音 セン 訓 すす(める)	艹	くさかんむり	推薦(すいせん)・自薦(じせん) 候補者(こうほしゃ)として薦(すす)める
禅	音 ゼン 訓 —	礻	しめすへん	禅譲(ぜんじょう)・禅宗(ぜんしゅう)・座禅(ざぜん)・参禅(さんぜん)
租	音 ソ 訓 —	禾	のぎへん	租税(そぜい)・租借地(そしゃくち)・租界(そかい)・地租(ちそ)
泰	音 タイ 訓 —	氺	したみず	安泰(あんたい)・泰然(たいぜん)・泰平(たいへい)
塚	音 — 訓 つか	土	つちへん	貝塚(かいづか)・一里塚(いちりづか)
偵	音 テイ 訓 —	亻	にんべん	偵察(ていさつ)・探偵(たんてい)・内偵(ないてい)

準2級配当漢字表③ 読み

目標時間 15分
合格ライン 39点
得点 ／48
月　日

● 次の――線の**漢字の読み**を**ひらがな**で記せ。

1 使用頻度がとても高い。
2 土瓶で湯を沸かす。
3 気ままに諸国を遍歴する。
4 全治一週間の打撲傷を負った。
5 城の堀端を散歩する。
6 同僚と酒を飲む。
7 累積赤字が増大する。
8 塁審の判定に抗議した。
9 この話は白紙に戻そう。
10 夕方の庭に蚊柱が立っている。

解答
1 ひんど
2 どびん
3 へんれき
4 だぼく
5 ほりばた
6 どうりょう
7 るいせき
8 るいしん
9 もど
10 かばしら

11 不正が横行する政治を弾劾する。
12 事故現場に人垣ができた。
13 肉親の愛情に飢えていた。
14 動物が擬人化された絵本が多い。
15 アンケートの回答を拒否した。
16 盆栽が私の趣味である。
17 酢の物は食欲を増進する。
18 銃弾を浴びて倒れた。
19 消火活動中に殉職した。
20 タンカーが座礁して油が流出した。

解答
11 だんがい
12 ひとがき
13 う
14 ぎじんか
15 きょひ
16 ぼんさい
17 す
18 じゅうだん
19 じゅんしょく
20 ざしょう

21 産業廃棄物で土壌が汚染された。
22 仙境を思わせる景観だ。
23 議長に推薦する。
24 簡素な造りの禅宗のお寺。
25 租税は国の運営経費に充てられる。
26 トップの地位はしばらく安泰だ。
27 貝塚から古代人の生活を知る。
28 敵の動きを偵察する。
29 人目を忍んで頻繁に出かける。
30 親子の情愛は普遍のものだ。
31 交通事故の撲滅を目指す。
32 新しい閣僚が顔をそろえる。
33 身に係累がないので気楽だ。
34 今シーズンの最多盗塁を記録した。

21 どじょう
22 せんきょう
23 すいせん
24 ぜんしゅう
25 そぜい
26 あんたい
27 かいづか
28 ていさつ
29 ひんぱん
30 ふへん
31 ぼくめつ
32 かくりょう
33 けいるい
34 とうるい

35 保険の返戻金を受け取った。
36 蚊帳の中に入る。
37 戦乱で人民は飢渇状態だ。
38 劇中で擬音を効果的に使う。
39 私は彼の申し出を拒んだ。
40 野菜を栽培する。
41 木酢液を防虫に利用する。
42 殉難の碑を建てる。
43 会議は暗礁に乗り上げた。
44 彼を班長に薦めた。
45 社長の座を後継者に禅譲する。
46 泰平の世を騒がせた事件。
47 街道に一里塚が設けられた。
48 不正取引について内偵を進める。

35 へんれいきん
36 かや
37 きかつ
38 ぎおん
39 こば
40 さいばい
41 もくさく
42 じゅんなん
43 あんしょう
44 すす
45 ぜんじょう
46 たいへい
47 いちりづか
48 ないてい

準2級配当漢字表④

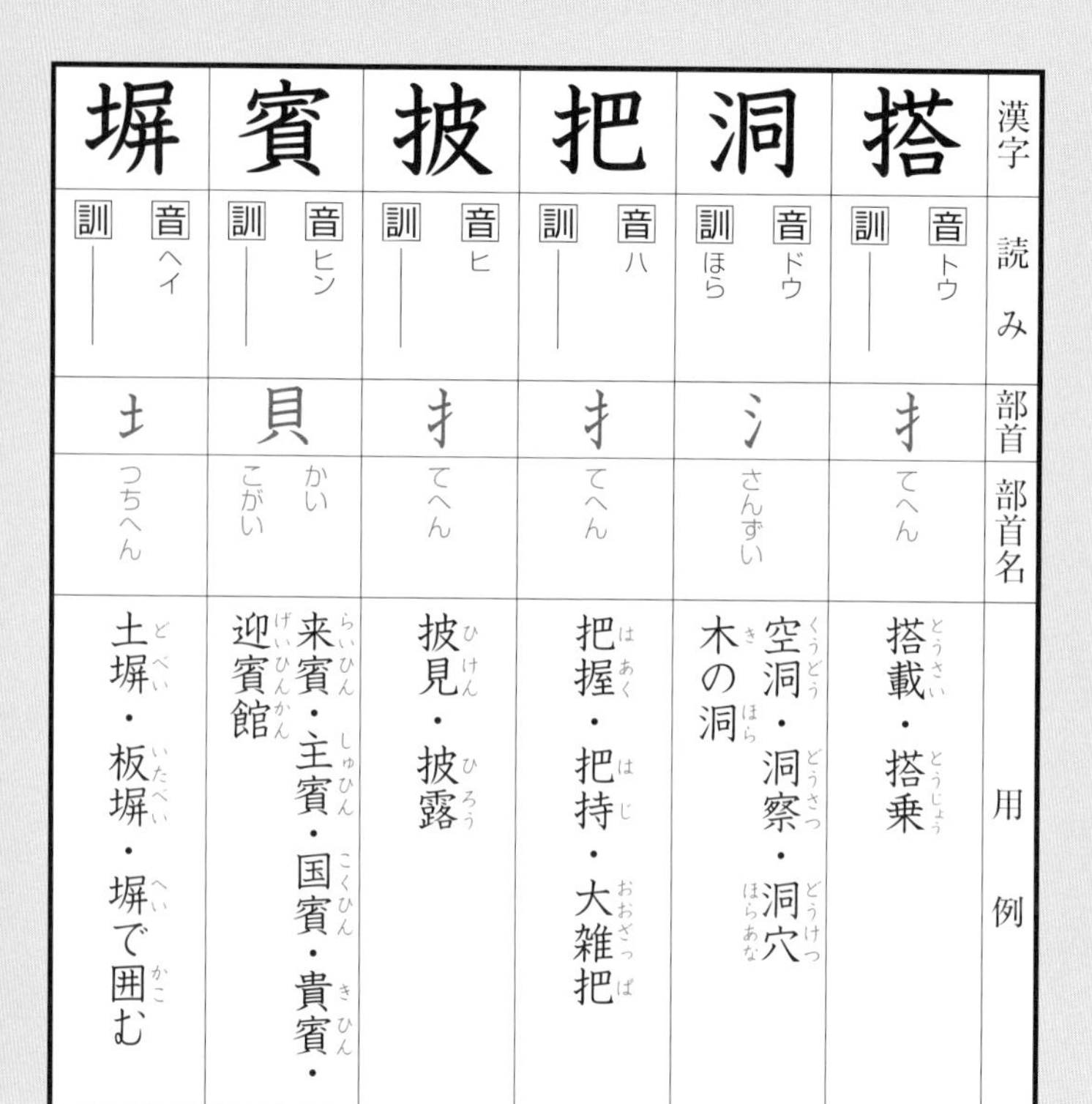

漢字	読み（音）	読み（訓）	部首	部首名	用例
搭	トウ	—	扌	てへん	搭載（とうさい）・搭乗（とうじょう）
洞	ドウ	ほら	氵	さんずい	空洞（くうどう）・洞察（どうさつ）・洞穴（どうけつ／ほらあな） 木の洞（きのほら）
把	ハ	—	扌	てへん	把握（はあく）・把持（はじ）・大雑把（おおざっぱ）
披	ヒ	—	扌	てへん	披見（ひけん）・披露（ひろう）
賓	ヒン	—	貝	かい こがい	来賓（らいひん）・主賓（しゅひん）・国賓（こくひん）・貴賓（きひん）・迎賓館（げいひんかん）
塀	ヘイ	—	土	つちへん	土塀（どべい）・板塀（いたべい）・塀（へい）で囲（かこ）む

漢字	読み（音）	読み（訓）	部首	部首名	用例
浦	—	うら	氵	さんずい	浦風（うらかぜ）・津津浦浦（つつうらうら）
盲	モウ	—	目	め	盲点（もうてん）・盲腸（もうちょう）・盲愛（もうあい）・盲導犬（もうどうけん）
裕	ユウ	—	衤	ころもへん	富裕（ふゆう）・余裕（よゆう）・裕福（ゆうふく）
翁	オウ	—	羽	はね	老翁（ろうおう）
嚇	カク	—	口	くちへん	威嚇（いかく）・脅嚇（きょうかく）・嚇怒（かくど）
喝	カツ	—	口	くちへん	喝破（かっぱ）・一喝（いっかつ）・恐喝（きょうかつ）

POINT

「搭・塔」「披・被」「喝・渇」は、同音で、しかも形が似ているので、使い分けに注意！

漢字	読み	部首	部首名	用例
艦	音 カン 訓 —	舟	ふねへん	艦長(かんちょう)・艦艇(かんてい)・艦隊(かんたい)・戦艦(せんかん)・艦船(かんせん)
菌	音 キン 訓 —	艹	くさかんむり	滅菌(めっきん)・殺菌(さっきん)・細菌(さいきん)・抗菌(こうきん)・病原菌(びょうげんきん)・菌糸(きんし)
琴	音 キン 訓 こと	王	おう	琴線(きんせん)・木琴(もっきん)・琴(こと)を弾(ひ)く
江	音 コウ 訓 え	氵	さんずい	江湖(こうこ)・江南(こうなん)・長江(ちょうこう)・入(い)り江(え)・江戸(えど)
洪	音 コウ 訓 —	氵	さんずい	洪水(こうずい)・洪大(こうだい)・洪積世(こうせきせい)
拷	音 ゴウ 訓 —	扌	てへん	拷問(ごうもん)
淑	音 シュク 訓 —	氵	さんずい	私淑(ししゅく)・貞淑(ていしゅく)・淑女(しゅくじょ)
診	音 シン 訓 み(る)	言	ごんべん	聴診器(ちょうしんき)・往診(おうしん)・打診(だしん)・診療(しんりょう)・患者(かんじゃ)を診(み)る

漢字	読み	部首	部首名	用例
睡	音 スイ 訓 —	目	めへん	熟睡(じゅくすい)・睡魔(すいま)・睡眠(すいみん)
枢	音 スウ 訓 —	木	きへん	中枢(ちゅうすう)・枢軸(すうじく)・枢要(すうよう)
畝	音 — 訓 うね	田	た	畝織(うねおり)・畝作(うねづく)り
逝	音 セイ 訓 ゆ(く)㊭ い(く)㊭	辶	しんにょう しんにゅう	急逝(きゅうせい)・逝去(せいきょ)・眠(ねむ)るように逝(ゆ)く
窃	音 セツ 訓 —	穴	あなかんむり	窃盗(せっとう)・窃取(せっしゅ)
栓	音 セン 訓 —	木	きへん	元栓(もとせん)・密栓(みっせん)・脳血栓(のうけっせん)・消火栓(しょうかせん)
践	音 セン 訓 —	足	あしへん	実践(じっせん)・履践(りせん)

準2級配当漢字表④ 読み

目標時間 15分
合格ライン 39点
得点 /48 月 日

● 次の――線の**漢字の読み**を**ひらがな**で記せ。

1 高い機能が搭載された機種を買う。
2 鋭い洞察力の持ち主。
3 市場動向を的確に把握する。
4 新作を披露する。
5 来賓を迎えて式典が行われた。
6 猫は軽々と高い塀を乗り越えた。
7 浦風が髪をなびかせる。
8 賊は警備の盲点をついて侵入した。
9 彼はずっと富裕な生活を送ってきた。
10 人間万事塞翁が馬。

解答
1 とうさい
2 どうさつ
3 はあく
4 ひろう
5 らいひん
6 へい
7 うらかぜ
8 もうてん
9 ふゆう
10 さいおう

11 威嚇射撃で敵を追い散らす。
12 裕福な家庭で育つ。
13 中高生による恐喝事件が増える。
14 海上では艦長の命令が絶対だ。
15 新商品は抗菌効果をうたっている。
16 茶会で琴の演奏を聴く。
17 静かな入り江の夕映えが美しい。
18 堤防が決壊して洪水となった。
19 現代は拷問は禁止されている。
20 貞淑な妻を演じる女優。

解答
11 いかく
12 ゆうふく
13 きょうかつ
14 かんちょう
15 こうきん
16 こと
17 え
18 こうずい
19 ごうもん
20 ていしゅく

21 聴診器を胸にあてる。
22 勉強中に睡魔に襲われる。
23 スパイを組織の中枢に送り込む。
24 長江はアジアで最大の川である。
25 往年の名選手もついに逝く。
26 窃盗団を一斉検挙した。
27 祖母は脳血栓が原因で亡くなった。
28 理論を実践に移す。
29 急いで搭乗口へ向かった。
30 木の洞に巣を作る。
31 歴史資料館で古文書を披見する。
32 貴賓席の国王夫妻に拍手を送った。
33 屋敷のまわりに土塀を巡らす。
34 盲導犬の数が不足している。

21 ちょうしんき
22 すいま
23 ちゅうすう
24 ちょうこう
25 ゆ（い）
26 せっとう
27 けっせん
28 じっせん
29 とうじょう
30 ほら
31 ひけん
32 きひん
33 どべい
34 もうどうけん

35 余裕しゃくしゃくとした振る舞い。
36 旅先で老翁の話に耳を傾けた。
37 根底にある問題を喝破された。
38 軍事演習に艦艇が出動する。
39 菌糸をのばしていく様を観察する。
40 美しい歌声が心の琴線に触れる。
41 更新世をかつて洪積世といった。
42 著名な画家に私淑して励む。
43 手首をとって脈を診る。
44 昨夜は熟睡した。
45 政府与党の枢軸をなす政治家。
46 畑の畝に野菜を植え付ける。
47 友人の父が急逝した。
48 びんにジャムを詰めて密栓した。

35 よゆう
36 ろうおう
37 かっぱ
38 かんてい
39 きんし
40 きんせん
41 こうせきせい
42 ししゅく
43 み
44 じゅくすい
45 すうじく
46 うね
47 きゅうせい
48 みっせん

Cランク

準2級配当漢字表①

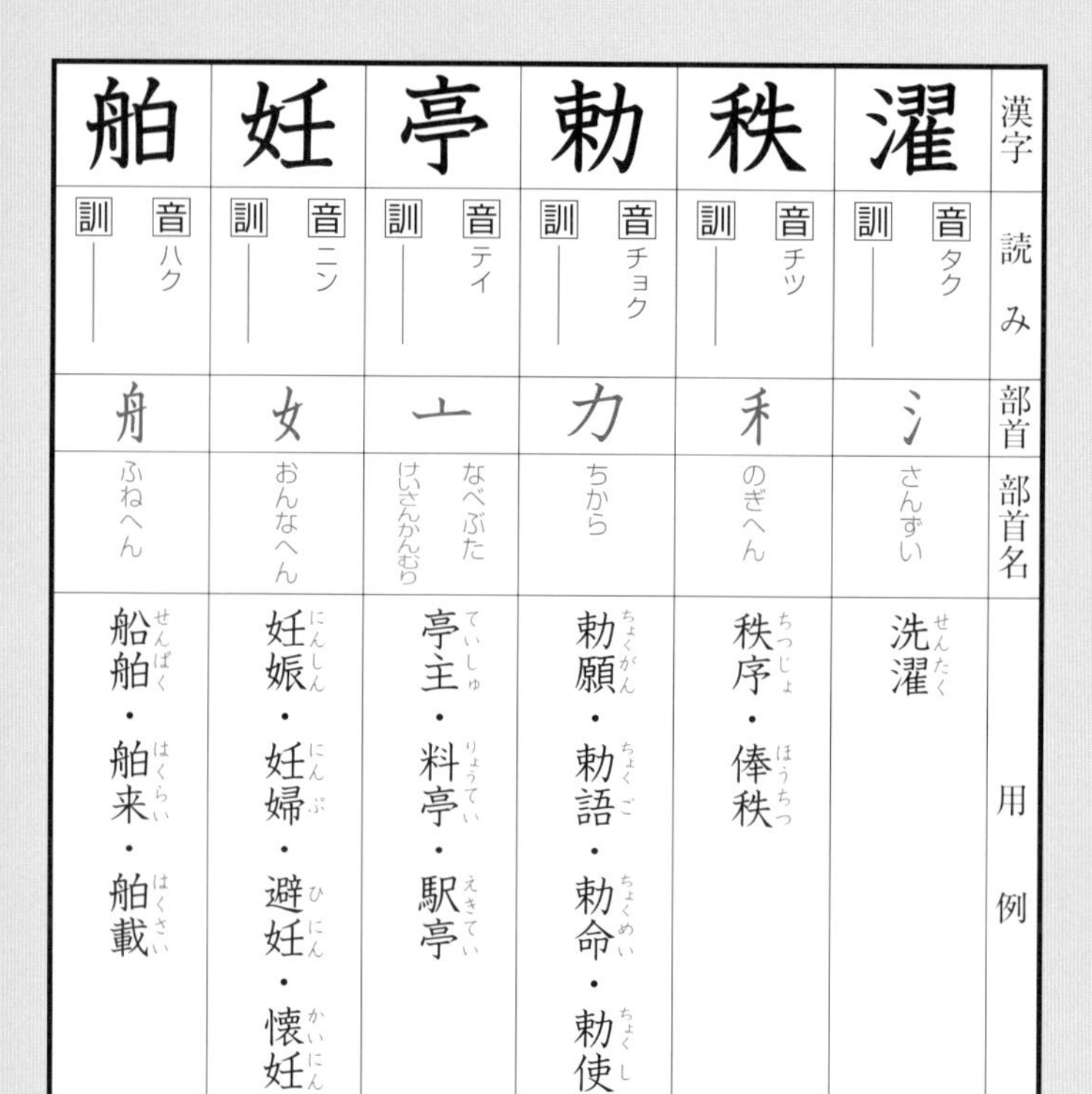

漢字	読み（音）	読み（訓）	部首	部首名	用例
濯	タク	—	氵	さんずい	洗濯（せんたく）
秩	チツ	—	禾	のぎへん	秩序（ちつじょ）・俸秩（ほうちつ）
勅	チョク	—	力	ちから	勅願（ちょくがん）・勅語（ちょくご）・勅命（ちょくめい）・勅使（ちょくし）
亭	テイ	—	亠	なべぶた けいさんかんむり	亭主（ていしゅ）・料亭（りょうてい）・駅亭（えきてい）
妊	ニン	—	女	おんなへん	妊娠（にんしん）・妊婦（にんぷ）・避妊（ひにん）・懐妊（かいにん）
舶	ハク	—	舟	ふねへん	船舶（せんぱく）・舶来（はくらい）・舶載（はくさい）

漢字	読み（音）	読み（訓）	部首	部首名	用例
妃	ヒ	—	女	おんなへん	王妃（おうひ）・妃殿下（ひでんか）
俸	ホウ	—	亻	にんべん	俸給（ほうきゅう）・減俸（げんぽう）・年俸（ねんぽう）
朴	ボク	—	木	きへん	純朴（じゅんぼく）・素朴（そぼく）・質朴（しつぼく）
麻	マ	あさ	麻	あさ	麻酔（ますい）・亜麻（あま） 麻袋（あさぶくろ）
摩	マ	—	手	て	摩耗（まもう）・摩擦（まさつ）・摩天楼（まてんろう）
猶	ユウ	—	犭	けものへん	猶予（ゆうよ）・猶子（ゆうし）

POINT

「叔」は父母の弟・妹の意味で、「叔父（おじ）」・「叔母（おば）」と書く。父母の兄・姉は「伯父・伯母」。

漢字	読み	部首	部首名	用例
寮	音 リョウ　訓 —	宀	うかんむり	入寮（にゅうりょう）・寮生（りょうせい）・寮母（りょうぼ）・学生寮（がくせいりょう）
亜	音 ア　訓 —	二	に	亜鉛（あえん）・亜熱帯（あねったい）・亜流（ありゅう）
韻	音 イン　訓 —	音	おと	押韻（おういん）・余韻（よいん）・韻律（いんりつ）
褐	音 カツ　訓 —	衤	ころもへん	褐色（かっしょく）・褐炭（かったん）
憾	音 カン　訓 —	忄	りっしんべん	遺憾（いかん）
肯	音 コウ　訓 —	肉	にく	肯定（こうてい）・首肯（しゅこう）
桟	音 サン　訓 —	木	きへん	桟道（さんどう）・桟橋（さんばし）・桟敷（さじき）
爵	音 シャク　訓 —	爫	つめかんむり つめがしら	爵位（しゃくい）・伯爵（はくしゃく）・男爵（だんしゃく）

漢字	読み	部首	部首名	用例
珠	音 シュ　訓 —	王	おうへん たまへん	珠算（しゅざん）・珠玉（しゅぎょく）・真珠（しんじゅ）
囚	音 シュウ　訓 —	囗	くにがまえ	囚人（しゅうじん）・幽囚（ゆうしゅう）・囚徒（しゅうと）・虜囚（りょしゅう）
叔	音 シュク　訓 —	又	また	叔母（おば／しゅくぼ）・叔父（おじ／しゅくふ）・外叔（がいしゅく）
准	音 ジュン　訓 —	冫	にすい	批准（ひじゅん）・准尉（じゅんい）・准教授（じゅんきょうじゅ）
庶	音 ショ　訓 —	广	まだれ	庶民（しょみん）・庶務課（しょむか）
祥	音 ショウ　訓 —	礻	しめすへん	発祥（はっしょう）・祥月（しょうつき）・清祥（せいしょう）・不祥事（ふしょうじ）
訟	音 ショウ　訓 —	言	ごんべん	訴訟（そしょう）・争訟（そうしょう）

C ランク

準2級配当漢字表① 読み

目標時間 15分

合格ライン 39点

得点

● 次の――線の**漢字の読み**を**ひらがな**で記せ。

1 天気がいいので洗濯した。
2 団体行動には秩序が求められる。
3 勅使を派遣する。
4 料亭で同窓会を開いた。
5 妊婦に座席を譲った。
6 多数の船舶が運河を往来する。
7 宮殿から王妃がお出ましになる。
8 初めての俸給を母に手渡した。
9 いたって素朴な質問をする。
10 収穫した小麦を麻袋に詰めた。

解答

1 せんたく
2 ちつじょ
3 ちょくし
4 りょうてい
5 にんぷ
6 せんぱく
7 おうひ
8 ほうきゅう
9 そぼく
10 あさぶくろ

11 日米貿易摩擦を解消する。
12 一刻の猶予もない。
13 入学してすぐ学生寮に入った。
14 この絵は印象派の亜流だ。
15 七五調は韻律の一つだ。
16 褐色に日焼けした若々しい肌。
17 選手たちは遺憾なく実力を発揮した。
18 否定文を肯定文に書き換える。
19 田舎の純朴な青年。
20 桟橋に立って船を見送る。

解答

11 まさつ
12 ゆうよ
13 りょう
14 ありゅう
15 いんりつ
16 かっしょく
17 いかん
18 こうてい
19 じゅんぼく
20 さんばし

21 伯爵の位を得た。
22 珠算塾へ通っている。
23 囚人が連れて行かれた。
24 長崎の叔母の家に下宿する。
25 条約が批准される。
26 皇后は庶民から慕われた。
27 不祥事を起こして謝罪する。
28 司法の判断を求めて訴訟を起こす。
29 勅願によって東大寺を建立する。
30 脱サラして旅館の亭主になった。
31 王妃の懐妊が伝えられる。
32 舶来の品々を店に並べる。
33 職務違反で減俸処分を受けた。
34 彼の質朴な人柄が皆から好かれた。

21 はくしゃく
22 しゅざん
23 しゅうじん
24 おば（しゅくぼ）
25 ひじゅん
26 しょみん
27 ふしょうじ
28 そしょう
29 ちょくがん
30 ていしゅ
31 かいにん
32 はくらい
33 げんぽう
34 しつぼく

35 麻酔をしてから歯を抜いた。
36 タイヤが摩耗している。
37 寮生が門限に遅れ閉め出された。
38 研究室で亜鉛を抽出した。
39 五言絶句は偶数句末で押韻する。
40 君の意見には首肯しかねる。
41 桟敷席で芝居を見た。
42 真珠のネックレスを買う。
43 戦いに敗れて虜囚となった。
44 外叔とは母方の叔父のことだ。
45 少尉の下の階級に准尉がある。
46 彼女は庶務課に配属された。
47 今日は故人の祥月命日だ。
48 髪を亜麻色に染める。

35 ますい
36 まもう
37 りょうせい
38 あえん
39 おういん
40 しゅこう
41 さじき
42 しんじゅ
43 りょしゅう
44 がいしゅく
45 じゅんい
46 しょむ
47 しょうつき
48 あま

Cランク

準2級配当漢字表②

漢字	読み（音）	読み（訓）	部首	部首名	用例
硝	ショウ	—	石	いしへん	硝煙(しょうえん)・硝酸(しょうさん)・硝石(しょうせき)
彰	ショウ	—	彡	さんづくり	顕彰(けんしょう)・表彰(ひょうしょう)
剰	ジョウ	—	刂	りっとう	剰員(じょういん)・余剰(よじょう)・剰余(じょうよ)・過剰(かじょう)
津	シン㊢	つ	氵	さんずい	興味津津(きょうみしんしん)・津津浦浦(つつうらうら／つづうらうら)・津波(つなみ)
娠	シン	—	女	おんなへん	妊娠(にんしん)
析	セキ	—	木	きへん	分析(ぶんせき)・解析(かいせき)・透析(とうせき)・析出(せきしゅつ)

漢字	読み（音）	読み（訓）	部首	部首名	用例
廷	テイ	—	廴	えんにょう	出廷(しゅってい)・法廷(ほうてい)・宮廷(きゅうてい)
謄	トウ	—	言	げん	謄本(とうほん)・謄写版(とうしゃばん)
閥	バツ	—	門	もんがまえ	財閥(ざいばつ)・派閥(はばつ)・門閥(もんばつ)・学閥(がくばつ)
雰	フン	—	⻗	あめかんむり	雰囲気(ふんいき)
幣	ヘイ	—	巾	はば	紙幣(しへい)・貨幣(かへい)・造幣局(ぞうへいきょく)
剖	ボウ	—	刂	りっとう	解剖(かいぼう)・剖検(ぼうけん)

POINT

「虞（おそれ）」は心配や懸念を意味している。恐怖・敬服の意味の「恐れ」との使い分けに注意。

漢字	読み（音）	読み（訓）	部首	部首名	用例
僕	ボク	―	亻	にんべん	公僕（こうぼく）・下僕（げぼく）・従僕（じゅうぼく）
耗	モウ コウ㊂	―	耒	すきへん らいすき	摩（磨）耗（まもう）・消耗（しょうもう・しょうこう）・心神耗弱（しんしんこうじゃく）
愉	ユ	―	忄	りっしんべん	愉快（ゆかい）・愉悦（ゆえつ）・愉楽（ゆらく）・愉色（ゆしょく）
唯	ユイ イ㊂	―	口	くちへん	唯美（ゆいび）・唯物（ゆいぶつ）・唯一（ゆいいつ・ゆいいち） 唯唯諾諾（いいだくだく）
痢	リ	―	疒	やまいだれ	赤痢（せきり）・下痢（げり）・疫痢（えきり）
虜	リョ	―	虍	とらがしら とらかんむり	捕虜（ほりょ）・虜囚（りょしゅう）
尉	イ	―	寸	すん	尉官（いかん）・大尉（たいい）
姻	イン	―	女	おんなへん	婚姻（こんいん）・姻族（いんぞく）

漢字	読み（音）	読み（訓）	部首	部首名	用例
凹	オウ	―	凵	うけばこ	凹（おう）レンズ・凹凸（おうとつ）のある壁（かべ） 凸凹（でこぼこ）の道（みち）
虞	―	おそれ	虍	とらがしら とらかんむり	台風上陸（たいふうじょうりく）の虞（おそれ）がある
缶	カン	―	缶	ほとぎ	空（あ）き缶（かん）・缶詰（かんづめ）
棺	カン	―	木	きへん	石棺（せっかん・せきかん）・出棺（しゅっかん）
謙	ケン	―	言	ごんべん	謙虚（けんきょ）・謙譲（けんじょう）・恭謙（きょうけん）
呉	ゴ	―	口	くち	呉服（ごふく）・呉音（ごおん）
侯	コウ	―	亻	にんべん	諸侯（しょこう）・王侯（おうこう）・侯爵（こうしゃく）
昆	コン	―	日	ひ	昆布（こんぶ・こぶ）・昆虫（こんちゅう）・昆弟（こんてい）

C ランク

準2級配当漢字表② 読み

目標時間 15分

合格ライン 39点

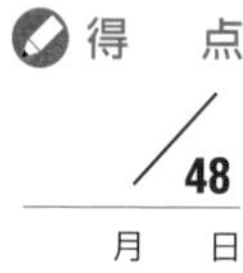

得点 ／48 月 日

● 次の――線の**漢字の読み**を**ひらがな**で記せ。

1 戦場の硝煙の中を逃げ惑った。
2 壇上で表彰状を授与された。
3 過剰な人員を整理する。
4 地震の後の津波が心配だ。
5 妊娠中は転ばないように注意する。
6 交通事故の発生状況を分析する。
7 法廷で真実を述べる。
8 戸籍謄本を取得する。
9 派閥の意向に従う。
10 宴会の雰囲気を盛り上げる。

解答

1 しょうえん
2 ひょうしょう
3 かじょう
4 つなみ
5 にんしん
6 ぶんせき
7 ほうてい
8 とうほん
9 はばつ
10 ふんいき

11 円の貨幣価値が下がる。
12 医師が解剖所見を述べる。
13 警察官は公僕である。
14 消耗品を新しく買い足す。
15 とても愉快な話だ。
16 彼は唯美主義者だ。
17 牛乳を飲み過ぎて下痢になった。
18 戦争で敵国の捕虜となった。
19 若くして尉官に取り立てられた。
20 市役所に婚姻届を出す。

解答

11 かへい
12 かいぼう
13 こうぼく
14 しょうもう（しょうこう）
15 ゆかい
16 ゆいび
17 げり
18 ほりょ
19 いかん
20 こんいん

21 この道は凸凹が激しい。
22 夜半に台風が上陸する虞がある。
23 道路に空き缶を捨てないこと。
24 王の石棺が初めて展示される。
25 謙虚な態度で人に接する。
26 呉服売り場へ出かける。
27 王侯貴族の生活を夢見る。
28 海辺で昆布を干していた。
29 硝石は幅広く利用されている。
30 長年にわたる功労が顕彰された。
31 剰余金は次年度に繰り越した。
32 子供たちは興味津津に耳を傾けた。
33 塩の結晶を析出する。
34 華やかな宮廷生活が描かれている。

21 でこぼこ
22 おそれ
23 かん
24 せっかん（せきかん）
25 けんきょ
26 ごふく
27 おうこう
28 こんぶ（こぶ）
29 しょうせき
30 けんしょう
31 じょうよ
32 しんしん
33 せきしゅつ
34 きゅうてい

35 謄写版は今では廃れてしまった。
36 昔は門閥が重視された。
37 偽造紙幣が出回る。
38 長年従僕として仕えてきた。
39 彼は心神耗弱状態にある。
40 満面に愉色を浮かべている。
41 唯唯諾諾として命令に従う。
42 赤痢菌が猛威をふるう。
43 極寒の地で虜囚の身となっていた。
44 大尉の命令は絶対だ。
45 近眼鏡は凹レンズで作る。
46 謙譲の精神を大切にする。
47 侯爵は位の高い身分である。
48 兄は昆虫採集を趣味としている。

35 とうしゃ
36 もんばつ
37 しへい
38 じゅうぼく
39 こうじゃく
40 ゆしょく
41 いいだくだく
42 せきり
43 りょしゅう
44 たいい
45 おう
46 けんじょう
47 こうしゃく
48 こんちゅう

C ランク

準2級配当漢字表③

漢字	読み（音）	読み（訓）	部首	部首名	用例
斎	サイ	—	斉	せい	斎場（さいじょう）・書斎（しょさい）・潔斎（けっさい）
嗣	シ	—	口	くち	継嗣（けいし）・嫡嗣（ちゃくし）・後嗣（こうし）
璽	ジ	—	玉	たま	国璽（こくじ）・神璽（しんじ）・璽符（じふ）
塾	ジュク	—	土	つち	学習塾（がくしゅうじゅく）・塾生（じゅくせい）・私塾（しじゅく）
叙	ジョ	—	又	また	叙勲（じょくん）・叙情（じょじょう）・叙事詩（じょじし）
粧	ショウ	—	米	こめへん	雪化粧（ゆきげしょう）・美粧（びしょう）

漢字	読み（音）	読み（訓）	部首	部首名	用例
詔	ショウ	みことのり㊍	言	ごんべん	詔書（しょうしょ）・詔勅（しょうちょく）・恩詔（おんしょう）・詔（みことのり）を発（はっ）する
紳	シン	—	糸	いとへん	紳士（しんし）・貴紳（きしん）
帥	スイ	—	巾	はば	統帥（とうすい）・元帥（げんすい）・総帥（そうすい）
杉	—	すぎ	木	きへん	杉並木（すぎなみき）・杉板（すぎいた）
塑	ソ	—	土	つち	塑像（そぞう）・彫塑（ちょうそ）
曹	ソウ	—	日	ひらび いわく	法曹界（ほうそうかい）・重曹（じゅうそう）・軍曹（ぐんそう）

POINT

「帥」は、「ひきいる・したがえる」「かしら・おさ」の意味。「師」と形がよく似ているので注意。

漢字	読み	部首	部首名	用例
嫡	音 チャク 訓 —	女	おんなへん	嫡流(ちゃくりゅう)・嫡子(ちゃくし)・嫡孫(ちゃくそん)・廃嫡(はいちゃく)
朕	音 チン 訓 —	月	つきへん	朕(ちん)は国家(こっか)なり
貞	音 テイ 訓 —	貝	かい こがい	貞節(ていせつ)・貞操(ていそう)・貞淑(ていしゅく)・不貞(ふてい)
艇	音 テイ 訓 —	舟	ふねへん	艇身(ていしん)・艦艇(かんてい)・競艇(きょうてい)・高速艇(こうそくてい)
凸	音 トツ 訓 —	凵	うけばこ	凸面鏡(とつめんきょう)・凸版(とっぱん)・凹凸(おうとつ) 凸凹(でこぼこ)
屯	音 トン 訓 —	屮	てつ	屯田兵(とんでんへい)・駐屯(ちゅうとん)・屯所(とんしょ)
賠	音 バイ 訓 —	貝	かいへん	賠償金(ばいしょうきん)
附	音 フ 訓 —	阝	こざとへん	附属(ふぞく)・附随(ふずい)・寄附(きふ)

漢字	読み	部首	部首名	用例
丙	音 ヘイ 訓 —	一	いち	甲乙丙丁(こうおつへいてい)・丙種(へいしゅ)
妄	音 モウ、ボウ(高) 訓 —	女	おんな	妄言(もうげん／ぼうげん)・妄想(もうそう)・妄執(もうしゅう)・虚妄(きょもう)
酪	音 ラク 訓 —	酉	とりへん	酪農(らくのう)・牛酪(ぎゅうらく)・乳酪(にゅうらく)
硫	音 リュウ 訓 —	石	いしへん	硫酸(りゅうさん)・硫安(りゅうあん) 硫黄(いおう)

Cランク

準2級配当漢字表③ 読み

目標時間 15分

合格ライン 39点

得点 ／48

月 日

● 次の――線の**漢字の読み**を**ひらがな**で記せ。

1 父は書斎で仕事をしている。
2 生涯、貞節を守る。
3 本家の継嗣として生まれた。
4 勲記に国璽を押す。
5 塾に通っている小学生は多い。
6 叙情豊かな詩が好まれる。
7 町は一夜にして雪化粧した。
8 天皇の詔勅が読み上げられた。
9 話し合いは紳士的に行おう。
10 軍の統帥権を掌握する。

解答

1 しょさい
2 ていせつ
3 けいし
4 こくじ
5 じゅく
6 じょじょう
7 ゆきげしょう
8 しょうちょく
9 しんし
10 とうすい

11 日光街道の杉並木は有名である。
12 塑像のデッサンをする。
13 法曹界を揺るがす事件となった。
14 茶道の嫡流をめぐって争う。
15 朕は国家なり。
16 父は私に貞淑さを求めた。
17 高速艇に乗って島へ渡る。
18 凹凸が激しい路面だ。
19 駐屯地の軍隊を慰問する。
20 二国間の賠償問題を協議する。

解答

11 すぎなみき
12 そぞう
13 ほうそうかい
14 ちゃくりゅう
15 ちん
16 ていしゅく
17 こうそくてい
18 おうとつ
19 ちゅうとん
20 ばいしょう

21 国立大学に附属する小学校。
22 評価として甲乙丙を使う。
23 妄執にとりつかれてしまった。
24 北海道は酪農が盛んである。
25 理科の実験で硫酸を使う。
26 斎場までの道案内をする。
27 古代の玉璽が発見された。
28 父は私塾を経営している。
29 祖父は叙勲の栄誉にあずかった。
30 念入りに美粧する。
31 天皇の詔が発せられた。
32 彼は紳商として有名だ。
33 法会の前に精進潔斎する。
34 総帥として任命される。

21 ふぞく
22 こうおつへい
23 もうしゅう
24 らくのう
25 りゅうさん
26 さいじょう
27 ぎょくじ
28 しじゅく
29 じょくん
30 びしょう
31 みことのり
32 しんしょう
33 けっさい
34 そうすい

35 杉の苗木に水をやる。
36 有名な彫塑が展示されている。
37 重曹は白色の結晶だ。
38 嫡孫を後継者とする。
39 貞操観念は時代とともに変化する。
40 朕とは天子の自称だ。
41 一艇身の差で勝利した。
42 凸レンズを二つ組み合わせる。
43 屯田兵によって開拓が進められた。
44 児童館増築のため寄附を募る。
45 父は丙種合格で戦場行きを免れた。
46 虚妄の言動を繰り返す。
47 手作りの乳酪品を販売する。
48 硫黄のにおいがする温泉だ。

35 すぎ
36 ちょうそ
37 じゅうそう
38 ちゃくそん
39 ていそう
40 ちん
41 ていしん
42 とつ
43 とんでんへい
44 きふ
45 へいしゅ
46 きょもう
47 にゅうらく
48 いおう

2・準2級配当漢字以外の読み①

● 次の——線の**漢字の読み**を**ひらがな**で記せ。

1 山々を彩る紅葉が美しい。
2 やっと胃の痛みが鎮まる。
3 玄関の施錠を確認して出かける。
4 首位の座を目指し両者が競る。
5 母校の名を辱めるような行為だ。
6 諸国を行脚して仏法を説く。
7 国家繁栄の礎を築く。
8 軽く会釈して着座する。
9 練習を重ねて初陣を飾った。
10 忌み言葉に注意して話す。

解答

1 いろど
2 しず
3 せじょう
4 せ
5 はずかし
6 あんぎゃ
7 いしずえ
8 えしゃく
9 ういじん
10 い

11 友人の横柄な態度に腹を立てる。
12 先生の仰せに従う。
13 失敗の理由を詰問する。
14 心の糧を求めて読書する。
15 金銭に絡む事件が絶えない。
16 脚立を使って電球を交換する。
17 名人位を脅かす存在になった。
18 庭園内に芳しい香りが漂う。
19 できるだけ狭義に解釈しない。
20 世界記録の達成は至難の業だ。

解答

11 おうへい
12 おお
13 きつもん
14 かて
15 から
16 きゃたつ
17 おびや
18 かんば
19 きょうぎ
20 わざ

21 仏像は神神しい姿で立っていた。
22 前年に倣う形で執行体制を組む。
23 和紙の短冊に俳句を書く。
24 北海道の湖沼は自然が豊かだ。
25 気に障るようなことは言わない。
26 一国を統べる人物を待ち望む。
27 長男を葬儀の施主とする。
28 批判されて機嫌を損ねる。
29 子供と戯れるひと時は楽しい。
30 今年から扶養控除が減額された。
31 委員会で聴聞の手続きを行う。
32 農機具などを納屋にしまう。
33 古い格子戸を開けて外に出る。
34 休日は野良仕事に精を出す。

21 こうごう
22 なら
23 たんざく
24 こしょう
25 さわ
26 す
27 せしゅ
28 そこ
29 たわむ
30 こうじょ
31 ちょうもん
32 なや
33 こうしど
34 のら

35 行く手を阻む険しい山岳。
36 質素を旨として暮らしている。
37 古典芸能の秘奥を伝える。
38 高速鉄道を敷設する計画。
39 ハイテク産業が興る素地がある。
40 ベランダに布団を干す。
41 恥ずかしさで顔が火照る。
42 瞬く間に流れ星が消えた。
43 悲惨な事故を目の当たりにする。
44 話芸に秀でる人物を採用する。
45 花鳥風月を句に詠む。
46 気が焦るばかりで足が出ない。
47 その小説は市井の人が主人公だ。
48 売り上げが伸び在庫が払底した。

35 はば
36 むね
37 ひおう
38 ふせつ
39 おこ
40 ふとん
41 ほて
42 またた
43 ま
44 ひい
45 よ
46 あせ
47 しせい
48 ふってい

2・準2級配当漢字以外の読み②

目標時間 15分

合格ライン 39点

得点 ／48

月　日

● 次の——線の**漢字の読み**を**ひらがな**で記せ。

1 農作業の傍ら小説を書く作家。
2 ふとした過ちから身を滅ぼす。
3 己の欲せざるところは人に施すなかれ。
4 最後に一矢を報いる本塁打を打つ。
5 合格を祈願する絵馬を奉納する。
6 吹く風に春の息吹が感じられる。
7 否めない事実に納得する。
8 記名押印した証書を保管しておく。
9 友人の潔い態度に感心する。
10 真相を暴いた記事を読む。

解答

1 かたわ
2 あやま
3 おのれ
4 いっし
5 えま
6 いぶき
7 いな
8 おういん
9 いさぎよ
10 あば

11 神仏の加護を請う行事。
12 終電に際どいところで間に合う。
13 高名な寺院で功徳を積む。
14 山頂まで荷物を担ぎ上げる。
15 鉄道には広狭二つの軌間がある。
16 農家にとって種苗は財産だ。
17 あえない最期を遂げる。
18 彼の罪業を並べれば切りがない。
19 ランナーの額から汗が滴る。
20 世間には好事家が多い。

解答

11 こ
12 きわ
13 くどく
14 かつ
15 こうきょう
16 しゅびょう
17 さいご
18 ざいごう
19 したた
20 こうずか

21 神に奉る儀式を今に伝える。
22 森林は清澄な気に包まれていた。
23 騎手の手綱さばきが見事だ。
24 土地を譲渡して売却益を得た。
25 乗っ取りを謀る計画を察知した。
26 沖天の勢いを感じる心意気。
27 日本庭園には築山がある。
28 前言を翻して賛成派につく。
29 昔は年端もいかぬ子が働かされた。
30 真実を如実に物語る資料。
31 苦闘の末に得た栄えある勝利だ。
32 新しい議案を会議に諮る。
33 夫婦の契りを結んだ思い出の場所。
34 桜の台木に若芽を接ぐ。

21 たてまつ
22 せいちょう
23 たづな
24 じょうと
25 はか
26 ちゅうてん
27 つきやま
28 ひるがえ
29 としは
30 にょじつ
31 は
32 はか
33 ちぎ
34 つ

35 かきの実が色づき秋が更ける。
36 わが子を慈しむように抱く。
37 長い間、惨めな境遇に耐えている。
38 見るも無惨な姿をさらした。
39 金の亡者にはなりたくない。
40 試合に八百長の嫌疑がかかる。
41 権限を委譲して退く。
42 不注意に因る事故が多発している。
43 背筋に悪寒が走った。
44 落ち着いた数寄屋造りの建物。
45 ポンプで圧搾空気を送る。
46 憩いのひと時を読書をして過ごす。
47 お元気の由、何よりです。
48 責務を全うして職を離れた。

35 ふ
36 いつく
37 みじ
38 むざん
39 もうじゃ
40 やおちょう
41 いじょう
42 よ
43 おかん
44 すきや
45 あっさく
46 いこ
47 よし
48 まっと

2・準2級配当漢字以外の読み①

目標時間 15分

合格ライン 39点

得点 /48

月 日

● 次の――線の**漢字の読み**を**ひらがな**で記せ。

1 貧しくても卑しい身なりはしない。
2 初孫の産着の祝いをする。
3 寺院の普請を宮大工に頼む。
4 麗しい友情をはぐくむ。
5 上っ面を飾る人間にはならない。
6 雷鳥が営巣している山。
7 拾得した財布を交番に届けた。
8 暗やみで、いきなり殴打された。
9 南国の紺青の海で泳ぎたい。
10 高座に上がり面白い話をする。

解答

1 いや
2 うぶぎ
3 ふしん
4 うるわ
5 つら
6 えいそう
7 しゅうとく
8 おうだ
9 こんじょう
10 おもしろ

11 時々、理解し難いことを言う。
12 小数点以下の端数を切り捨てる。
13 春には観桜の宴を行う。
14 彼は気が利くので重宝がられる。
15 景気回復の兆しが見えてきた。
16 九回裏の土壇場で逆転する。
17 見かけほど狭量な人物ではない。
18 仏前に供養の果物を置く。
19 住職の家族は庫裏で暮らす。
20 聞くのも汚らわしい話だ。

解答

11 がた
12 はすう
13 かんおう
14 き
15 きざ
16 どたんば
17 きょうりょう
18 くよう
19 くり
20 けが

21 悪の権化のように思われている。
22 飲酒運転はご法度だ。
23 雄々しいばかりの晴れ姿だ。
24 大仏殿を建立する。
25 資本家による搾取を監視する。
26 犠牲者の数は定かではない。
27 戦勝国が捕虜を虐げる。
28 司会進行の要領を会得する。
29 大願が成就して志望校に入学する。
30 近ごろ酸っぱいみかんが少ない。
31 藤原(ふじわら)氏が摂政に任ぜられた。
32 兵糧攻めに苦しんで落城する。
33 調査結果に全幅の信頼を置く。
34 日増しに憎悪の念が深くなる。

21 ごんげ
22 はっと
23 おお
24 こんりゅう
25 さくしゅ
26 さだ
27 しいた
28 えとく
29 じょうじゅ
30 す
31 せっしょう
32 ひょうろう
33 ぜんぷく
34 ぞうお

35 古都には反物を商う店が似合う。
36 湖は澄明な水をたたえていた。
37 責任を転嫁するのは許されない。
38 温泉宿が湯治客でにぎわう。
39 鳥には帰巣本能がある。
40 未来を担う青少年に期待する。
41 鋼のような強い意志。
42 音楽祭でバイオリンを奏でる。
43 法被を着て、みこしを担ぐ。
44 社内に彼と比肩できる者はいない。
45 生死の瀬戸際から生還する。
46 国会審議は深更に及んだ。
47 大病を患い、急に老けた。
48 赤ちゃんの産毛に触る。

35 たんもの
36 ちょうめい
37 てんか
38 とうじ
39 きそう
40 にな
41 はがね
42 かな
43 はっぴ
44 ひけん
45 せとぎわ
46 しんこう
47 ふ
48 うぶげ

2・準2級配当漢字以外の読み②

目標時間 15分

合格ライン 39点

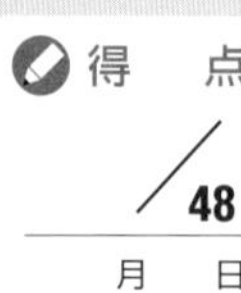

● 次の――線の**漢字の読み**を**ひらがな**で記せ。

1 盆の供養でお布施を包む。
2 遺骨を郷里の墓に葬る。
3 暮色が迫ってきた。
4 危うく類焼を免れた。
5 明日は、雨若しくは雪でしょう。
6 八重歯がのぞく少女の笑顔。
7 失地回復に躍起となる。
8 山車が出て祭りがにぎわう。
9 首相が全国遊説を開始した。
10 深く反省して赦免を請う。

解答

1 ふせ
2 ほうむ
3 ぼしょく
4 まぬか（まぬが）
5 も
6 やえば
7 やっき
8 だし
9 ゆうぜい
10 しゃめん

11 サケの卵巣を調理する方法。
12 うわさが流布して困惑する。
13 能の謡は伝統の芸である。
14 証拠となる書類を押収した。
15 神前にお神酒を供える。
16 昔の面影が残る町並みだ。
17 水生植物が多い沼沢が散在する。
18 大変恥ずかしく汗顔の至りだ。
19 二人の仲を勘繰るのはよそう。
20 仏道に帰依し精進を重ねる。

解答

11 らんそう
12 るふ
13 うたい
14 おうしゅう
15 みき
16 おもかげ
17 しょうたく
18 かんがん
19 かんぐ
20 きえ

21 祝辞をいただき恐悦至極です。
22 会うほどに思慕の情が深くなる。
23 世間に迎合せず我が道を進む。
24 食あたりに解毒剤を使う。
25 控訴する方針を決めた。
26 愛を育てて祝言を挙げる。
27 賞は殊に優れた人に与えられる。
28 商店街は寂れるばかりだ。
29 全国的に有名な枝垂れ桜だ。
30 群青色に染まる沖縄(おきなわ)の海。
31 白いシャツに墨汁が染みる。
32 動揺したが平静を装う。
33 虚空をつかむように腕を伸ばした。
34 事態は収拾する方向に動いた。

21 きょうえつ
22 しぼ
23 げいごう
24 げどくざい
25 こうそ
26 しゅうげん
27 こと
28 さび
29 しだ
30 ぐんじょう
31 し
32 よそお
33 こくう
34 しゅうしゅう

35 人生を全うし従容として死に就く。
36 全体の荷重に耐える構造。
37 断食療法による体質改善を行う。
38 社長のお相伴にあずかる。
39 十年間、血眼になって犯人を捜す。
40 毎年のことだが師走は忙しい。
41 国民の期待を双肩に担う。
42 奨学金を貸与する。
43 全容を詳述した報告書。
44 協力した効果が端的にあらわれた。
45 参道が稚児行列でにぎわう。
46 祖父の成仏を願った。
47 貴い身分の人が詠んだ歌だ。
48 夏祭りの舞台で民謡を謡う。

35 しょうよう
36 かじゅう
37 だんじき
38 しょうばん
39 ちまなこ
40 しわす(しはす)
41 そうけん
42 たいよ
43 しょうじゅつ
44 たんてき
45 ちご
46 じょうぶつ
47 とうと(たっと)
48 うた

C ランク

2・準2級配当漢字以外の読み

目標時間 6分

合格ライン 16点

得点 /20

月 日

● 次の――線の**漢字の読み**を**ひらがな**で記せ。

1 室内に怒気を含んだ声が響く。
2 長い闘病の末、祖母が亡くなる。
3 二階の納戸に衣類をしまう。
4 辞書の凡例をよく読んで使う。
5 がんの病巣は全身に転移していた。
6 天が賦与したような才能。
7 懸命に走ると忘我の境になった。
8 青春時代は忘却のかなたである。
9 ついに欲する物を手に入れた。
10 見栄えより内面を充実させたい。

解答

1 どき
2 な
3 なんど
4 はんれい
5 びょうそう
6 ふよ
7 ぼうが
8 ぼうきゃく
9 ほっ
10 みば

11 議会で批判の矢面に立たされる。
12 野趣に富んだ山村のたたずまい。
13 一日ごとに寒さが和らぐ。
14 コアラは有袋類に属する動物だ。
15 石油を採るための油井を掘る。
16 農家に新しい育苗方法を広める。
17 寝不足で物憂い一日だった。
18 霧で街灯が潤む港町。
19 大失敗をして大目玉を食らう。
20 勤行の読経の声が聞こえる。

解答

11 やおもて
12 やしゅ
13 やわ
14 ゆうたいるい
15 ゆせい
16 いくびょう
17 ものう
18 うる
19 く
20 ごんぎょう

第2章

よく出る！テーマ別本試験型問題

A ランク

部首①

目標時間 15分
合格ライン 42点
得点 ／52 月 日

● 次の漢字の**部首**を記せ。

〈例〉菜［艹］ 間［門］

1 嗣
2 亜
3 尉
4 款
5 缶
6 昆
7 爵
8 朱
9 亭
10 弔

解答

1 口 くち
2 二 に
3 寸 すん
4 欠 あくび かける
5 缶 ほとぎ
6 日 ひ
7 爫 つめかんむり つめがしら
8 木 き
9 亠 なべぶた けいさんかんむり
10 弓 ゆみ

11 虜
12 甚
13 瓶
14 丙
15 摩
16 升
17 羅
18 彰
19 威
20 致

解答

11 虍 とらがしら とらかんむり
12 甘 かん あまい
13 瓦 かわら
14 一 いち
15 手 て
16 十 じゅう
17 罒 あみがしら あみめ よこめ
18 彡 さんづくり
19 女 おんな
20 至 いたる

21	22	23	24	25	26	27	28
畝	翁	虞	且	窯	臭	呉	衡

29	30	31	32	33	34	35	36
裁	殉	叙	奨	呈	凸	辱	煩

21	22	23	24	25	26	27	28
田 た	羽 はね	虍 とらがしら とらかんむり	一 いち	穴 あなかんむり	自 みずから	口 くち	行 ぎょうがまえ ゆきがまえ

29	30	31	32	33	34	35	36
木 き	歹 かばねへん いちたへん がつへん	又 また	大 だい	口 くち	凵 うけばこ	辰 しんのたつ	火 ひへん

37	38	39	40	41	42	43	44
頒	斉	賓	褒	蛍	奔	凡	魔

45	46	47	48	49	50	51	52
衷	磨	喪	戻	刃	寧	庸	宜

37	38	39	40	41	42	43	44
頁 おおがい	斉 せい	貝 かい こがい	衣 ころも	虫 むし	大 だい	几 つくえ	鬼 おに

45	46	47	48	49	50	51	52
衣 ころも	石 いし	口 くち	戸 とだれ とかんむり	刀 かたな	宀 うかんむり	广 まだれ	宀 うかんむり

部首②

● 次の漢字の**部首**を記せ。

〈例〉 菜 [艹]　間 [門]

1 妥　2 吏　3 竜　4 麻　5 甘

6 尼　7 癒　8 戒　9 韻　10 美

解答

1 女（おんな）　2 口（くち）　3 竜（りゅう）　4 麻（あさ）　5 甘（かん／あまい）

6 尸（かばね／しかばね）　7 疒（やまいだれ）　8 戈（ほこづくり／ほこがまえ）　9 音（おと）　10 羊（ひつじ）

11 疫　12 克　13 殻　14 窮　15 唇

16 靴　17 薫　18 碁　19 索　20 更

解答

11 疒（やまいだれ）　12 儿（ひとあし／にんにょう）　13 殳（るまた／ほこづくり）　14 穴（あなかんむり）　15 口（くち）

16 革（かわへん）　17 艹（くさかんむり）　18 石（いし）　19 糸（いと）　20 日（ひらび／いわく）

21	22	23	24	25	26	27	28
恭	釈	囚	衡	髄	崇	漸	帥

29	30	31	32	33	34	35	36
堪	匠	誓	勅	朕	辛	邸	享

21 小 したごころ
22 釆 のごめへん
23 囗 くにがまえ
24 行 ぎょうがまえ ゆきがまえ
25 骨 ほねへん
26 山 やま
27 氵 さんずい
28 巾 はば
29 土 つちへん
30 匚 はこがまえ
31 言 げん
32 力 ちから
33 月 つきへん
34 辛 からい
35 阝 おおざと
36 亠 なべぶた けいさんかんむり

37	38	39	40	41	42	43	44
叔	扉	履	閥	罷	翻	頻	腐

45	46	47	48	49	50	51	52
兵	弊	矛	賄	帝	貢	充	耗

37 又 また
38 戸 とだれ とかんむり
39 尸 かばね しかばね
40 門 もんがまえ
41 罒 あみがしら あみめ よこめ
42 羽 はね
43 頁 おおがい
44 肉 にく
45 八 は
46 廾 こまぬき にじゅうあし
47 矛 ほこ
48 貝 かいへん
49 巾 はば
50 貝 かい こがい
51 儿 ひとあし にんにょう
52 耒 すきへん らいすき

Bランク

部首①

目標時間 15分

合格ライン 42点

得点 /52 月 日

● 次の漢字の**部首**を記せ。

〈例〉菜 [艹] 間 [門]

1 践
2 塑
3 泰
4 痢
5 塁

6 累
7 至
8 壱
9 馬
10 裏

解答

1 𧾷（あしへん）
2 土（つち）
3 氺（したみず）
4 疒（やまいだれ）
5 土（つち）
6 糸（いと）
7 至（いたる）
8 士（さむらい）
9 馬（うま）
10 衣（ころも）

11 麗
12 延
13 欧
14 夫
15 鬼

16 赴
17 趣
18 劾
19 涯
20 嚇

解答

11 鹿（しか）
12 廴（えんにょう）
13 欠（あくび・かける）
14 大（だい）
15 鬼（おに）
16 走（そうにょう）
17 走（そうにょう）
18 力（ちから）
19 氵（さんずい）
20 口（くちへん）

28	27	26	25	24	23	22	21
競	疑	頑	憾	患	革	醸	轄

36	35	34	33	32	31	30	29
凝	玄	顕	献	懸	斤	虚	虐

B 部首①

28	27	26	25	24	23	22	21
立 たつ	疋 ひき	頁 おおがい	忄 りっしんべん	心 こころ	革 かくのかわ つくりがわ	酉 とりへん	車 くるまへん

36	35	34	33	32	31	30	29
冫 にすい	玄 げん	頁 おおがい	犬 いぬ	心 こころ	斤 きん	虍 とらがしら とらかんむり	虍 とらがしら とらかんむり

44	43	42	41	40	39	38	37
准	塾	衆	酌	遮	慕	舌	辞

52	51	50	49	48	47	46	45
旋	窃	薦	刷	汁	剰	礁	商

44	43	42	41	40	39	38	37
冫 にすい	土 つち	血 ち	酉 とりへん	辶 しんにょう しんにゅう	㣺 したごころ	舌 した	辛 からい

52	51	50	49	48	47	46	45
方 ほうへん かたへん	穴 あなかんむり	艹 くさかんむり	刂 りっとう	氵 さんずい	刂 りっとう	石 いしへん	口 くち

Bランク

部首②

目標時間 15分

合格ライン 42点

得点 /52

月　日

● 次の漢字の**部首**を記せ。

〈例〉 菜［艹］ 間［門］

1 以
2 凹
3 堕
4 駄
5 丈

6 矯
7 卵
8 戯
9 痴
10 窒

解答

1 人（ひと）
2 凵（うけばこ）
3 土（つち）
4 馬（うまへん）
5 一（いち）

6 矢（やへん）
7 卩（わりふ・ふしづくり）
8 戈（ほこづくり・ほこがまえ）
9 疒（やまいだれ）
10 穴（あなかんむり）

11 兆
12 突
13 宰
14 僚
15 鼓

16 掌
17 斗
18 殿
19 乏
20 生

解答

11 儿（ひとあし・にんにょう）
12 穴（あなかんむり）
13 宀（うかんむり）
14 亻（にんべん）
15 鼓（つづみ）

16 手（て）
17 斗（とます）
18 殳（るまた・ほこづくり）
19 ノ（の・はらいぼう）
20 生（うまれる）

21	22	23	24	25	26	27	28
丹	尿	廃	賠	励	版	蛮	羊

29	30	31	32	33	34	35	36
秀	房	懐	舟	雰	幣	蛇	剖

番号	部首	名称
21	丶	てん
22	尸	かばね しかばね
23	广	まだれ
24	貝	かいへん
25	力	ちから
26	片	かたへん
27	虫	むし
28	羊	ひつじ
29	禾	のぎ
30	戸	とだれ とかんむり
31	忄	りっしんべん
32	舟	ふね
33	雨	あめかんむり
34	巾	はば
35	虫	むしへん
36	刂	りっとう

37	38	39	40	41	42	43	44
某	朴	骨	街	衛	循	藻	者

45	46	47	48	49	50	51	52
軟	逝	悠	世	宵	了	隷	興

番号	部首	名称
37	木	き
38	木	きへん
39	骨	ほね
40	行	ぎょうがまえ ゆきがまえ
41	行	ぎょうがまえ ゆきがまえ
42	彳	ぎょうにんべん
43	艹	くさかんむり
44	耂	おいかんむり おいがしら
45	車	くるまへん
46	辶	しんにょう しんにゅう
47	心	こころ
48	一	いち
49	宀	うかんむり
50	亅	はねぼう
51	隶	れいづくり
52	臼	うす

A ランク

熟語の構成①

目標時間 **15**分

合格ライン **28**点

● **熟語の構成**のしかたには次のようなものがある。

ア 同じような意味の漢字を重ねたもの……**(岩石)**
イ 反対または対応の意味を表す字を重ねたもの……**(高低)**
ウ 上の字が下の字を修飾しているもの……**(洋画)**
エ 下の字が上の字の目的語・補語になっているもの**(着席)**
オ 上の字が下の字の意味を打ち消しているもの……**(非常)**

次の熟語は右の**ア～オ**のどれにあたるか、**一つ**選び、**記号**で記せ。

1 毀誉
2 挨拶
3 玩具
4 語彙
5 挫折

6 失踪
7 罵声
8 狙撃
9 堆積
10 潰瘍

解答

1 **イ** (きよ) 「毀(けなす)↔誉(ほめる)」と解釈
2 **ア** (あいさつ) 挨も拶も「せまる」という意
3 **ウ** (がんぐ) 「玩(あそぶ)→道具」と解釈
4 **ウ** (ごい) 「語の→彙(あつまり)」と解釈
5 **ア** (ざせつ) 挫も折も「くじく・おれる」という意

6 **エ** (しっそう) 「失う←踪(ゆくえ)を」と解釈
7 **ウ** (ばせい) 「罵る→声」と解釈
8 **ウ** (そげき) 「狙って→撃つ」と解釈
9 **ウ** (たいせき) 「堆(うずたかく)→積む」と解釈
10 **ウ** (かいよう) 「潰れた→瘍(できもの)」と解釈

11 養蜂
12 配膳
13 眉間
14 蔑視
15 嫉妬
16 隠蔽
17 畏怖
18 沃野
19 不遜
20 賄賂
21 間隙
22 象牙

23 呪術
24 戴冠
25 籠城
26 毀損
27 憧憬
28 灯籠
29 血痕
30 暗闇
31 要塞
32 羞恥
33 全貌
34 僅差

11 エ（ようほう）「養う↑蜂を」と解釈
12 エ（はいぜん）「配する↑膳を」と解釈
13 ウ（みけん・びかん）「眉と眉との↓間」という意
14 ウ（べっし）「蔑(さげすんで)↓視る」と解釈
15 ア（しっと）嫉も妬も「ねたむ」という意
16 ア（いんぺい）隠も蔽も「かくす」という意
17 ア（いふ）畏も怖も「おそれる」という意
18 ウ（よくや）「沃(地味豊かな)↓野(平地)」と解釈
19 オ（ふそん）「不(ない)↑遜(へりくだった気持ち)が」と解釈
20 ア（わいろ）賄も賂も「ひそかに金品をおくる」という意
21 ア（かんげき）間も隙も「すきま」という意
22 ウ（ぞうげ）「象の↓牙」と解釈

23 ウ（じゅじゅつ）「呪(のろいの)↓術(すべ)」と解釈
24 エ（たいかん）「戴(頭の上にのせる)↑冠を」と解釈
25 エ（ろうじょう）「籠もる↑城に」と解釈
26 ア（きそん）毀も損も「こわす」という意
27 ア（しょうけい）憧も憬も「あこがれる」という意
28 ウ（とうろう）「灯火を入れた↓かご」という意
29 ウ（けっこん）「血の↓痕」と解釈
30 ア（くらやみ）暗も闇も「くらい」という意
31 ウ（ようさい）「要(かなめの)↓塞(とりで)」と解釈
32 ア（しゅうち）羞も恥も「はじる」という意
33 ウ（ぜんぼう）「物事の全体の↓貌(すがた)」という意
34 ウ（きんさ）「わずかな↓差」という意

熟語の構成②

目標時間 15分

合格ライン 28点

得点 /34 月 日

● **熟語の構成**のしかたには次のようなものがある。

ア 同じような意味の漢字を重ねたもの……………（**岩石**）
イ 反対または対応の意味を表す字を重ねたもの……（**高低**）
ウ 上の字が下の字を修飾しているもの……………（**洋画**）
エ 下の字が上の字の目的語・補語になっているもの（**着席**）
オ 上の字が下の字の意味を打ち消しているもの……（**非常**）

次の熟語は右の**ア**～**オ**のどれにあたるか、**一つ**選び、**記号**で記せ。

1 贈賄
2 抑揚
3 雅俗
4 慶弔
5 叙勲
6 早晩
7 争覇
8 任免
9 媒介
10 離礁

解答

1 **エ**（ぞうわい）「贈る↑賄賂（わいろ）を」と解釈
2 **イ**（よくよう）「抑（おさえる）↕揚（あげる）」の意
3 **イ**（がぞく）「雅（上品）↕俗（下品）」の意
4 **イ**（けいちょう）「慶（いわう）↕弔（とむらう）」の意
5 **エ**（じょくん）「叙（授ける）↑勲章を」と解釈
6 **イ**（そうばん）「早（はやい）↕晩（おそい）」の意
7 **エ**（そうは）「争う↑覇権を」と解釈
8 **イ**（にんめん）「任（任じる）↕免（免じる）」の意
9 **ア**（ばいかい）媒も介も「なかだちをする」という意
10 **エ**（りしょう）「離れる↑暗礁から」と解釈

11 往還
12 懐古
13 謹呈
14 功罪
15 硬軟
16 剛柔
17 酷似
18 漆黒
19 衆寡
20 親疎
21 存廃
22 直轄

23 点滅
24 把握
25 美醜
26 扶助
27 分析
28 抹茶
29 未詳
30 諭旨
31 旅愁
32 安泰
33 逸脱
34 河畔

11 イ（おうかん）「往（行く）↕還（帰る）」の意
12 エ（かいこ）「懐かしむ↑昔を」と解釈
13 ウ（きんてい）「謹しんで↓呈（さしあげる）」と解釈
14 イ（こうざい）「功（よい面）↕罪（わるい面）」の意
15 イ（こうなん）「硬（かたい）↕軟（やわらかい）」の意
16 イ（ごうじゅう）「剛（剛直）↕柔（やわらかい）」の意
17 ウ（こくじ）「酷（きわめてよく）↓似ている」と解釈
18 ウ（しっこく）「漆（うるし）のような↓黒さ」と解釈
19 イ（しゅうか）「衆（多い）↕寡（少ない）」の意
20 イ（しんそ）「親（親しい）↕疎（うとい）」の意
21 イ（そんぱい）「存（存続）↕廃（廃止）」の意
22 ウ（ちょっかつ）「直接に↓轄（管理する）」と解釈

23 イ（てんめつ）「点（つける）↕滅（消す）」の意
24 ア（はあく）把も握も「つかむ・にぎる」という意
25 イ（びしゅう）「美（うつくしい）↕醜（みにくい）」の意
26 ア（ふじょ）扶も助も「たすける」という意
27 ア（ぶんせき）分も析も「わける」という意
28 ウ（まっちゃ）「抹（粉にした）↓お茶」と解釈
29 オ（みしょう）「未（まだない）↑詳しい状態に」と解釈
30 エ（ゆし）「諭（言い聞かせる）↑旨（理由）を」と解釈
31 ウ（りょしゅう）「旅の↓愁（もの悲しさ）」と解釈
32 ア（あんたい）安も泰も「無事でやすらか」という意
33 ア（いつだつ）逸も脱も「それる・外れる」という意
34 ウ（かはん）「河（川）の↓畔（ほとり）」と解釈

熟語の構成③

● **熟語の構成**のしかたには次のようなものがある。

ア 同じような意味の漢字を重ねたもの……………**（岩石）**
イ 反対または対応の意味を表す字を重ねたもの……**（高低）**
ウ 上の字が下の字を修飾しているもの……………**（洋画）**
エ 下の字が上の字の目的語・補語になっているもの**（着席）**
オ 上の字が下の字の意味を打ち消しているもの……**（非常）**

次の熟語は右の**ア～オ**のどれにあたるか、**一つ**選び、**記号**で記せ。

1 核心
2 寛厳
3 還元
4 岐路
5 叙景

6 旋風
7 去就
8 享楽
9 屈伸
10 検疫

解答

1 **ア**（かくしん）核も心も「物事の中心」という意
2 **イ**（かんげん）「寛（ゆるやか）」↔「厳（きびしい）」の意
3 **エ**（かんげん）「還（もどす）↑元の状態に」と解釈
4 **ウ**（きろ）「岐（わかれた）↓路（みち）」と解釈
5 **エ**（じょけい）「叙（書き表す）↑風景を」と解釈
6 **ウ**（せんぷう）「旋（うずをまく）↓風」と解釈
7 **イ**（きょしゅう）「去（はなれる）↔就（とどまる）」の意
8 **エ**（きょうらく）「享（あじわう）↑快楽を」と解釈
9 **イ**（くっしん）「屈（かがむ）↔伸（のびる）」の意
10 **エ**（けんえき）「検査する↑疫病を」と解釈

11 献呈
12 巧拙
13 懇談
14 財閥
15 疾患
16 遮光
17 銃創
18 殉職
19 貴賓
20 叙情
21 渉猟
22 真偽

23 随意
24 枢要
25 旋回
26 窮地
27 漸進
28 疎密
29 喪失
30 造幣
31 多寡
32 弾劾
33 得喪
34 独吟

11 ア（けんてい）献も呈も「さしあげる」という意
12 イ（こうせつ）「巧（じょうず）↕拙（つたない）」の意
13 ウ（こんだん）「懇（ねんごろに）↓談（話し合う）」と解釈
14 ウ（ざいばつ）「財産のある↓閥（一族）」と解釈
15 ア（しっかん）疾も患も「わずらい」という意
16 エ（しゃこう）「遮る↑光を」と解釈
17 ウ（じゅうそう）「銃弾による↓創（きず）」と解釈
18 エ（じゅんしょく）「殉ずる↑職務に」と解釈
19 ウ（きひん）「貴（身分が高い）↓賓（お客）」と解釈
20 エ（じょじょう）「叙（書き表す）↑感情を」と解釈
21 ウ（しょうりょう）「渉（広く）↓猟（さがし求める）」と解釈
22 イ（しんぎ）「真（真実）↕偽（いつわり）」の意

23 エ（ずいい）「随（したがう）↑意（考え）に」と解釈
24 ア（すうよう）枢も要も「物事の中心」という意
25 ア（せんかい）旋も回も「めぐる・まわる」という意
26 ウ（きゅうち）「窮（苦しい）↓地（立場）」と解釈
27 ウ（ぜんしん）「漸（少しずつ）↓進む」と解釈
28 イ（そみつ）「疎（まばら）↕密（細かい）」の意
29 ア（そうしつ）喪も失も「うしなう」という意
30 エ（ぞうへい）「造る↑貨幣を」と解釈
31 イ（たか）「多（おおい）↕寡（すくない）」の意
32 ア（だんがい）弾も劾も「ただす」という意
33 イ（とくそう）「得（える）↕喪（うしなう）」の意
34 ウ（どくぎん）「独りで↓吟じる」と解釈

熟語の構成④

目標時間 15分
合格ライン 28点
得点 ／34
月　日

● **熟語の構成**のしかたには次のようなものがある。

ア 同じような意味の漢字を重ねたもの……**(岩石)**
イ 反対または対応の意味を表す字を重ねたもの……**(高低)**
ウ 上の字が下の字を修飾しているもの……**(洋画)**
エ 下の字が上の字の目的語・補語になっているもの……**(着席)**
オ 上の字が下の字の意味を打ち消しているもの……**(非常)**

次の熟語は右の**ア**～**オ**のどれにあたるか、**一つ**選び、**記号**で記せ。

1 不遇
2 繁閑
3 頒価
4 忍苦
5 不肖
6 不浄
7 弊風
8 不惑
9 赴任
10 不粋

解答

1 **オ** (ふぐう) 「不(ない)」←遇(時世に合うこと)が」と解釈
2 **イ** (はんかん) 「繁(いそがしい)↔閑(ひま)」の意
3 **ウ** (はんか) 「頒(分け与えるときの)→価(ねだん)」と解釈
4 **エ** (にんく) 「忍ぶ←苦しみを」と解釈
5 **オ** (ふしょう) 「不(ない)←肖(親に似ていること)が」と解釈
6 **オ** (ふじょう) 「不(ない)←浄(きよらか)な状態に」と解釈
7 **ウ** (へいふう) 「弊(わるい)→風習」と解釈
8 **オ** (ふわく) 「不(ない)←惑うことが」と解釈
9 **エ** (ふにん) 「赴く←任地に」と解釈
10 **オ** (ぶすい) 「不(ない)←粋(いき)で」と解釈

11 未遂
12 凡庸
13 摩擦
14 暴騰
15 未到
16 露顕
17 禍根
18 免租
19 悠久
20 憂愁
21 来賓
22 未聞

23 逸品
24 愛憎
25 暗礁
26 威嚇
27 哀歓
28 逸話
29 未了
30 運搬
31 栄辱
32 王妃
33 寡少
34 隠顕

11 オ （みすい）「未（まだない）↑遂げたことが」と解釈
12 ア （ぼんよう）凡も庸も「ありふれている」という意
13 ア （まさつ）摩も擦も「こする」という意
14 ウ （ぼうとう）「暴（急に）↓騰（上がる）」と解釈
15 オ （みとう）「未（まだない）↑到ったことが」と解釈
16 ア （ろけん）露も顕も「公然となる」の意
17 ウ （かこん）「禍（わざわい）の↓根（おおもと）」と解釈
18 エ （めんそ）「免じる↑租税を」と解釈
19 ア （ゆうきゅう）悠も久も「はるかな・とおい」という意
20 ア （ゆうしゅう）憂も愁も「思いなやむ」という意
21 ウ （らいひん）「来（いらっしゃった）↓賓（お客）」と解釈
22 オ （みもん）「未（まだない）↑聞いたことが」と解釈

23 ウ （いっぴん）「逸（すぐれた）↓品物」と解釈
24 イ （あいぞう）「愛（あいする）↕憎（にくむ）」の意
25 ウ （あんしょう）「暗（見えない）↓礁（海中の岩）」と解釈
26 ア （いかく）威も嚇も「おどす」という意
27 イ （あいかん）「哀（かなしみ）↕歓（よろこび）」の意
28 ウ （いつわ）「逸（かくれた）↓話題」と解釈
29 オ （みりょう）「未（まだない）↑了（終わり）の状態では」と解釈
30 ア （うんぱん）運も搬も「はこぶ」という意
31 イ （えいじょく）「栄（ほまれ）↕辱（はずかしめ）」の意
32 ウ （おうひ）「王の↓妃（つま）」と解釈
33 ア （かしょう）寡も少も「すくない」という意
34 イ （いんけん）「隠（かくれる）↕顕（見える）」の意

熟語の構成①

目標時間 15分
合格ライン 28点
得点 ／34
月　日

●**熟語の構成**のしかたには次のようなものがある。

ア 同じような意味の漢字を重ねたもの……………(**岩石**)
イ 反対または対応の意味を表す字を重ねたもの……(**高低**)
ウ 上の字が下の字を修飾しているもの……………(**洋画**)
エ 下の字が上の字の目的語・補語になっているもの(**着席**)
オ 上の字が下の字の意味を打ち消しているもの……(**非常**)

次の熟語は右の**ア～オ**のどれにあたるか、**一つ**選び、**記号**で記せ。

1 禍福
2 過誤
3 解剖
4 懐疑
5 享受
6 開廷
7 学閥
8 楽譜
9 勧奨
10 環礁

解答

1 **イ**（かふく）「禍（わざわい）」↔「福（しあわせ）」の意
2 **ア**（かご）過も誤も「あやまち」という意
3 **ア**（かいぼう）解も剖も「切りひらく」という意
4 **エ**（かいぎ）「懐（いだく）」←疑いを」と解釈
5 **ア**（きょうじゅ）享も受も「うけいれる」の意
6 **エ**（かいてい）「開く←法廷を」と解釈
7 **ウ**（がくばつ）「学校・学派による→派閥」と解釈
8 **ウ**（がくふ）「楽曲を書いた→譜面」と解釈
9 **ア**（かんしょう）勧も奨も「すすめる」という意
10 **ウ**（かんしょう）「環（輪の形をした）→サンゴ礁」と解釈

11 緩急
12 還暦
13 閑静
14 陥没
15 懸命
16 棋譜
17 祈念
18 擬似
19 義憤
20 休憩
21 虚実
22 懐郷

---

23 仰天
24 謹慎
25 空欄
26 桑園
27 迎賓
28 傑作
29 嫌悪
30 陥落
31 検閲
32 献身
33 謙譲
34 顕在

11 イ （かんきゅう）「緩（おそい）↕急（はやい）」の意
12 エ （かんれき）「還（もどる）←暦が」と解釈。六〇歳のこと
13 ア （かんせい）閑も静も「しずか」という意
14 ア （かんぼつ）陥も没も「くぼむ」という意
15 エ （けんめい）「懸ける←命を」と解釈
16 ウ （きふ）「棋（碁や将棋）の→譜（記録）」と解釈
17 ア （きねん）祈も念も「いのる」という意
18 ア （ぎじ）擬も似も「にている」という意
19 ウ （ぎふん）「正義感にかられた→憤（いかり）」と解釈
20 ア （きゅうけい）休も憩も「やすむ」という意
21 イ （きょじつ）「虚（ない）↕実（ある）」の意
22 エ （かいきょう）「懐かしむ←故郷を」と解釈

23 エ （ぎょうてん）「仰ぐ←天を」で、びっくりすること
24 ア （きんしん）謹も慎も「つつしむ」という意
25 ウ （くうらん）「空（何もない）→欄（わく）」と解釈
26 ウ （そうえん）「桑を栽培する→園（はたけ）」と解釈
27 エ （げいひん）「迎える←賓客を」と解釈
28 ウ （けっさく）「傑（すぐれた）→作品」と解釈
29 ア （けんお）嫌も悪も「いやがる」の意
30 ア （かんらく）陥も落も「攻めおとされる」の意
31 ア （けんえつ）検も閲も「しらべる」という意
32 エ （けんしん）「献（ささげる）←身を」と解釈
33 ア （けんじょう）謙も譲も「へりくだる」という意
34 ウ （けんざい）「顕（はっきりと）→在（あらわれる）」と解釈

B ランク

熟語の構成②

目標時間 **15**分

合格ライン **28**点

得点

● **熟語の構成**のしかたには次のようなものがある。

ア 同じような意味の漢字を重ねたもの……**（岩石）**
イ 反対または対応の意味を表す字を重ねたもの……**（高低）**
ウ 上の字が下の字を修飾しているもの……**（洋画）**
エ 下の字が上の字の目的語・補語になっているもの……**（着席）**
オ 上の字が下の字の意味を打ち消しているもの……**（非常）**

次の熟語は右の**ア**～**オ**のどれにあたるか、**一つ**選び、**記号**で記せ。

1 公僕
2 出没
3 甲殻
4 購買
5 施肥
6 合掌
7 殉教
8 酷使
9 懇請
10 座礁

解答

1 **ウ**（こうぼく）「公衆に↓僕（奉仕する人）」と解釈
2 **イ**（しゅつぼつ）「出（あらわれる）↔没（かくれる）」の意
3 **ア**（こうかく）甲も殻も「こうら」という意
4 **ア**（こうばい）購も買も「かう」という意
5 **エ**（せひ）「施す↑肥料を」と解釈
6 **エ**（がっしょう）「合わせる↑掌（手のひら）を」と解釈
7 **エ**（じゅんきょう）「殉ずる↑宗教に」と解釈
8 **ウ**（こくし）「酷（激しく）↓使う」と解釈
9 **ウ**（こんせい）「懇（心をこめて）↓請（頼む）」と解釈
10 **エ**（ざしょう）「座（乗り上げる）↑岩礁に」と解釈

11 災禍
12 裁断
13 殺菌
14 施錠
15 剛腕
16 儒教
17 収賄
18 充満
19 渋滞
20 銃弾
21 出納
22 厚薄

---

23 述懐
24 俊秀
25 克己
26 殉難
27 遵法
28 緒論
29 硝煙
30 上棟
31 浄財
32 睡眠
33 随時
34 製靴

11 ア（さいか）災も禍も「わざわい」という意

12 ア（さいだん）裁も断も「さばく・たち切る」という意

13 エ（さっきん）「殺す↑菌を」と解釈

14 エ（せじょう）「施（おこなう）↑錠（鍵かけ）を」と解釈

15 ウ（ごうわん）「剛（つよい）↓手腕がある」と解釈

16 ウ（じゅきょう）「儒学の↓教え」と解釈

17 エ（しゅうわい）「収める↑賄賂（わいろ）を」と解釈

18 ア（じゅうまん）充も満も「みちる」という意

19 ア（じゅうたい）渋も滞も「とどこおる」という意

20 ウ（じゅうだん）「銃の↓弾丸」と解釈

21 イ（すいとう）「出（支出）↔納（収入）」の意

22 イ（こうはく）「厚（あつい）↔薄（うすい）」の意

23 エ（じゅっかい）「述べる↑懐（思い）を」と解釈

24 ア（しゅんしゅう）俊も秀も「すぐれる」という意

25 エ（こっき）「克（うちかつ）↑己（自分）に」と解釈

26 エ（じゅんなん）「殉ずる↑苦難に」と解釈

27 エ（じゅんぽう）「遵（守る）↑法律を」と解釈

28 ウ（しょろん）「緒（いとぐちの）↓議論」と解釈

29 ウ（しょうえん）「硝（火薬）の↓煙」と解釈

30 エ（じょうとう）「上げる↑棟木を」と解釈

31 ウ（じょうざい）「浄（汚れのない）↓財（金銭）」と解釈

32 ア（すいみん）睡も眠も「ねむる」という意

33 エ（ずいじ）「随（したがう）↑時に」と解釈。臨機の意

34 エ（せいか）「製造する↑靴を」と解釈

C ランク

熟語の構成①

目標時間 15分
合格ライン 28点
得点 ／34
月　日

● **熟語の構成**のしかたには次のようなものがある。

ア 同じような意味の漢字を重ねたもの……………（**岩石**）
イ 反対または対応の意味を表す字を重ねたもの……（**高低**）
ウ 上の字が下の字を修飾しているもの……………（**洋画**）
エ 下の字が上の字の目的語・補語になっているもの（**着席**）
オ 上の字が下の字の意味を打ち消しているもの……（**非常**）

次の熟語は右の**ア～オ**のどれにあたるか、**一つ**選び、**記号**で記せ。

1 誓詞
2 拙劣
3 折衷
4 雪渓
5 舌禍
6 徹宵
7 繊細
8 遷都
9 塑像
10 遭難

解答

1 **ウ**（せいし）「誓いの→詞（言葉）」と解釈
2 **ア**（せつれつ）拙も劣も「おとっている」という意
3 **エ**（せっちゅう）「折（わける）↑衷（なかほど）で」と解釈
4 **ウ**（せっけい）「雪が残っている→渓（谷間）」と解釈
5 **ウ**（ぜっか）「舌（言葉による）→禍（わざわい）」と解釈
6 **エ**（てっしょう）「徹する↑宵（夜）を」と解釈
7 **ア**（せんさい）繊も細も「ほそい」という意
8 **エ**（せんと）「遷（移す）↑都を」と解釈
9 **ウ**（そぞう）「塑（粘土で作った）→像」と解釈
10 **エ**（そうなん）「遭う↑災難に」と解釈

11 贈答
12 尊崇
13 堕落
14 打撲
15 退廷
16 駐留
17 弔辞
18 超越
19 勅使
20 鎮魂
21 陳述
22 釣果

---

23 仙境
24 徹夜
25 破砕
26 鉄瓶
27 添削
28 土壌
29 刀剣
30 搭乗
31 盗塁
32 年貢
33 納涼
34 撤去

11 イ（ぞうとう）「贈（おくる）↔答（返礼する）」の意

12 ア（そんすう）尊も崇も「尊びあがめる」の意

13 ア（だらく）堕も落も「おちる」という意

14 ア（だぼく）打も撲も「うつ・たたく」という意

15 エ（たいてい）「退く↑法廷を」と解釈

16 ア（ちゅうりゅう）駐も留も「とどまる」という意

17 ウ（ちょうじ）「弔いの→辞（言葉や文章）」と解釈

18 ア（ちょうえつ）超も越も「こえる」という意

19 ウ（ちょくし）「勅命を受けた→使者」と解釈

20 エ（ちんこん）「鎮める↑魂を」と解釈

21 ア（ちんじゅつ）陳も述も「のべる」という意

22 ウ（ちょうか）「釣りの→成果」と解釈

23 ウ（せんきょう）「仙人の住むような→境（場所）」と解釈

24 エ（てつや）「徹する↑夜を」と解釈

25 ア（はさい）破も砕も「くだく」という意

26 ウ（てつびん）「鉄製の→瓶（水を入れる器）」と解釈

27 イ（てんさく）「添（そえる）↔削（けずる）」の意

28 ア（どじょう）土も壌も「つち」という意

29 ア（とうけん）刀やつるぎなどの総称

30 ア（とうじょう）搭も乗も「のる」という意

31 エ（とうるい）「盗む↑塁を」と解釈

32 ウ（ねんぐ）「毎年の→貢ぎ物」と解釈

33 エ（のうりょう）「納（いれる）↑涼しさを」と解釈

34 ア（てっきょ）撤も去も「取り除く」という意

C ランク

熟語の構成②

目標時間 15分
合格ライン 28点
得点 ／34 月 日

●**熟語の構成**のしかたには次のようなものがある。

ア 同じような意味の漢字を重ねたもの……………(**岩石**)
イ 反対または対応の意味を表す字を重ねたもの……(**高低**)
ウ 上の字が下の字を修飾しているもの……………(**洋画**)
エ 下の字が上の字の目的語・補語になっているもの(**着席**)
オ 上の字が下の字の意味を打ち消しているもの……(**非常**)

次の熟語は右の**ア**～**オ**のどれにあたるか、**一つ**選び、**記号**で記せ。

1 不朽
2 廃業
3 媒体
4 不屈
5 抜群

6 偏見
7 罷免
8 筆禍
9 頻繁
10 不吉

解答

1 **オ** (ふきゅう) 「不(ない)↑朽ちることが」と解釈
2 **エ** (はいぎょう) 「廃(やめる)↑業(商売)を」と解釈
3 **ウ** (ばいたい) 「媒(なかだちをする)↓物体」と解釈
4 **オ** (ふくつ) 「不(ない)↑屈することが」と解釈
5 **エ** (ばつぐん) 「抜く↑群を」と解釈
6 **ウ** (へんけん) 「偏(かたよった)↓見方」と解釈
7 **ア** (ひめん) 罷も免も「やめさせる」という意
8 **ウ** (ひっか) 「筆(文章が原因)の↓禍(災難)」と解釈
9 **ア** (ひんぱん) 頻も繁も「ひっきりなし」という意
10 **オ** (ふきつ) 「不(ない)↑吉(よいこと)が」と解釈

11 廃屋
12 賠償
13 不詳
14 偏在
15 奉職
16 不滅
17 併記
18 腐臭
19 伏兵
20 払底
21 紛糾
22 不慮

23 併用
24 別荘
25 罷業
26 不審
27 遍在
28 迎春
29 不偏
30 抱擁
31 放逐
32 防疫
33 奔流
34 未刊

11 ウ（はいおく）「廃（だめになった）↓家屋」と解釈
12 ア（ばいしょう）賠も償も「つぐなう」という意
13 オ（ふしょう）「不（ない）↑詳しい状態に」と解釈
14 ウ（へんざい）「偏（かたよって）↓存在する」と解釈
15 エ（ほうしょく）「奉（つとめる）↑公の職場に」と解釈
16 オ（ふめつ）「不（ない）↑滅びることが」と解釈
17 ウ（へいき）「併（並べて）↓記す」と解釈
18 ウ（ふしゅう）「腐った物の↓臭い」と解釈
19 ウ（ふくへい）「伏（ひそんでいる）↓兵士」と解釈
20 エ（ふってい）「払（なくなる）↑底まで」と解釈
21 ア（ふんきゅう）紛も糾も「もつれる」という意
22 オ（ふりょ）「不（ない）↑慮（考えることが）」と解釈

23 ウ（へいよう）「併せて↓用いる」と解釈
24 ウ（べっそう）「別の場所にある↓荘（仮ずまい）」と解釈
25 エ（ひぎょう）「罷（やすむ）↑業務を」と解釈
26 オ（ふしん）「不（ない）↑審（明らかな状態）に」と解釈
27 ウ（へんざい）「遍（すみずみまで）↓存在する」と解釈
28 エ（げいしゅん）「迎える↑新春を」と解釈
29 オ（ふへん）「不（ない）↑偏（かたよること）が」と解釈
30 ア（ほうよう）抱も擁も「いだく」という意
31 ア（ほうちく）放も逐も「おいはらう」という意
32 エ（ぼうえき）「防ぐ↑疫病を」と解釈
33 ウ（ほんりゅう）「奔（勢いがある）↓流れ」と解釈
34 オ（みかん）「未（まだない）↑刊行されることが」と解釈

A ランク

四字熟語①

目標時間 15分

合格ライン 26点

得点 ／32　月　日

● 次の**四字熟語**について、問1～問4に答えよ。

問1 次の**四字熟語**の（1～8）に入る適切な語を下の□の中から選び、**漢字二字**で記せ。

ア 遠慮（1）

イ 温厚（2）

ウ 会者（3）

エ 快刀（4）

オ（5）充棟

カ（6）休題

えしゃく　かんぎゅう　かんわ　きえん　ききゅう　じょうり　とくじつ　らんま

解答

1 遠慮会釈（えんりょえしゃく）

2 温厚篤実（おんこうとくじつ）

3 会者定離（えしゃじょうり）

4 快刀乱麻（かいとうらんま）

5 汗牛充棟（かんぎゅうじゅうとう）

6 閑話休題（かんわきゅうだい）／間話

問3 次の**四字熟語**の（1～8）に入る適切な語を下の□の中から選び、**漢字二字**で記せ。

ア 教唆（1）

イ 謹厳（2）

ウ 金科（3）

エ 月下（4）

オ（5）拙速

カ（6）卓説

がっしょう　ぎょくじょう　こうち　こうろん　じっちょく　しょう　せんどう　ひょうじん

解答

1 教唆扇動（きょうさせんどう）

2 謹厳実直（きんげんじっちょく）

3 金科玉条（きんかぎょくじょう）

4 月下氷人（げっかひょうじん）

5 巧遅拙速（こうちせっそく）

6 高論卓説（こうろんたくせつ）

キ（7）存亡
ク（8）万丈

7 危急存亡（ききゅうそんぼう）
8 気炎万丈（きえんばんじょう）

問2 次の9～16の**意味**にあてはまるものを問1の**ア～クの四字熟語**から**一つ**選び、**記号**で記せ。

9 もつれた事態を鮮やかに解決すること。
10 思いやりを持ち、控えめに接すること。
11 「それはさておき」と、本筋に戻す言葉。
12 出会った人とは必ず別れる運命のこと。
13 意気が高く、盛んなこと。
14 心温かく実直な人柄。
15 死ぬか生きるか、ぎりぎりの状況。
16 大量の蔵書があること。

解答
9 エ
10 ア
11 カ
12 ウ
13 ク
14 イ
15 キ
16 オ

キ（7）連衡
ク（8）末節

7 合従連衡（がっしょうれんこう）
8 枝葉末節（しようまっせつ）

問4 次の9～16の**意味**にあてはまるものを問3の**ア～クの四字熟語**から**一つ**選び、**記号**で記せ。

9 絶対的な教訓や規則のこと。
10 男女の縁を取り持つ人。仲人。
11 本筋でなく、重要度が低い部分。
12 大変すぐれた意見や議論のこと。
13 つつしみ深くまじめなこと。
14 上手でおそいより、下手でもはやい方がよい。
15 人心をあおり、そそのかすこと。
16 国や組織が、ついたり離れたりすること。

解答
9 ウ
10 エ
11 ク
12 カ
13 イ
14 オ
15 ア
16 キ

A ランク

四字熟語②

目標時間 15分

合格ライン 26点

得点 /32

月 日

● 次の**四字熟語**について、問1～問4に答えよ。

問1 次の**四字熟語**の（1～8）に入る適切な語を下の□の中から選び、**漢字二字**で記せ。

ア 詩歌（1）

イ 自縄（2）

ウ 天衣（3）

エ 質実（4）

オ（5）断行

カ（6）翼翼

かんげん
ごうけん
じばく
じゅくりょ
しょうしん
しんしん
しんとう
むほう

解答

1 詩歌管弦（しいかかんげん）

2 自縄自縛（じじょうじばく）

3 天衣無縫（てんいむほう）

4 質実剛健（しつじつごうけん）

5 熟慮断行（じゅくりょだんこう）

6 小心翼翼（しょうしんよくよく） 翼々

問3 次の**四字熟語**の（1～8）に入る適切な語を下の□の中から選び、**漢字二字**で記せ。

ア 迅速（1）

イ 生殺（2）

ウ 盛者（3）

エ 精進（4）

オ（5）亡羊

カ（6）北斗

かだん
けっさい
たいがん
たいざん
たき
だんい
ひっすい
よだつ

解答

1 迅速果断（じんそくかだん）

2 生殺与奪（せいさつよだつ）

3 盛者必衰（じょうしゃひっすい しょうしゃ しょうじゃ）

4 精進潔斎（しょうじんけっさい）

5 多岐亡羊（たきぼうよう）

6 泰山北斗（たいざんほくと）

キ（7）滅却
ク（8）気鋭

7 心頭滅却（しんとうめっきゃく）
8 新進気鋭（しんしんきえい）

問2 次の9～16の**意味**にあてはまるものを問1の**ア～クの四字熟語**から**一つ**選び、**記号**で記せ。

9 飾り気がなく、強くたくましいこと。
10 みずからの言動で、身動きがとれないこと。
11 文学と音楽のこと。
12 臆病で、びくびくしている様子。
13 雑念を消し去ること、悟りの境地。
14 よく考え、思い切って実践すること。
15 意気盛んで将来有望な人のこと。
16 自然のままで飾り気のない様子。

解答
9 エ
10 イ
11 ア
12 カ
13 キ
14 オ
15 ク
16 ウ

キ（7）成就
ク（8）飽食

7 大願成就（たいがんじょうじゅ／だいがん）
8 暖衣飽食（だんいほうしょく）

問4 次の9～16の**意味**にあてはまるものを問3の**ア～クの四字熟語**から**一つ**選び、**記号**で記せ。

9 素早く決定し、思い切って行動すること。
10 この世が無常であること。
11 方針がありすぎて迷うこと。
12 大きな望みがかなうこと。
13 肉や酒を断ち、心身を清めること。
14 ある分野の権威ある第一人者。
15 何の不足もない満ち足りた暮らし。
16 何をするのも思いのままなこと。

解答
9 ア
10 ウ
11 オ
12 キ
13 エ
14 カ
15 ク
16 イ

四字熟語③

目標時間 **15**分

合格ライン **26**点

得点 　／32

月　日

●次の**四字熟語**について、問1～問4に答えよ。

問1 次の**四字熟語**の（1～8）に入る適切な語を下の□の中から選び、**漢字二字**で記せ。

ア 昼夜（1）

イ 眺望（2）

ウ 疾風（3）

エ 天涯（4）

オ （5）衝天

カ （6）西走

けんこう
こどく
じんらい
ぜっか
とうほん
どはつ
ないそ
ないゆう

解答

1 昼夜兼行（ちゅうやけんこう）

2 眺望絶佳（ちょうぼうぜっか）

3 疾風迅雷（しっぷうじんらい）

4 天涯孤独（てんがいこどく）

5 怒髪衝天（どはつしょうてん）

6 東奔西走（とうほんせいそう）

問3 次の**四字熟語**の（1～8）に入る適切な語を下の□の中から選び、**漢字二字**で記せ。

ア 二律（1）

イ 破邪（2）

ウ 馬耳（3）

エ 放歌（4）

オ （5）無人

カ （6）一新

いい
うい
けんしょう
こうぎん
とうふう
はいはん
ぼうじゃく
めんもく

解答

1 二律背反（にりつはいはん）

2 破邪顕正（はじゃけんしょう）

3 馬耳東風（ばじとうふう）

4 放歌高吟（ほうかこうぎん）

5 傍若無人（ぼうじゃくぶじん）

6 面目一新（めんもくいっしん／めんぼく）

キ（7）外親

ク（8）外患

7 内疎外親（ないそがいしん）

8 内憂外患（ないゆうがいかん）

問2 次の9～16の**意味**にあてはまるものを問1の**ア～クの四字熟語**から**一つ**選び、**記号**で記せ。

9 動きや変化が、はやく激しい様子。

10 激しく怒る様子。

11 仕事や用事で、忙しく駆け回る様子。

12 見晴らしが非常にすばらしいこと。

13 広い世の中でひとりぼっちであること。

14 あちこちに問題が生じること。

15 休みなく仕事を続けること。

16 うわべだけ仲良くすること。

解答

9 ウ

10 オ

11 カ

12 イ

13 エ

14 ク

15 ア

16 キ

キ（7）諾諾

ク（8）転変

7 唯唯諾諾（いいだくだく）　唯々諾々

8 有為転変（ういてんぺん）

問4 次の9～16の**意味**にあてはまるものを問3の**ア～クの四字熟語**から**一つ**選び、**記号**で記せ。

9 辺りかまわず大声で歌うこと。

10 周囲を無視し、勝手にふるまうこと。

11 ある二つの命題が、相互に矛盾すること。

12 人の言いなりになること。

13 不正を打ち負かし、正しい道を明示すること。

14 人の言うことに、まったく反応しないこと。

15 外見や内容をがらっと変えること。

16 世の中は常にうつろい続けていること。

解答

9 エ

10 オ

11 ア

12 キ

13 イ

14 ウ

15 カ

16 ク

四字熟語④

目標時間 15分
合格ライン 26点
得点 ／32
月 日

● 次の**四字熟語**について、問1～問4に答えよ。

問1 次の**四字熟語**の(1～8)に入る適切な語を下の□の中から選び、**漢字二字**で記せ。

ア 和魂(1)
イ 安寧(2)
ウ 意気(3)
エ 医食(4)
オ (5)当千
カ (6)一菜

いちじゅう
いちもう
いっき
いんにん
かんさい
しょうてん
ちつじょ
どうげん

解答
1 和魂漢才（わこんかんさい）
2 安寧秩序（あんねいちつじょ）
3 意気衝天（いきしょうてん）
4 医食同源（いしょくどうげん）
5 一騎当千（いっきとうせん）
6 一汁一菜（いちじゅういっさい）

問3 次の**四字熟語**の(1～8)に入る適切な語を下の□の中から選び、**漢字二字**で記せ。

ア 雲水(1)
イ 英俊(2)
ウ 円転(3)
エ 延命(4)
オ (5)得喪
カ (6)乱神

あんぎゃ
かいりき
かつだつ
かふく
かんがい
かんぜん
ごうけつ
そくさい

解答
1 雲水行脚（うんすいあんぎゃ）
2 英俊豪傑（えいしゅんごうけつ）
3 円転滑脱（えんてんかつだつ）
4 延命息災（えんめいそくさい・えんみょう）
5 禍福得喪（かふくとくそう）
6 怪力乱神（かいりきらんしん）

キ（7）打尽
ク（8）自重

7 一網打尽（いちもうだじん）
8 隠忍自重（いんにんじちょう）

問2 次の9～16の意味にあてはまるものを問1の**ア～クの四字熟語**から**一つ**選び、**記号**で記せ。

9 勢いが極めて盛んなこと。
10 世の中が穏やかで、落ち着いていること。
11 日本古来の精神と中国伝来の学問。
12 じっと我慢し、軽々しくふるまわない。
13 並はずれた能力や強さを持つこと。
14 悪人などをひとまとめにつかまえること。
15 質素で粗末な食事のたとえ。
16 食生活への配慮は健康につながること。

解答
9 ウ
10 イ
11 ア
12 ク
13 オ
14 キ
15 カ
16 エ

キ（7）懲悪
ク（8）無量

7 勧善懲悪（かんぜんちょうあく）
8 感慨無量（かんがいむりょう）

問4 次の9～16の意味にあてはまるものを問3の**ア～クの四字熟語**から**一つ**選び、**記号**で記せ。

9 わざわいと幸運、成功と失敗。
10 わざわいをなくし、長生きすること。
11 物事をそつなく角を立てずにすすめる様子。
12 善行をすすめ、悪事をこらしめること。
13 修行として、僧が諸国をめぐり歩くこと。
14 しみじみと、深く思いに浸ること。
15 抜きん出てすぐれている人物。
16 超自然的で不思議な現象や物事。

解答
9 オ
10 エ
11 ウ
12 キ
13 ア
14 ク
15 イ
16 カ

四字熟語⑤

目標時間 15分
合格ライン 26点
得点 ／32
月　日

●次の**四字熟語**について、問1～問4に答えよ。

問1 次の**四字熟語**の（1～8）に入る適切な語を下の□の中から選び、**漢字二字**で記せ。

ア 緩急（1）
イ 頑固（2）
ウ 喜色（3）
エ 気宇（4）
オ（5）依然
カ（6）奮闘

いってつ　きゅうたい　きんじょう　くうくう　こぐん　じざい　そうだい　まんめん

解答
1 緩急自在（かんきゅうじざい）
2 頑固一徹（がんこいってつ）
3 喜色満面（きしょくまんめん）
4 気宇壮大（きうそうだい）
5 旧態依然（きゅうたいいぜん）
6 孤軍奮闘（こぐんふんとう）

問3 次の**四字熟語**の（1～8）に入る適切な語を下の□の中から選び、**漢字二字**で記せ。

ア 群雄（1）
イ 順風（2）
ウ 軽薄（3）
エ 鯨飲（4）
オ（5）不抜
カ（6）津津

かっきょ　きょうみ　けんにん　こじょう　すいせい　たんしょう　ばしょく　まんぱん

解答
1 群雄割拠（ぐんゆうかっきょ）
2 順風満帆（じゅんぷうまんぱん）
3 軽薄短小（けいはくたんしょう）
4 鯨飲馬食（げいいんばしょく）
5 堅忍不抜（けんにんふばつ）
6 興味津津（きょうみしんしん）津々

キ（7）鉄壁
ク（8）漠漠

7 金城鉄壁（きんじょうてっぺき）
8 空空漠漠（くうくうばくばく）
空々漠々

問2 次の9～16の**意味**にあてはまるものを問1の**ア～クの四字熟語**から**一つ**選び、**記号**で記せ。

9 顔じゅうにうれしさがあふれる様子。
10 つけ入るすきがない強固な守りのこと。
11 状況に応じて、思うままに操ること。
12 一度決めたら考えや態度を変えない性格。
13 ぼんやりしていて、とらえどころがない。
14 助けがない中で、戦ったり努力すること。
15 心構えや発想が大きくて立派なこと。
16 進歩や発展が見られず、昔のままのこと。

解答
9 ウ
10 キ
11 ア
12 イ
13 ク
14 カ
15 エ
16 オ

キ（7）落日
ク（8）夢死

7 孤城落日（こじょうらくじつ）
8 酔生夢死（すいせいむし）

問4 次の9～16の**意味**にあてはまるものを問3の**ア～クの四字熟語**から**一つ**選び、**記号**で記せ。

9 やたらに、たくさん飲み食いすること。
10 物事に対する関心が尽きない様子。
11 かたい意志で耐え、思いを貫くこと。
12 ぼんやりと何もせず一生を過ごすこと。
13 物事がスムーズに進むこと。
14 力のある多くの者が各地で対立すること。
15 栄えていた者が落ちぶれていく様子。
16 中身のない人や物のたとえ。

解答
9 エ
10 カ
11 オ
12 ク
13 イ
14 ア
15 キ
16 ウ

B ランク

四字熟語①

目標時間 15分

合格ライン 26点

得点 /32 月 日

● 次の**四字熟語**について、問1～問4に答えよ。

問1 次の**四字熟語**の（1～8）に入る適切な語を下の□の中から選び、**漢字二字**で記せ。

ア 呉越（1）
イ 厚顔（2）
ウ 巧言（3）
エ 綱紀（4）
オ（5）勉励
カ（6）一体

こっく
さんみ
しぶん
しゅかく
しゅくせい
どうしゅう
むち
れいしょく

解答
1 呉越同舟（ごえつどうしゅう）
2 厚顔無恥（こうがんむち）
3 巧言令色（こうげんれいしょく）
4 綱紀粛正（こうきしゅくせい）
5 刻苦勉励（こっくべんれい）
6 三位一体（さんみいったい）

問3 次の**四字熟語**の（1～8）に入る適切な語を下の□の中から選び、**漢字二字**で記せ。

ア 秋霜（1）
イ 軽挙（2）
ウ 初志（3）
エ 森羅（4）
オ（5）幽谷
カ（6）鬼没

かんてつ
こりつ
しんざん
しんしゅ
しんしゅつ
ばんしょう
もうどう
れつじつ

解答
1 秋霜烈日（しゅうそうれつじつ）
2 軽挙妄動（けいきょもうどう）
3 初志貫徹（しょしかんてつ）
4 森羅万象（しんらばんしょう／まんぞう）
5 深山幽谷（しんざんゆうこく）
6 神出鬼没（しんしゅつきぼつ）

キ（７）五裂

ク（８）転倒

7 四分五裂（しぶんごれつ）
8 主客転倒（しゅかくてんとう／しゅきゃく）

問2 次の9～16の**意味**にあてはまるものを問1の**ア～クの四字熟語**から**一つ**選び、**記号**で記せ。

9 組織の乱れを引き締め、厳格にすること。

10 口先だけで人にこびへつらうこと。

11 国や組織などがばらばらになること。

12 力を尽くし、仕事や学問に打ち込むこと。

13 三つのものが緊密に協調すること。

14 敵同士が同じ場所に居合わせること。

15 順序や立場が逆になってしまうこと。

16 ずうずうしくて自分勝手な態度。

解答 9 エ　10 ウ　11 キ　12 オ　13 カ　14 ア　15 ク　16 イ

キ（７）果敢

ク（８）無援

7 進取果敢（しんしゅかかん）
8 孤立無援（こりつむえん）

問4 次の9～16の**意味**にあてはまるものを問3の**ア～クの四字熟語**から**一つ**選び、**記号**で記せ。

9 積極的に取り組み、大胆に実行すること。

10 刑罰や規律などが非常に厳しいこと。

11 宇宙に存在する一切のもの。

12 たった一人で、助けがない状態のこと。

13 何も考えないむこう見ずな行動。

14 自在に現れたり、消えたりする様子。

15 初めに抱いた考えを最後まで持ち続ける。

16 人跡もないような奥深い大自然のこと。

解答 9 キ　10 ア　11 エ　12 ク　13 イ　14 カ　15 ウ　16 オ

B ランク

四字熟語②

目標時間 15分

合格ライン 26点

得点 /32

月 日

● 次の**四字熟語**について、問1～問4に答えよ。

問1 次の**四字熟語**の（1～8）に入る適切な語を下の□の中から選び、**漢字二字**で記せ。

ア 是非（1）
イ 勢力（2）
ウ 晴耕（3）
エ 清廉（4）
オ（5）不党
カ（6）流転

うどく
きょくちょく
けっぱく
せいせい
せんざい
はくちゅう
ふへん
ふんこつ

解答

1 是非曲直（ぜひきょくちょく）
2 勢力伯仲（せいりょくはくちゅう）
3 晴耕雨読（せいこううどく）
4 清廉潔白（せいれんけっぱく）
5 不偏不党（ふへんふとう）
6 生生流転（せいせいるてん／しょうじょうるてん）

問3 次の**四字熟語**の（1～8）に入る適切な語を下の□の中から選び、**漢字二字**で記せ。

ア 前代（1）
イ 泰然（2）
ウ 大義（3）
エ 大慈（4）
オ（5）暮四
カ（6）暮改

じじゃく
だいひ
ちょうさん
ちょうれい
てんか
とうい
みもん
めいぶん

解答

1 前代未聞（ぜんだいみもん）
2 泰然自若（たいぜんじじゃく）
3 大義名分（たいぎめいぶん）
4 大慈大悲（だいじだいひ）
5 朝三暮四（ちょうさんぼし）
6 朝令暮改（ちょうれいぼかい）

キ（7）一遇
ク（8）砕身

7 千載一遇（せんざいいちぐう）
8 粉骨砕身（ふんこつさいしん）

問2 次の9～16の**意味**にあてはまるものを問1の**ア～クの四字熟語**から**一つ**選び、**記号**で記せ。

9 心に汚れがなく、不正な行いをしない。
10 公正中立な主義や主張を保つこと。
11 物事の、正しいことと間違ったこと。
12 絶えず生じては変化し、移り変わること。
13 力に差がなく、優劣をつけにくいこと。
14 仕事や義務に対して力の限り努力すること。
15 田舎で悠悠自適の生活を送ること。
16 二度とない絶好の機会。

解答
9 エ
10 オ
11 ア
12 カ
13 イ
14 ク
15 ウ
16 キ

キ（7）御免
ク（8）即妙

7 天下御免（てんかごめん）
8 当意即妙（とういそくみょう）

問4 次の9～16の**意味**にあてはまるものを問3の**ア～クの四字熟語**から**一つ**選び、**記号**で記せ。

9 正当な根拠や理由づけ。
10 世間が公然と認め、自由に行動できること。
11 主張や方針が頻繁に変わること。
12 心がゆったり落ち着いて動揺しない様子。
13 限りなく広い仏のいつくしみのこと。
14 状況に対応する気の利いた言動。
15 今までにない珍しいこと。
16 口先で人をだまし、いいくるめること。

解答
9 ウ
10 キ
11 カ
12 イ
13 エ
14 ク
15 ア
16 オ

B ランク

四字熟語③

目標時間 15分

合格ライン 26点

得点 /32

月　日

●次の四字熟語について、問1～問4に答えよ。

問1 次の四字熟語の（1～8）に入る適切な語を下の□の中から選び、漢字二字で記せ。

ア 南船（1）

イ 難攻（2）

ウ 日常（3）

エ 博覧（4）

オ （5）連理

カ （6）必滅

きょうき	さはん	しょうじゃ	せんし	ひよく	ふらく	ふんれい	ほくば

解答

1 南船北馬（なんせんほくば）

2 難攻不落（なんこうふらく）

3 日常茶飯（にちじょうさはん）

4 博覧強記（はくらんきょうき）

5 比翼連理（ひよくれんり）

6 生者必滅（しょうじゃひつめつ）

問3 次の四字熟語の（1～8）に入る適切な語を下の□の中から選び、漢字二字で記せ。

ア 片言（1）

イ 忙中（2）

ウ 万緑（3）

エ 妙計（4）

オ （5）止水

カ （6）躍如

いっこう	きさく	せきご	めいきょう	めんもく	ゆうかん	ゆうしょう	ゆうもう

解答

1 片言隻語（へんげんせきご）

2 忙中有閑（ぼうちゅうゆうかん）

3 万緑一紅（ばんりょくいっこう）

4 妙計奇策（みょうけいきさく）

5 明鏡止水（めいきょうしすい）

6 面目躍如（めんもくやくじょ・めんぼく）

キ（7）努力
ク（8）万紅

7 奮励努力（ふんれいどりょく）
8 千紫万紅（せんしばんこう）

問2 次の9～16の**意味**にあてはまるものを問1の**ア～クの四字熟語**から**一つ**選び、**記号**で記せ。

9 気持ちをふるい立たせ、精いっぱい励む。
10 命あるものはいつかはほろびること。
11 絶えず忙しく、各地を旅行すること。
12 毎日起こるような、ごくありふれたこと。
13 色とりどりに花が咲き乱れていること。
14 こちらの思いどおりにいかないこと。
15 書物で得た知識をよく覚えていること。
16 男女の間の情愛が深いことのたとえ。

解答
9 キ
10 カ
11 ア
12 ウ
13 ク
14 イ
15 エ
16 オ

キ（7）劣敗
ク（8）果敢

7 優勝劣敗（ゆうしょうれっぱい）
8 勇猛果敢（ゆうもうかかん）

問4 次の9～16の**意味**にあてはまるものを問3の**ア～クの四字熟語**から**一つ**選び、**記号**で記せ。

9 立派な働きをして生き生きとすること。
10 ほんのわずかな、短いことば。
11 決断力や実行力があること。
12 人の意表をつく、すぐれたやり方。
13 清く澄みきった、邪念のない心境。
14 強い者が栄え、弱い者が滅びること。
15 多忙なうちにも多少のひまがあること。
16 多くの中にひとつだけすぐれたものがある。

解答
9 カ
10 ア
11 ク
12 エ
13 オ
14 キ
15 イ
16 ウ

B ランク

四字熟語④

目標時間 15分

合格ライン 26点

得点 ／32

月　日

●次の四字熟語について、問1～問4に答えよ。

問1 次の四字熟語の（1～8）に入る適切な語を下の□の中から選び、漢字二字で記せ。

ア 理路（1）

イ 離合（2）

ウ 冷汗（3）

エ 和衷（4）

オ（5）堂堂

カ（6）邪説

いかん
いたん
いっし
いふう
きょうどう
さんと
しゅうさん
せいぜん

解答

1 理路整然（りろせいぜん）
2 離合集散（りごうしゅうさん）
3 冷汗三斗（れいかんさんと）
4 和衷協同（わちゅうきょうどう）
5 威風堂堂（いふうどうどう）／堂々
6 異端邪説（いたんじゃせつ）

問3 次の四字熟語の（1～8）に入る適切な語を下の□の中から選び、漢字二字で記せ。

ア 一所（1）

イ 一朝（2）

ウ 一日（3）

エ 一念（4）

オ（5）万里

カ（6）盛衰

いっせき
うんでい
えいこ
かじん
かろ
けんめい
せんしゅう
ほっき

解答

1 一所懸命（いっしょけんめい）
2 一朝一夕（いっちょういっせき）
3 一日千秋（いちじつせんしゅう／いちにち）
4 一念発起（いちねんほっき）
5 雲泥万里（うんでいばんり）
6 栄枯盛衰（えいこせいすい）

キ（7）千万

ク（8）相伝

7 遺憾千万（いかんせんばん）
8 一子相伝（いっしそうでん）

問2 次の9〜16の**意味**にあてはまるものを問1の**ア〜クの四字熟語**から**一つ**選び、**記号**で記せ。

9 協力したり反目したりすること。
10 とても残念で、心残りであること。
11 非常に恥ずかしいことのたとえ。
12 心を一つにして、力を合わせること。
13 正統から外れた思想や信仰。
14 態度がおごそかで立派なこと。
15 考えの筋道が、きちんとしていること。
16 秘伝や奥義を、子孫一人だけに伝えること。

解答
9 イ
10 キ
11 ウ
12 エ
13 カ
14 オ
15 ア
16 ク

キ（7）薄命

ク（8）冬扇

7 佳人薄命（かじんはくめい）
8 夏炉冬扇（かろとうせん）

問4 次の9〜16の**意味**にあてはまるものを問3の**ア〜クの四字熟語**から**一つ**選び、**記号**で記せ。

9 思ったことを成し遂げようと決心すること。
10 はなはだしい隔たりがあること。
11 栄えたり衰えたりする人の世のはかなさ。
12 必死で物事に取り組む様子。
13 きわめて短い時間のこと。
14 人や物事の到来を待ち焦がれる様子。
15 季節はずれで、役に立たないもののたとえ。
16 美しい人は、とかく不運であること。

解答
9 エ
10 オ
11 カ
12 ア
13 イ
14 ウ
15 ク
16 キ

B ランク

四字熟語⑤

目標時間 **15**分

合格ライン **26**点

得点 ／32 月 日

● 次の**四字熟語**について、問1～問4に答えよ。

問1 次の**四字熟語**の（1～8）に入る適切な語を下の□の中から選び、**漢字二字**で記せ。

ア 花鳥（1）

イ 我田（2）

ウ 外柔（3）

エ 活殺（4）

オ （5）奪胎

カ （6）怪怪

いんすい　かんこつ　きき　きっきょう　きょきょ　じざい　ないごう　ふうげつ

解答

1 花鳥風月（かちょうふうげつ）
2 我田引水（がでんいんすい）
3 外柔内剛（がいじゅうないごう）
4 活殺自在（かっさつじざい）
5 換骨奪胎（かんこつだったい）
6 奇奇怪怪 奇々怪々（ききかいかい）

問3 次の**四字熟語**の（1～8）に入る適切な語を下の□の中から選び、**漢字二字**で記せ。

ア 極楽（1）

イ 金城（2）

ウ 空中（3）

エ 鶏口（4）

オ （5）無双

カ （6）来歴

ぎゅうご　ここん　こじ　こだい　こぶ　じょうど　とうち　ろうかく

解答

1 極楽浄土（ごくらくじょうど）
2 金城湯池（きんじょうとうち）
3 空中楼閣（くうちゅうろうかく）
4 鶏口牛後（けいこうぎゅうご）
5 古今無双（ここんむそう）
6 故事来歴（こじらいれき）

キ（7）禍福

ク（8）実実

7 吉凶禍福（きっきょうかふく）
8 虚虚実実（きょきょじつじつ）・虚々実々

問2 次の9～16の**意味**にあてはまるものを問1の**ア～クの四字熟語**から**一つ**選び、**記号**で記せ。

9 他のものを意のままに扱うこと。

10 自然の美しい景色や風物。

11 想像もできないような不思議な様子。

12 めでたいことと、縁起の悪いこと。

13 自分に都合よく物事を進めること。

14 策略の限りを尽くして戦う様子。

15 先人の発想等を借り、新しいものにする。

16 見た目は穏やかだが、意志は強いこと。

解答

9 エ
10 ア
11 カ
12 キ
13 イ
14 ク
15 オ
16 ウ

キ（7）妄想

ク（8）激励

7 誇大妄想（こだいもうそう）
8 鼓舞激励（こぶげきれい）

問4 次の9～16の**意味**にあてはまるものを問3の**ア～クの四字熟語**から**一つ**選び、**記号**で記せ。

9 攻めるのが難しい、堅い守りのこと。

10 大組織の末端より、小組織の長がよい。

11 仏教で阿弥陀仏（あみだぶつ）がいるという安楽の世界。

12 人を元気づけ、奮い立たせること。

13 過去に例がない優秀な人や物。

14 昔から伝わっている由来やいきさつ。

15 根拠や土台がない絵空事のたとえ。

16 過大に想像して、現実だと思いこむこと。

解答

9 イ
10 エ
11 ア
12 ク
13 オ
14 カ
15 ウ
16 キ

C ランク

四字熟語①

目標時間 15分

合格ライン 26点

得点 ／32

月　日

● 次の**四字熟語**について、問1～問4に答えよ。

問1 次の**四字熟語**の（1～8）に入る適切な語を下の□の中から選び、**漢字二字**で記せ。

ア 後生（1）
イ 国士（2）
ウ 子子（3）
エ 志操（4）
オ（5）分別
カ（6）滅裂

けんご　じき　じぼう　しり　しりょ　そんそん　だいいじ　むそう

解答
1 後生大事（ごしょうだいじ）
2 国士無双（こくしむそう）
3 子子孫孫（ししそんそん）子々孫々（しそんそん）
4 志操堅固（しそうけんご）
5 思慮分別（しりょふんべつ）
6 支離滅裂（しりめつれつ）

問3 次の**四字熟語**の（1～8）に入る適切な語を下の□の中から選び、**漢字二字**で記せ。

ア 自由（1）
イ 酒池（2）
ウ 終始（3）
エ 春宵（4）
オ（5）酌量
カ（6）棒大

いっかん　いっこく　じょうじょう　しょうしん　しんしょう　せんゆう　にくりん　ほんぽう

解答
1 自由奔放（じゆうほんぽう）
2 酒池肉林（しゅちにくりん）
3 終始一貫（しゅうしいっかん）
4 春宵一刻（しゅんしょういっこく）
5 情状酌量（じょうじょうしゃくりょう）
6 針小棒大（しんしょうぼうだい）

キ（7）尚早

ク（8）自棄

7 時期尚早（じきしょうそう）

8 自暴自棄（じぼうじき）

問2 次の9〜16の**意味**にあてはまるものを問1の**ア〜クの四字熟語**から**一つ**選び、**記号**で記せ。

9 何かを非常に大切に保持すること。

10 ばらばらで、筋道が通っていないこと。

11 自分の主義をかたく守って変えないこと。

12 すてばちで、投げやりな行動をする様子。

13 子孫の続くかぎり末代まで。

14 実行するには、まだ早すぎること。

15 慎重に考え、道理にそって判断すること。

16 天下一のすぐれた人物。

解答

9 ア

10 カ

11 エ

12 ク

13 ウ

14 キ

15 オ

16 イ

キ（7）正銘

ク（8）後楽

7 正真正銘（しょうしんしょうめい）

8 先憂後楽（せんゆうこうらく）

問4 次の9〜16の**意味**にあてはまるものを問3の**ア〜クの四字熟語**から**一つ**選び、**記号**で記せ。

9 ぜいたくを尽くした、豪勢な宴会。

10 心配事を処理してからたのしむ。

11 周りを気にせず、思うままに振る舞う様子。

12 うそ偽りなく本物であること。

13 ひとつのやり方で通すこと。

14 ささいな物事をおおげさに誇張する様子。

15 春の夜のすばらしいひととき。

16 諸事情をふまえ、刑を軽減すること。

解答

9 イ

10 ク

11 ア

12 キ

13 ウ

14 カ

15 エ

16 オ

Cランク

四字熟語②

目標時間 15分

合格ライン 26点

得点 ／32

月 日

●次の四字熟語について、問1～問4に答えよ。

問1 次の四字熟語の（1～8）に入る適切な語を下の□の中から選び、漢字二字で記せ。

ア 浅学（1）
イ 大喝（2）
ウ 大言（3）
エ 大胆（4）
オ （5）心小
カ （6）随一

いっせい　そうご　たんだい　とうだい　にしゃ　はくしゃ　ひさい　ふてき

解答
1 浅学非才（せんがくひさい）
2 大喝一声（だいかついっせい）
3 大言壮語（たいげんそうご）
4 大胆不敵（だいたんふてき）
5 胆大心小（たんだいしんしょう）
6 当代随一（とうだいずいいち）

問3 次の四字熟語の（1～8）に入る適切な語を下の□の中から選び、漢字二字で記せ。

ア 薄志（1）
イ 飛花（2）
ウ 百鬼（3）
エ 百八（4）
オ （5）一体
カ （6）不滅

じゃっこう　そくしん　ひょうり　ふきゅう　ふへん　ぼんのう　やこう　らくよう

解答
1 薄志弱行（はくしじゃっこう）
2 飛花落葉（ひからくよう）
3 百鬼夜行（ひゃっきやこう／やぎょう）
4 百八煩悩（ひゃくはちぼんのう）
5 表裏一体（ひょうりいったい）
6 不朽不滅（ふきゅうふめつ）

キ（7）択一

ク（8）青松

7 二者択一（にしゃたくいつ）
8 白砂青松（はくしゃせいしょう／はくさ）

問2 次の9〜16の**意味**にあてはまるものを問1の**ア〜クの四字熟語**から**一つ**選び、**記号**で記せ。

9 威勢よく大げさな話をすること。

10 度胸よく、細かな気配りもすること。

11 二つのうち、どちらか一つを選ぶこと。

12 大声でしかりつけること。

13 その時代で最もすぐれていること。

14 美しい海辺の景色。

15 知識が不十分で、能力にも乏しいこと。

16 度胸があり、何事にも恐れない様子。

解答
9 ウ
10 オ
11 キ
12 イ
13 カ
14 ク
15 ア
16 エ

キ（7）妥当

ク（8）成仏

7 普遍妥当（ふへんだとう）
8 即身成仏（そくしんじょうぶつ）

問4 次の9〜16の**意味**にあてはまるものを問3の**ア〜クの四字熟語**から**一つ**選び、**記号**で記せ。

9 すべてに共通してあてはまること。

10 物事をやりとげる気力が乏しいこと。

11 移ろいやすく、無常である世のたとえ。

12 生身のまま悟りを開いて仏になること。

13 切り離せないほど密接な関係にある状態。

14 時を経ても、その価値がずっと残ること。

15 悪人たちがのさばり秩序がないこと。

16 仏教で、すべての迷いや苦しみのこと。

解答
9 キ
10 ア
11 イ
12 ク
13 オ
14 カ
15 ウ
16 エ

C ランク

四字熟語③

目標時間 15分

合格ライン 26点

得点 ／32

月　日

● 次の**四字熟語**について、問1～問4に答えよ。

問1 次の**四字熟語**の（1～8）に入る適切な語を下の□の中から選び、**漢字二字**で記せ。

ア 複雑（1）
イ 文人（2）
ウ 変幻（3）
エ 静寂（4）
オ（5）徒食
カ（6）腹背

かんが
じざい
たき
ぼっかく
むい
めんじゅう
ゆいいつ
ゆいが

解答

1 複雑多岐（ふくざつたき）
2 文人墨客（ぶんじんぼっかく）
3 変幻自在（へんげんじざい）
4 静寂閑雅（せいじゃくかんが）
5 無為徒食（むいとしょく）
6 面従腹背（めんじゅうふくはい）

問3 次の**四字熟語**の（1～8）に入る適切な語を下の□の中から選び、**漢字二字**で記せ。

ア 容姿（1）
イ 要害（2）
ウ 落花（3）
エ 理非（4）
オ（5）垂範
カ（6）飛語

きょくちょく
けんご
そっせん
たんれい
りゅうげん
りゅうすい
りゅうりゅう
りょうとう

解答

1 容姿端麗（ようしたんれい）
2 要害堅固（ようがいけんご）
3 落花流水（らっかりゅうすい）
4 理非曲直（りひきょくちょく）
5 率先垂範（そっせんすいはん）
6 流言飛語（りゅうげんひご）

キ（7）無二

ク（8）独尊

7 唯一無二（ゆいいつむに）
8 唯我独尊（ゆいがどくそん）

問2 次の9～16の**意味**にあてはまるものを問1の**ア～クの四字熟語**から**一つ**選び、**記号**で記せ。

9 ひっそりとしていて趣のある様子。

10 働かないで、ぶらぶら暮らすこと。

11 自分だけが偉いと、うぬぼれていること。

12 この世に二つとないもの。

13 思いのままに出没し、変化する様子。

14 詩文や書画などの風雅の道に携わる人。

15 事情が入り組み、多方面にわたっている。

16 うわべだけ服して、内心では反抗すること。

解答
9 エ
10 オ
11 ク
12 キ
13 ウ
14 イ
15 ア
16 カ

キ（7）辛苦

ク（8）蛇尾

7 粒粒辛苦（りゅうりゅうしんく） 粒々
8 竜頭蛇尾（りょうとうだび）（りゅうとう）

問4 次の9～16の**意味**にあてはまるものを問3の**ア～クの四字熟語**から**一つ**選び、**記号**で記せ。

9 積極的に物事を行い、手本を示すこと。

10 顔だちや体つきが整い、美しいこと。

11 こつこつと努力や苦労を積み重ねること。

12 相思相愛のこと。

13 出だしはよいが、終わりがだめなこと。

14 正しいことと、誤っていること。

15 地勢が険しく、備えがかたいこと。

16 世間に広まった、根も葉もないうわさ。

解答
9 オ
10 ア
11 キ
12 ウ
13 ク
14 エ
15 イ
16 カ

C ランク

四字熟語④

●次の**四字熟語**について、問1～問4に答えよ。

問1 次の**四字熟語**の(1～8)に入る適切な語を下の□の中から選び、**漢字二字**で記せ。

ア 霊魂(1)
イ 不老(2)
ウ 悠悠(3)
エ 縦横(4)
オ(5)黙考
カ(6)錯誤

じだい
じてき
しゅうじん
しゅうち
ちょうじゅ
ちんし
ふめつ
むじん

解答
1 霊魂不滅(れいこんふめつ)
2 不老長寿(ふろうちょうじゅ)
3 悠悠自適(ゆうゆうじてき) 悠々
4 縦横無尽(じゅうおうむじん)
5 沈思黙考(ちんしもっこう)
6 時代錯誤(じだいさくご)

問3 次の**四字熟語**の(1～8)に入る適切な語を下の□の中から選び、**漢字二字**で記せ。

ア 人面(1)
イ 大兵(2)
ウ 一陽(3)
エ 紳士(4)
オ(5)知新
カ(6)水明

おんこ
ぐうぞう
こふく
さんし
じゅうしん
しゅくじょ
ひまん
らいふく

解答
1 人面獣心(じんめんじゅうしん)
2 大兵肥満(だいひょうひまん)
3 一陽来復(いちようらいふく)
4 紳士淑女(しんししゅくじょ)
5 温故知新(おんこちしん)
6 山紫水明(さんしすいめい)

目標時間 15分
合格ライン 26点
得点 ／32
月 日

キ（7）徹底
ク（8）環視

7 周知徹底（しゅうちてってい）
8 衆人環視（しゅうじんかんし）

問2 次の9～16の**意味**にあてはまるものを問1の**ア～クの四字熟語**から**一つ**選び、**記号**で記せ。

9 人の魂は死後も存在し続けるという考え。
10 黙って深く考えをめぐらすこと。
11 大勢が取りまいて見ている状態。
12 余裕をもち、のんびり過ごす様子。
13 世間のすみずみまで知れ渡らせること。
14 思う存分、自由自在に行動するさま。
15 考え方や行動が古くさいこと。
16 いつまでも年をとらず長生きすること。

解答
9 ア
10 オ
11 ク
12 ウ
13 キ
14 エ
15 カ
16 イ

キ（7）崇拝
ク（8）撃壌

7 偶像崇拝（ぐうぞうすうはい）
8 鼓腹撃壌（こふくげきじょう）

問4 次の9～16の**意味**にあてはまるものを問3の**ア～クの四字熟語**から**一つ**選び、**記号**で記せ。

9 品格があり、礼儀正しい男性と女性。
10 自然が清らかで美しいこと。
11 身体が大きく、太っていること。
12 あるものを絶対的なものとして尊ぶこと。
13 恩や恥を知らない、冷酷な人。
14 善政による太平の世のたとえ。
15 昔のことを復習し、新しい道理を得ること。
16 物事がよい方向に向かうこと。

解答
9 エ
10 カ
11 イ
12 キ
13 ア
14 ク
15 オ
16 ウ

A ランク

対義語・類義語①

目標時間 **25**分

合格ライン **39**点

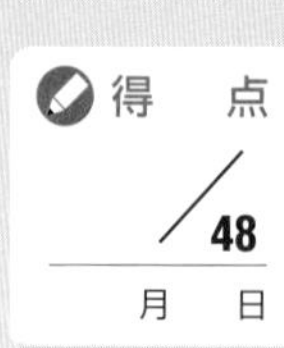

● 次の**対義語**、**類義語**を後の□の中から選び、**漢字**で記せ。□の中の語は一度だけ使うこと。

対義語

1 停頓
2 付与
3 陳腐
4 露出
5 貫徹

類義語

6 工面
7 指揮
8 器量
9 奇怪
10 傾斜

こうばい・さいはい・ざせつ・ざんしん・しゃへい・しんちょく・ねんしゅつ・はくだつ・めんよう・ようぼう

解答

1 進捗（しんちょく）
2 剝奪（はくだつ）
3 斬新（ざんしん）
4 遮蔽（しゃへい）
5 挫折（ざせつ）
6 捻出（ねんしゅつ）
7 采配（さいはい）
8 容貌（ようぼう）
9 面妖（めんよう）
10 勾配（こうばい）

対義語

11 軽侮
12 激賞
13 豪胆
14 爽快
15 尊敬

類義語

16 結局
17 洪水
18 縁者
19 朝暮
20 意趣

いふ・うっくつ・おんねん・おくびょう・けいべつ・しょせん・しんせき・たんせき・ばとう・はんらん

解答

11 畏怖（いふ）
12 罵倒（ばとう）
13 臆（憶）病（おくびょう）
14 鬱屈（うっくつ）
15 軽蔑（けいべつ）
16 所詮（しょせん）
17 氾（汎）濫（はんらん）
18 親戚（しんせき）
19 旦夕（たんせき）
20 怨念（おんねん）

対義語

21 明瞭
22 謙抑
23 伸長
24 枯淡
25 潤沢
26 展開
27 必然

類義語

28 活発
29 秘匿
30 矛盾
31 懇親
32 無欠
33 絶壁
34 算段

あいまい・いしゅく・いんぺい
おうせい・がいぜん・かっとう
かんぺき・きんしょう・しんぼく
だんがい・ていとん・ねんしゅつ
のうえん・ふそん

解答

21 曖昧（あいまい）
22 不遜（ふそん）
23 萎縮（いしゅく）
24 濃艶（のうえん）
25 僅少（きんしょう）
26 停頓（ていとん）
27 蓋然（がいぜん）
28 旺盛（おうせい）
29 隠蔽（いんぺい）
30 葛藤（かっとう）
31 親睦（しんぼく）
32 完璧（かんぺき）
33 断崖（だんがい）
34 捻出（ねんしゅつ）

対義語

35 廃滅
36 散漫
37 催眠
38 乱雑
39 目頭
40 賞賛
41 乱射

類義語

42 尊敬
43 一掃
44 軌跡
45 絶対
46 崩壊
47 学識
48 瞬間

かくせい・こんせき・しっせき
しょうけい・せいとん・せつな
ぞうけい・そげき・ちみつ
はたん・ひっす・ふっしょく
ぼっこう・めじり

解答

35 勃興（ぼっこう）
36 緻密（ちみつ）
37 覚醒（かくせい）
38 整頓（せいとん）
39 目尻（めじり）
40 叱責（しっせき）
41 狙撃（そげき）
42 憧憬（しょうけい・どうけい）
43 払拭（ふっしょく）
44 痕跡（こんせき）
45 必須（ひっす）
46 破綻（はたん）
47 造詣（ぞうけい）
48 刹那（せつな）

A ランク

対義語・類義語②

目標時間 25分

合格ライン 39点

● 次の**対義語**、**類義語**を後の□の中から選び、**漢字**で記せ。□の中の語は一度だけ使うこと。

対義語

1 獲得
2 純白
3 粗略
4 富裕
5 老巧

類義語

6 監禁
7 脅迫
8 推移
9 平穏
10 永眠

あんねい・いかく・しっこく
せいきょ・そうしつ・ちせつ
ていねい・ひんきゅう
へんせん・ゆうへい

解答

1 喪失（そうしつ）
2 漆黒（しっこく）
3 丁寧（ていねい）
4 貧窮（ひんきゅう）
5 稚拙（ちせつ）
6 幽閉（ゆうへい）
7 威嚇（いかく）
8 変遷（へんせん）
9 安寧（あんねい）
10 逝去（せいきょ）

対義語

11 愛護
12 偉大
13 汚濁
14 希薄
15 極端

類義語

16 解雇
17 核心
18 寄与
19 強情
20 困苦

がんこ・ぎゃくたい・こうけん
しんさん・せいちょう
ちゅうすう・ちゅうよう
のうこう・ひめん・ぼんよう

解答

11 虐待（ぎゃくたい）
12 凡庸（ぼんよう）
13 清澄（せいちょう）
14 濃厚（のうこう）
15 中庸（ちゅうよう）
16 罷免（ひめん）
17 中枢（ちゅうすう）
18 貢献（こうけん）
19 頑固（がんこ）
20 辛酸（しんさん）

対義語

21 拒絶
22 禁欲
23 慶賀
24 軽侮
25 賢明
26 高慢
27 個別

類義語

28 混乱
29 残念
30 譲歩
31 省略
32 心配
33 阻害
34 対価

あいとう・あんぐ・いかん
いっせい・おうだく・かつあい
きょうらく・けねん・けんきょ
じゃま・すうはい・だきょう
ふんきゅう・ほうしゅう

解答

21 応諾（おうだく）
22 享楽（きょうらく）
23 哀悼（あいとう）
24 崇拝（すうはい）
25 暗愚（あんぐ）
26 謙虚（けんきょ）
27 一斉（いっせい）
28 紛糾（ふんきゅう）
29 遺憾（いかん）
30 妥協（だきょう）
31 割愛（かつあい）
32 懸念（けねん）
33 邪魔（じゃま）
34 報酬（ほうしゅう）

対義語

35 自生
36 釈放
37 潤沢
38 侵害
39 進出
40 絶賛
41 率先

類義語

42 卓抜
43 比肩
44 昼寝
45 貧困
46 不意
47 奮戦
48 豊富

かんとう・きゅうぼう
けっしゅつ・こうそく・こかつ
こくひょう・ごすい・さいばい
ついずい・てったい・とうとつ
ひってき・まんまん・ようご

解答

35 栽培（さいばい）
36 拘束（こうそく）
37 枯渇（こかつ）
38 擁護（ようご）
39 撤退（てったい）
40 酷評（こくひょう）
41 追随（ついずい）
42 傑出（けっしゅつ）
43 匹敵（ひってき）
44 午睡（ごすい）
45 窮乏（きゅうぼう）
46 唐突（とうとつ）
47 敢闘（かんとう）
48 満満（まんまん）（満々）

Aランク 対義語・類義語③

目標時間 25分　合格ライン 39点　得点 /48　月 日

● 次の対義語、類義語を後の□の中から選び、漢字で記せ。□の中の語は一度だけ使うこと。

対義語
1 多弁
2 定住
3 特殊
4 反逆
5 末端

類義語
6 面倒
7 屋敷
8 湯船
9 来歴
10 永遠

かもく・きょうじゅん・ちゅうすう・ていたく・ふへん・やっかい・ゆいしょ・ゆうきゅう・よくそう・るろう

解答
1 寡黙（かもく）
2 流浪（るろう）
3 普遍（ふへん）
4 恭順（きょうじゅん）
5 中枢（ちゅうすう）
6 厄介（やっかい）
7 邸宅（ていたく）
8 浴槽（よくそう）
9 由緒（ゆいしょ）
10 悠久（ゆうきゅう）

対義語
11 名誉
12 隆起
13 威圧
14 栄転
15 解放

類義語
16 回復
17 我慢
18 頑固
19 堪忍
20 基地

かいじゅう・かんべん・かんぼつ・きょてん・させん・そくばく・ちじょく・ちゆ・にんたい・へんくつ

解答
11 恥辱（ちじょく）
12 陥没（かんぼつ）
13 懐柔（かいじゅう）
14 左遷（させん）
15 束縛（そくばく）
16 治癒（ちゆ）
17 忍耐（にんたい）
18 偏屈（へんくつ）
19 勘弁（かんべん）
20 拠点（きょてん）

対義語

21 緩慢
22 狭量
23 虚弱
24 欠乏
25 決裂
26 剛健
27 更生

類義語

28 気分
29 傾倒
30 計略
31 激怒
32 降格
33 興廃
34 功名

がんけん・かんよう・きげん
さくぼう・させん・じゅうそく
しゅくん・しんすい・じんそく
せいすい・だけつ・だらく
にゅうじゃく・ふんがい

解答

21 迅速（じんそく）
22 寛容（かんよう）
23 頑健（がんけん）
24 充足（じゅうそく）
25 妥結（だけつ）
26 柔弱（にゅうじゃく）
27 堕落（だらく）
28 機嫌（きげん）
29 心酔（しんすい）
30 策謀（さくぼう）
31 憤慨（ふんがい）
32 左遷（させん）
33 盛衰（せいすい）
34 殊勲（しゅくん）

対義語

35 巧妙
36 国産
37 祝賀
38 召還
39 詳細
40 新奇
41 設置

類義語

42 互角
43 固執
44 削除
45 辛抱
46 尽力
47 折衝
48 是認

あいとう・がいりゃく
こうしょう・こうてい・せつれつ
ちんぷ・てっきょ・にんたい
はくちゅう・はくらい・はけん
ぼくしゅ・ほんそう・まっしょう

解答

35 拙劣（せつれつ）
36 舶来（はくらい）
37 哀悼（あいとう）
38 派遣（はけん）
39 概略（がいりゃく）
40 陳腐（ちんぷ）
41 撤去（てっきょ）
42 伯仲（はくちゅう）
43 墨守（ぼくしゅ）
44 抹消（まっしょう）
45 忍耐（にんたい）
46 奔走（ほんそう）
47 交渉（こうしょう）
48 肯定（こうてい）

B ランク

対義語・類義語①

目標時間 25分

合格ライン 39点

得点 ／48

月　日

●次の対義語、類義語を後の□の中から選び、漢字で記せ。□の中の語は一度だけ使うこと。

対義語

1 直進

2 提出

3 答申

4 任命

5 発病

類義語

6 調和

7 手柄

8 反逆

9 必死

10 漂泊

きんこう・けんめい・しもん・しゅくん・だこう・ちゆ・てっかい・ひめん・むほん・るろう

解答

1 蛇行（だこう）
2 撤回（てっかい）
3 諮問（しもん）
4 罷免（ひめん）
5 治癒（ちゆ）
6 均衡（きんこう）
7 殊勲（しゅくん）
8 謀反（むほん）
9 懸命（けんめい）
10 流浪（るろう）

対義語

11 払暁

12 分割

13 褒賞

14 凡才

15 愛好

類義語

16 妨害

17 無口

18 安値

19 歴然

20 一般

いっかつ・いつざい・かもく・けんお・けんちょ・ちょうばつ・そし・はくぼ・ふへん・れんか

解答

11 薄暮（はくぼ）
12 一括（いっかつ）
13 懲罰（ちょうばつ）
14 逸材（いつざい）
15 嫌悪（けんお）
16 阻止（そし）
17 寡黙（かもく）
18 廉価（れんか）
19 顕著（けんちょ）
20 普遍（ふへん）

対義語

21 哀悼
22 悪臭
23 炎暑
24 横柄
25 汚染
26 過激
27 下落

類義語

28 沿革
29 禍福
30 干渉
31 完遂
32 危機
33 強壮
34 虚構

おんけん・かいにゅう・かくう
がんけん・きっきょう
きゅうち・けいが・けんきょ
こっかん・じょうか・じょうじゅ
とうき・へんせん・ほうこう

解答

21 慶賀（けいが）
22 芳香（ほうこう）
23 酷寒（こっかん）
24 謙虚（けんきょ）
25 浄化（じょうか）
26 穏健（おんけん）
27 騰貴（とうき）
28 変遷（へんせん）
29 吉凶（きっきょう）
30 介入（かいにゅう）
31 成就（じょうじゅ）
32 窮地（きゅうち）
33 頑健（がんけん）
34 架空（かくう）

対義語

35 乾燥
36 大度
37 凝固
38 強硬
39 激賞
40 苦痛
41 厳格

類義語

42 計算
43 献上
44 光陰
45 貢献
46 工事
47 公表
48 攻略

かいらく・かんじょう
かんよう・きよ・きょうりょう
きんてい・こくひょう・しつじゅん
せいそう・だっしゅ・なんじゃく
ひろう・ふしん・ゆうかい

解答

35 湿潤（しつじゅん）
36 狭量（きょうりょう）
37 融解（ゆうかい）
38 軟弱（なんじゃく）
39 酷評（こくひょう）
40 快楽（かいらく）
41 寛容（かんよう）
42 勘定（かんじょう）
43 謹呈（きんてい）
44 星霜（せいそう）
45 寄与（きよ）
46 普請（ふしん）
47 披露（ひろう）
48 奪取（だっしゅ）

Bランク

対義語・類義語②

目標時間 25分
合格ライン 39点
得点 /48
月 日

● 次の対義語、類義語を後の□の中から選び、漢字で記せ。□の中の語は一度だけ使うこと。

対義語
1 献上
2 高遠
3 拘束
4 巧遅
5 硬直

類義語
6 根絶
7 歳月
8 座視
9 酌量
10 重病

かし・こうりょ・しゃくほう
じゅうなん・せいそう
せっそく・たいかん・ひきん
ぼうかん・ぼくめつ

解答
1 下賜（かし）
2 卑近（ひきん）
3 釈放（しゃくほう）
4 拙速（せっそく）
5 柔軟（じゅうなん）
6 撲滅（ぼくめつ）
7 星霜（せいそう）
8 傍観（ぼうかん）
9 考慮（こうりょ）
10 大患（たいかん）

対義語
11 枯渇
12 削除
13 暫時
14 質素
15 淑女

類義語
16 醜聞
17 熟知
18 祝福
19 受胎
20 順次

おめい・けいが・ごうか
こうきゅう・じゅんたく
しんし・ちくじ・つうぎょう
てんか・にんしん

解答
11 潤沢（じゅんたく）
12 添加（てんか）
13 恒久（こうきゅう）
14 豪華（ごうか）
15 紳士（しんし）
16 汚名（おめい）
17 通暁（つうぎょう）
18 慶賀（けいが）
19 妊娠（にんしん）
20 逐次（ちくじ）

対義語

21 受諾
22 主役
23 冗漫
24 新鋭
25 崇拝
26 素直
27 疎遠

類義語

28 承知
29 上品
30 非情
31 親友
32 制約
33 善悪
34 全治

かいゆ・かんけつ・きょひ
けいぶ・こうしょう・こごう
こんい・じゅだく・せいじゃ
そくばく・ちき・はやく
へんくつ・れいこく

解答

21 拒否（きょひ）
22 端役（はやく）
23 簡潔（かんけつ）
24 古豪（こごう）
25 軽侮（けいぶ）
26 偏屈（へんくつ）
27 懇意（こんい）
28 受諾（じゅだく）
29 高尚（こうしょう）
30 冷酷（れいこく）
31 知己（ちき）
32 束縛（そくばく）
33 正邪（せいじゃ）
34 快癒（かいゆ）

対義語

35 尊敬
36 対立
37 蓄積
38 売却
39 薄暮
40 暴露
41 反抗

類義語

42 扇動
43 荘重
44 他界
45 卓越
46 丹念
47 懲戒
48 調停

きょうじゅん・げんしゅく
こうにゅう・しゅういつ・しょうもう
しょばつ・せいきょ・だきょう
ちゅうさい・ちょうはつ・ていねい
ひとく・ぶじょく・ふつぎょう

解答

35 侮辱（ぶじょく）
36 妥協（だきょう）
37 消耗（しょうもう）
38 購入（こうにゅう）
39 払暁（ふつぎょう）
40 秘匿（ひとく）
41 恭順（きょうじゅん）
42 挑発（ちょうはつ）
43 厳粛（げんしゅく）
44 逝去（せいきょ）
45 秀逸（しゅういつ）
46 丁寧（ていねい）
47 処罰（しょばつ）
48 仲裁（ちゅうさい）

C ランク

対義語・類義語

● 次の**対義語**、**類義語**を後の□の中から選び、**漢字**で記せ。□の中の語は一度だけ使うこと。

目標時間 25分
合格ライン 39点
得点 ／48
月 日

対義語
1 卑下
2 秘匿
3 不足
4 飽食
5 模倣

類義語
6 適切
7 展示
8 同輩
9 難点
10 抜粋

かじょう・きが・けっかん
じまん・しょうろく・そうぞう
だとう・ちんれつ・どうりょう
ばくろ

解答
1 自慢（じまん）
2 暴露（ばくろ）
3 過剰（かじょう）
4 飢餓（きが）
5 創造（そうぞう）
6 妥当（だとう）
7 陳列（ちんれつ）
8 同僚（どうりょう）
9 欠陥（けっかん）
10 抄録（しょうろく）

対義語
11 老練
12 高尚
13 依存
14 起工
15 微小

類義語
16 懇意
17 腐心
18 無視
19 容赦
20 翼下

かんべん・きょだい・くりょ
さんか・じりつ・しんみつ
ていぞく・もくさつ・ようち
らくせい

解答
11 幼稚（ようち）
12 低俗（ていぞく）
13 自立（じりつ）
14 落成（らくせい）
15 巨大（きょだい）
16 親密（しんみつ）
17 苦慮（くりょ）
18 黙殺（もくさつ）
19 勘弁（かんべん）
20 傘下（さんか）

対義語

21 分散
22 怠惰
23 屈曲
24 愚鈍
25 性急
26 悲哀
27 子孫

類義語

28 次第
29 相好
30 明快
31 寸刻
32 基幹
33 早速
34 無駄

かんき・きんべん・こんぽん
しゅうちゅう・しゅんじ
じゅんじょ・しんちょう・せんぞ
そっこく・とろう・はんぜん
ひょうじょう・ゆうちょう・りはつ

解答

21 集中（しゅうちゅう）
22 勤勉（きんべん）
23 伸長（張）（しんちょう）
24 利発（りはつ）
25 悠長（ゆうちょう）
26 歓喜（かんき）
27 先祖（せんぞ）
28 順序（じゅんじょ）
29 表情（ひょうじょう）
30 判然（はんぜん）
31 瞬時（しゅんじ）
32 根本（こんぽん）
33 即刻（そっこく）
34 徒労（とろう）

対義語

35 濃厚
36 目的
37 保守
38 末尾
39 講和
40 敏腕
41 執着

類義語

42 利害
43 消息
44 死角
45 向上
46 最期
47 倫理
48 薄謝

かくしん・しゅだん・しんぽ
すんし・せんせん・そんえき
だんねん・たんぱく・どうせい
どうとく・ぼうとう・むのう
もうてん・りんじゅう

解答

35 淡泊（たんぱく）
36 手段（しゅだん）
37 革新（かくしん）
38 冒頭（ぼうとう）
39 宣戦（せんせん）
40 無能（むのう）
41 断念（だんねん）
42 損益（そんえき）
43 動静（どうせい）
44 盲点（もうてん）
45 進歩（しんぽ）
46 臨終（りんじゅう）
47 道徳（どうとく）
48 寸志（すんし）

同音・同訓異字①

● 次の——線の**カタカナ**を**漢字**に直せ。

1 高度な技の**オウシュウ**に沸く。
2 違法な薬品を**オウシュウ**する。
3 使者が女王に**エッケン**した。
4 課長の**エッケン**行為に困惑する。
5 条約改定の**コウショウ**を行う。
6 **コウショウ**な議論に魅せられた。
7 故障が重なり打撃**フシン**が続く。
8 学力の向上に**フシン**する。
9 火勢が強く周辺に**エンショウ**した。
10 傷口が**エンショウ**を起こしている。

解答
1 応酬
2 押収
3 謁見
4 越権
5 交渉
6 高尚
7 不振
8 腐心
9 延焼
10 炎症

11 **カイジュウ**のおもちゃを買う。
12 巧みに政敵を**カイジュウ**する。
13 **カゲン**の月が冷たく光る。
14 うつむき**カゲン**で歩く。
15 陶器の**カビン**を出窓に置く。
16 皮膚が**カビン**に反応する。
17 エアコンには**カンキ**機能がある。
18 想像力を**カンキ**する内容だ。
19 首相**カンテイ**に報道陣が集まる。
20 港から**カンテイ**が出航する。

解答
11 怪獣
12 懐柔
13 下弦
14 加減
15 花瓶
16 過敏
17 換気
18 喚起
19 官邸
20 艦艇

21 集中豪雨の**キョウイ**におびえる。
22 **キョウイ**的な世界新記録が出た。
23 豊かな生活を**キョウジュ**する。
24 名誉**キョウジュ**の称号を与える。
25 所得の**キンコウ**が崩れてしまった。
26 都会の**キンコウ**には住宅地が多い。
27 居間の**ケイコウ**灯を取り替える。
28 景気は上昇**ケイコウ**にある。
29 **ケイコク**に沿った森林鉄道に乗る。
30 **ケイコク**を無視して出発した。
31 凶悪な犯人が**ケンキョ**された。
32 **ケンキョ**な態度で話を聞く。
33 過疎化により農村は**コウハイ**した。
34 同じ学校で二年**コウハイ**の女性だ。

21 脅威
22 驚異
23 享受
24 教授
25 均衡
26 近郊
27 蛍光
28 傾向
29 渓谷
30 警告
31 検挙
32 謙虚
33 荒廃
34 後輩

35 **コウリョウ**とした砂漠を旅する。
36 化粧品に**コウリョウ**を加える。
37 入国**サショウ**を申請する。
38 経歴を**サショウ**した疑いがある。
39 枯れ葉を**ハ**きよせて燃やす。
40 新しい運動靴を**ハ**く。
41 稲の**カ**り入れをする。
42 不安に**カ**られて眠れない。
43 国境の山を**コ**える。
44 経験を積み、目が**コ**えている。
45 会に参加する**ムネ**を伝える。
46 新築工事の**ムネ**上げ式を行う。
47 両親の愛情に**ウ**えている。
48 砂漠に木を**ウ**える活動をする。

35 荒涼
36 香料
37 査証
38 詐称
39 掃
40 履
41 刈
42 駆
43 越
44 肥
45 旨
46 棟
47 飢
48 植

同音・同訓異字②

目標時間 25分

合格ライン 39点

● 次の――線の**カタカナ**を**漢字**に直せ。

1 外国資本の**サンカ**に入る。
2 大津波の**サンカ**が報道される。
3 交通**ジュウタイ**で困っている。
4 二列**ジュウタイ**で行進した。
5 敵の**ジュウダン**を浴びる。
6 徒歩で本州を**ジュウダン**した。
7 主君のあとを追って**ジュンシ**した。
8 **ジュンシ**船が救難に当たる。
9 文化事業に**ショウガイ**をささげる。
10 **ショウガイ**罪で起訴する。

解答
1 傘下
2 惨禍
3 渋滞
4 縦隊
5 銃弾
6 縦断
7 殉死
8 巡視
9 生涯
10 傷害

11 **ジョウザイ**の風邪薬を飲む。
12 仏塔修理の**ジョウザイ**を募る。
13 節約を**ショウレイ**する活動を行う。
14 **ショウレイ**の少ない病にかかる。
15 委員長に**スイセン**する。
16 冬は**スイセン**の花が美しい。
17 庭先に防火**スイソウ**を置く。
18 **スイソウ**楽団を結成する。
19 その街は**センサイ**で焼失した。
20 彼女は**センサイ**なタッチの絵を描く。

解答
11 錠剤
12 浄財
13 奨励
14 症例
15 推薦
16 水仙
17 水槽
18 吹奏
19 戦災
20 繊細

21 海峡をセンパクが行き交う。
22 センパクな知識を恥じ入る。
23 期待をソウケンに担って職に就く。
24 ごソウケンで何よりと存じます。
25 亡き国王のソウレツに連なる。
26 優勝争いはソウレツを極めた。
27 列島がチンカと隆起を繰り返す。
28 ビル火災がチンカする。
29 食品テンカ物の安全性を確かめる。
30 責任をテンカする上司は嫌われる。
31 窯元でトウキの花瓶を買う。
32 会社の株価がトウキする。
33 ハキが乏しく、積極性がない。
34 判決をハキして高裁に差し戻す。

21 船舶
22 浅薄
23 双肩
24 壮健
25 葬列
26 壮烈
27 沈下
28 鎮火
29 添加
30 転嫁
31 陶器
32 騰貴
33 覇気
34 破棄

35 党内のハケンを争う派閥の幹部。
36 海外に救助隊をハケンする。
37 車体が金属ヒロウを起こす。
38 落成ヒロウ宴に招かれた。
39 かみそりのハを換える。
40 うわさが口のハに上る。
41 カに刺されてかゆい。
42 キンモクセイのカが漂う。
43 慣れない仕事をして肩がコる。
44 悪人をコらしめる。
45 波穏やかな入りエに着く。
46 のこぎりのエを握る。
47 笑うカドには福来たる。
48 交差点のカドを右に曲がる。

35 覇権
36 派遣
37 疲労
38 披露
39 刃
40 端
41 蚊
42 香
43 凝
44 懲
45 江
46 柄
47 門
48 角

同音・同訓異字①

目標時間 25分
合格ライン 39点
得点 /48
月 日

● 次の――線のカタカナを漢字に直せ。

1 **フヨウ**手当が減額された。
2 政府が景気**フヨウ**策を講じる。
3 不手際で話し合いが**フンキュウ**した。
4 古代の**フンキュウ**墓を調査する。
5 弁護士として**ホウソウ**界で鳴らす。
6 荷物を厳重に**ホウソウ**する。
7 物価が**ボウトウ**している。
8 文章は**ボウトウ**の一句が大切だ。
9 優しくて**ホウヨウ**力のある人だ。
10 二人は固い**ホウヨウ**を交わした。

解答

1 扶養
2 浮揚
3 紛糾
4 墳丘
5 法曹
6 包装
7 暴騰
8 冒頭
9 包容
10 抱擁

11 故人の**ホンソウ**に参列した。
12 事業の資金集めに**ホンソウ**する。
13 **ユウカイ**事件を未然に防ぐ。
14 炉で鉄を**ユウカイ**する。
15 **ユウシ**以来なかったことだ。
16 土地を担保に**ユウシ**を受ける。
17 **ユウシュウ**の美を飾って退く。
18 **ユウシュウ**な成績で卒業した。
19 万事**イロウ**のないように進める。
20 選手を**イロウ**する会を行う。

解答

11 本葬
12 奔走
13 誘拐
14 融解
15 有史
16 融資
17 有終
18 優秀
19 遺漏
20 慰労

21 長旅で**カイキョウ**の念が増す。
22 **カイキョウ**を渡る連絡船だ。
23 小学校で六年間**カイキン**した。
24 白い**カイキン**シャツが似合う。
25 努力して最高**ガクフ**を目指す。
26 ピアノ曲の**ガクフ**を開く。
27 豪雨で**カセン**が増水した。
28 電話の**カセン**工事を行う。
29 球場は**カンキャク**であふれている。
30 重大ではないと**カンキャク**していた。
31 思わぬ援助に**カンキュウ**した。
32 **カンキュウ**自在な投球に惑う。
33 **カンゲン**に乗せられ破産した。
34 積立金の運用益を**カンゲン**する。

21 懐郷
22 海峡
23 皆勤
24 開襟
25 学府
26 楽譜
27 河川
28 架線
29 観客
30 閑却
31 感泣
32 緩急
33 甘言
34 還元

35 退職**カンショウ**に応じる。
36 著名な絵画を**カンショウ**する。
37 戦前は報道**カンセイ**が厳重だった。
38 高台の**カンセイ**な住宅地。
39 自分の**カラ**に閉じこもる。
40 **カラ**草模様の反物を買う。
41 恐る恐る犬に**サワ**ってみた。
42 差し**サワ**りがあって欠席する。
43 **スミ**をすって書き初めをする。
44 庭の**スミ**に梅の木を植えた。
45 今年も忙しい年の**セ**になった。
46 時代に**セ**を向けて生きる。
47 ヨットが**ホ**に風を受けて進む。
48 すすきの**ホ**が揺れている。

35 勧奨
36 鑑賞
37 管制
38 閑静
39 殻
40 唐
41 触
42 障
43 墨
44 隅
45 瀬
46 背
47 帆
48 穂

同音・同訓異字②

● 次の——線のカタカナを漢字に直せ。

1 病原体の**カンセン**経路を示す。
2 軍港から**カンセン**が出航した。
3 あきらめないことが**カンヨウ**だ。
4 **カンヨウ**な態度で人に接する。
5 雨音を**ギセイ**語で表現する。
6 多少の**ギセイ**は覚悟している。
7 畑作をやめて**キュウカン**地にした。
8 病院に**キュウカン**を運び込む。
9 十年ぶりで**キュウチ**の人と会う。
10 とっさの機転で**キュウチ**を脱した。

解答
1 感染　2 艦船　3 肝要　4 寛容　5 擬声　6 犠牲　7 休閑　8 急患　9 旧知　10 窮地

11 穀物相場が**キュウトウ**している。
12 **キュウトウ**設備がある寝台列車。
13 **キュウヨ**の一策が功を奏する。
14 会社から**キュウヨ**明細を受け取る。
15 異常気象は自然からの**ケイショウ**だ。
16 家業の造り酒屋を**ケイショウ**する。
17 **ケイチョウ**用の礼服とネクタイ。
18 仕事の内容に**ケイチョウ**はない。
19 原則を**ケンジ**して運営する。
20 自己**ケンジ**欲が強く嫌われている。

解答
11 急騰　12 給湯　13 窮余　14 給与　15 警鐘　16 継承　17 慶弔　18 軽重　19 堅持　20 顕示

目標時間 25分

合格ライン 39点

21 **ケンショウ**金を付け、人を捜す。
22 国連**ケンショウ**の条文を尊重する。
23 要人を大使**コウテイ**に招く。
24 戦争を**コウテイ**する発言。
25 **コウテツ**製の頑丈な箱を買う。
26 不振が続き監督を**コウテツ**する。
27 役員への就任を**コジ**する。
28 力を**コジ**する人は好かれない。
29 新製品の**コショウ**を募る。
30 河川や**コショウ**の魚類図鑑。
31 医者の**ゴシン**で病状が悪化した。
32 **ゴシン**のために空手を習う。
33 困窮者への援助を**コンセイ**する。
34 **コンセイ**合唱のコンクールを開く。

21 懸賞
22 憲章
23 公邸
24 肯定
25 鋼鉄
26 更迭
27 固辞
28 誇示
29 呼称
30 湖沼
31 誤診
32 護身
33 懇請
34 混声

35 敵に**シカク**を放ち襲わせる。
36 道路標識は**シカク**に強く訴える。
37 **シモン**を採取して捜査を進めた。
38 識者を中心に**シモン**機関を設ける。
39 まぶしい光線が目を**イ**る。
40 溶けた金属を型に流して鐘を**イ**る。
41 尊敬する人の死を**イタ**む。
42 買っておいたリンゴが**イタ**んだ。
43 住民の八割を老人が**シ**める。
44 ネクタイを**シ**める。
45 弱点を集中的に**セ**める。
46 部下の過ちを**セ**めない。
47 夏には**ス**の物が向いている。
48 大きなハチの**ス**を見つけた。

35 刺客
36 視覚
37 指紋
38 諮問
39 射
40 鋳
41 悼
42 傷
43 占
44 締
45 攻
46 責
47 酢
48 巣

C ランク

同音・同訓異字

目標時間 25分
合格ライン 39点
得点 ／48
月　日

●次の――線のカタカナを漢字に直せ。

1 卒業式の後、シャオン会を行う。
2 シャオン装置を施した部屋。
3 急シャメンをスキーで滑降する。
4 女王が侍女の過ちをシャメンする。
5 通常国会がショウシュウされる。
6 洗面所にショウシュウ剤を置く。
7 ジョウヨ物資を処分する。
8 資産を平等にジョウヨする。
9 うそか本当かシンギを知りたい。
10 重要案件をシンギにかける。

解答
1 謝恩
2 遮音
3 斜面
4 赦免
5 召集
6 消臭
7 剰余
8 譲与
9 真偽
10 審議

11 役所のスイトウ係になる。
12 遠足にスイトウを持参する。
13 空気セイジョウ機を設置する。
14 セイジョウが不安定な国。
15 セイチョウ剤を処方された。
16 笛のセイチョウな音色が涼やかだ。
17 病院で胃をセンジョウした。
18 村は山すそのセンジョウ地にある。
19 センセイ攻撃が奏功する。
20 裁判で証人としてセンセイした。

解答
11 出納
12 水筒
13 清浄
14 政情
15 整腸
16 清澄
17 洗浄
18 扇状
19 先制
20 宣誓

21 旅に出て命の**センタク**をしてきた。
22 文系のコースを**センタク**する。
23 密入国者は強制**ソウカン**される。
24 眼前に広がる眺望は**ソウカン**なパノラマ。
25 会社の**ソウダイ**として会見する。
26 地球一周の**ソウダイ**な構想を練る。
27 **ソクセキ**の料理でも喜ばれた。
28 南極大陸に**ソクセキ**をしるす。
29 タイヤが道路の**ソッコウ**にはまる。
30 緒戦の**ソッコウ**が勝因である。
31 遺族に**チョウイ**金を贈る。
32 津波で**チョウイ**が変化した。
33 相手の**チョウハツ**には乗らない。
34 理容師に**チョウハツ**してもらった。

21 洗濯
22 選択
23 送還
24 壮観
25 総代
26 壮大
27 即席
28 足跡
29 側溝
30 速攻
31 弔慰
32 潮位
33 挑発
34 調髪

35 株価の上昇は**テンジョウ**知らず。
36 団体旅行には**テンジョウ**員がつく。
37 人工**トウセキ**の治療を受けている。
38 **トウセキ**を離れて立候補する。
39 将棋は力の差ですぐ**ツ**んでしまう。
40 あぜ道で野の花を**ツ**んだ。
41 平素から言動を**ツツシ**む。
42 **ツツシ**んでお祝い申し上げます。
43 観光客が集まる**トコ**夏の島。
44 長患いで**トコ**ずれしている。
45 退職してから**フ**けこんだ。
46 夜が**フ**けて冷えこんできた。
47 祖父を亡くし、**モ**に服する。
48 池の底で**モ**が揺れる。

35 天井
36 添乗
37 透析
38 党籍
39 詰
40 摘
41 慎
42 謹
43 常
44 床
45 老
46 更
47 喪
48 藻

誤字訂正①

目標時間 18分
合格ライン 20点
得点 ／24
月　日

●次の各文にまちがって使われている**同じ読みの漢字**が**一字**ある。**上に誤字**を、**下に正しい漢字**を記せ。

1 外資系生命保険会社が、社会更献の一環としてAED(自動体外式除細動器)を市内の公共施設に寄贈した。

2 小学校の卒業式を間近に控えた児童たちが発表会を行い、在校生を前に歌や寸劇などを被露した。

3 戦後の食糧難を経験している祖父は、危餓に苦しむ国の子供たちを援助したいと、毎年寄付金を送っている。

4 大手のデパートが駅前の一等地から次々と撤退していく背景には、商品に対する雇客の意識変化がある。

5 燃費効率のよいエンジンを搭採した軽乗用車の出荷台数が年々伸びて、自動車業界を驚かせている。

6 帰宅途中の人を暗がりで待ち伏せ、刃物で偉嚇して金品を奪い逃走していた犯人が数日後に捕まった。

7 父は定期健康診断で肥満体寸前だと指摘されたが、現在の体重を依持するのが精いっぱいの様子だ。

8 当局は、不法な選挙運動を行っていたとして議員を逮捕し、事務所から証拠書類を横収した。

9 暴力事件を起こして引退に追い込まれた有名なスポーツ選手は、自信過状になり慢心していたのだろう。

10 野球大会の決勝は、序盤から見ごたえのある接戦となり、両チームの投手が敢急自在の投球を繰り広げた。

解答

	1	2	3	4	5	6	7	8	9	10
誤	更	被	危	雇	採	偉	依	横	状	敢
正	貢	披	飢	顧	載	威	維	押	剰	緩

11 先人の輝跡をたどり、そこから教訓を得ようと欲する人は、自らの人生を有意義なものにできる。

12 長年にわたって腰の痛みに悩まされてきたが、ストレッチ体操を始めたところ験著な効果が現れてきた。

13 財政を再建する一環として、従来行ってきた予算配分の仕方を見直し、個別交衝により削減することになった。

14 団塊の世代が高齢者の仲間入りをしたので、年金や医療、介護に充てる資金の枯括が憂慮されている。

15 台風による高波を受けて座床し、沈没の危険が迫る大型帆船から、ヘリコプターで乗組員を救出した。

16 街の景観を守るための市民運動を進めている知人から誘われ、その支縁組織に加わって活動することになった。

17 受注量が年初から漸次減少傾向にあるので資金繰りが苦しくなり、年末には取引先への支払いが充滞しそうだ。

18 冬山登山中に雪崩に遭って滑落した大学山岳部員は、掃索隊によって発見され、無事に救助された。

19 困難に負けない強い任耐力がなければ、先人が残した偉大な社会事業の維持は難しいであろう。

20 沿岸漁業に深刻な打撃を与えている巨大なクラゲについて、その発生場所と移動経路が覇握された。

21 使用期限が切れて古くなった消火器は、容器の腐食により爆発する危険があるので、業者に廃規処分を依頼した。

22 昭和三十年代には「煙の都」として工業地帯の郷土を宣伝し、その廃出量を誇っていた都市もあったのだ。

23 干ばつが進行する南半球のある国では、バッタが大量に繁嘱して畑を荒らし、作物の収穫量が激減した。

24 欧州の支社に勤務していた友人が帰国してからは、賓繁に会えるようになり旧交を温めている。

11 輝→軌
12 験→顕
13 衝→渉
14 括→渇
15 床→礁
16 縁→援
17 充→渋
18 掃→捜
19 任→忍
20 覇→把
21 規→棄
22 廃→排
23 嘱→殖
24 賓→頻

A 誤字訂正①

誤字訂正②

目標時間 **18**分

合格ライン **20**点

得点 ／24 月 日

● 次の各文にまちがって使われている**同じ読みの漢字**が**一字**ある。**上に誤字**を、**下に正しい漢字**を記せ。

1 盲目の青年ピアニストによる演奏は満員の聴衆を味了し、アンコールの拍手が鳴りやまなかった。

2 試合の途中から大粒の雨が降り出し、その上雷鳴がとどろく悪天候になったため中断を余技なくされた。

3 霧の街の風景を、愛愁に富んだ筆致で描いたその絵は好評を博し、連日多くの人が展覧会場を訪れている。

4 江戸の古地図を手に中心地として栄えた場所を訪ねたところ、記載のとおり水路の移構を見つけた。

5 酒気帯び運転を取り締まり、撲滅しようという運動が全国一勢に始まり、警察署にはポスターがはられている。

6 大地震に遭ったカリブ海に浮かぶ島を委問した支援者らが現地の人々のための募金活動を始めた。

7 日々の金銭の出し入れを遺労なく行うことに家計簿をつけることの意義があり、将来の生活設計にも役立つ。

8 世界で最も高くなる電波塔の建設工事を受け負った建設会社は、その概要と工事日程を発表した。

9 懇切丁寧に指導しても理解を示さず、単純なミスを繰り返す新人部員に対し、堪忍袋の尾が切れて一喝した。

10 流行歌の世界で海狭をテーマとしたものが多いのは、日本が多くの島々で成り立っている国だからである。

解答

	1	2	3	4	5	6	7	8	9	10
誤	味	技	愛	移	勢	委	労	受	尾	狭
	↓	↓	↓	↓	↓	↓	↓	↓	↓	↓
正	魅	儀	哀	遺	斉	慰	漏	請	緒	峡

11 一時は老人快護施設への入所も考えていたほど祖母の病状は深刻だったが、驚異的に回復した。

12 外国の出版物などの著作物を、その著作権者に無断で複製発行したものを海族版という。

13 初めてフルマラソンを走る人には、長い距離は怖いという該念を植え付けないように指導することが重要だ。

14 大西洋沿岸を襲った大津波では、情報の伝達がなかった地域で、皆滅的な被害が生じている。

15 唐の時代に三蔵法師の一行が長安からインドまでを往復した過刻な旅を素材にした「西遊記」は人気がある。

16 地方での深刻な過措化は、農業や林業、水産業など国の根幹となる第一次産業を軽視してきた結果でもある。

17 激しく市場占有率を争う二つの飲料メーカーの合閉話は、統合条件で歩み寄れず御破算となった。

18 景気の後退が続くため、製鉄会社では架働中の溶鉱炉のうち一基の操業を休止することにした。

19 冬季五輪の各競技の中で、華令な演技を競うフィギュアスケートは人気が高く、テレビ中継の視聴率も高い。

20 十七文字から成る俳句は、限られた字数の中で自然や人間の心象をいかに換起させるかが肝要だ。

21 高原鉄道の終着駅に近い温泉地では、間抜材を加工したミニサイズの道具を土産物として売り評判になっている。

22 新興住宅地で地盤の変動による家屋の損壊が起きたのは、地下水のくみ上げ過ぎによる一帯の貫没が原因である。

23 広大な砂漠地帯の中に突然現れた早春のオアシスは芽吹いた並木道がさわやかで美しく、感鳴を受けた旅だった。

24 経済活動の制限を閑和することは効果的ではあるが、一方で所得格差の拡大を助長することにもなる。

11 快→介
12 族→賊
13 該→概
14 皆→壊
15 刻→酷
16 措→疎
17 閉→併
18 架→稼
19 令→麗
20 換→喚
21 抜→伐
22 貫→陥
23 鳴→銘
24 閑→緩

誤字訂正①

●次の各文にまちがって使われている**同じ読みの漢字**が**一字**ある。**上に誤字**を、**下に正しい漢字**を記せ。

目標時間 **18**分

合格ライン **20**点

得点 ／24 月 日

1 国際線の航空機内で重病人が出たので勤急着陸するとの通報を受け、医師や看護師、救急車が空港で待機した。

2 明治初期の青年像に現在の若者とは異なる気博を感じるのは、時代の礎になろうとする意気の差であろうか。

3 私たちを犯罪から守り生活の安全を保障するための基板として防犯カメラが設置されたが、問題点も多い。

4 亡くなった芸能界の巨肖は、映画の世界で名声を得た人だが、その渋い独特の歌声も広く愛された。

5 労働組合は賃金引き上げの要求をまとめて提出し団体交渉に臨んだが、経営側は許絶し応じなかった。

6 旧家の蔵を整理したところ古文書が大量に見つかり、江戸時代末期の社会状況を知る希重な資料となっている。

7 大量宣伝で急成長を果たした企業で顧客情報を外部に漏らす事件が発生し、テレビCMの放映を自縮している。

8 小学校に入学して初めての運動会で、クラス対抗リレーに出場し、健命に走っている娘の姿に感涙した。

9 中央銀行が行う金裕政策の柱の一つは、金利を動かすことによって物価を安定させ市場の混乱を防ぐことである。

10 仕事で世界各地の事業所に勤務し定年退職した友人は、五か国語を苦使できる能力を買われ再就職した。

解答

	誤		正
1	勤	→	緊
2	博	→	迫
3	板	→	盤
4	肖	→	匠
5	許	→	拒
6	希	→	貴
7	縮	→	粛
8	健	→	懸
9	裕	→	融
10	苦	→	駆

11 アラビア半島の北部は世界掘指の産油地域であり、交易に適した港湾や空港が拡充されている。

12 第二の就職氷河期といわれる昨今、悪戦苦倒する学生たちに対して合同の企業説明会が開かれた。

13 長雨に続く集中豪雨によって河川が増水した上、堤防が決開したので集落全体が床上浸水の被害に遭った。

14 会社を無断で欠勤したり、依頼しておいた得意先への確認を怠っていたりと、責任感の欠除が甚だしい。

15 かつては句会の吟行に重い歳時記を持参していたが、今では季語を検策できる電子辞書を使っている。

16 有料としての制度を謙持してきた高速道路の無料化には賛否両論があったが、一部での試験実施が決まった。

17 多くの死傷者を出した鉄道事故で捜査機関は現場険証を行い、事故原因の究明に努めている。

18 サッカーは、監督が企図した戦術を理解した選手が均密な意思疎通によって試合を展開する競技である。

19 テレビで放映される鉄道紀行の番組では、世界各地の豪佳な列車が紹介されるので、豊かな気分を味わえる。

20 資本主義経済体制の下では、株価が高登するにせよ下落するにせよ、常に弱肉強食の世界である。

21 野放図に所得格差を拡大させると人心が広廃し、社会的秩序がさらに乱れるという悪循環に陥る。

22 職場で効妙に立ち回り、上司におもねっていた男が大失敗をしたのは、同僚の信頼を失ったからである。

23 来年発売する新商品の呼唱を決めるため、宣伝部では各世代に対する聞き取り調査を実施した。

24 入社から定年まで勤めることができる終身顧用は、税収の安定や年金制度の維持に寄与していたのである。

11 掘→屈
12 倒→闘
13 開→壊
14 除→如
15 策→索
16 謙→堅
17 険→検
18 均→緊
19 佳→華
20 登→騰
21 広→荒
22 効→巧
23 唱→称
24 顧→雇

B ランク

誤字訂正②

● 次の各文にまちがって使われている**同じ読みの漢字**が**一字**ある。**上に誤字**を、**下に正しい漢字**を記せ。

1 全国各地で貴重な干潟が減少しつつある状況を憂慮する団体が集会を開き、議会への要請文を裁択した。

2 温室栽媒による野菜や果物の出荷と消費が当然になっている現在では、季節を待って食べる楽しみを失った。

3 希代の差欺師と言われた男は、一見柔弱で人あたりがよく、老若男女だれからも信用されていたそうだ。

4 高度経済成長への先懸けとなった一九六四年は東京五輪が行われ、自動車時代の幕開けでもあった。

5 景気の低迷に対処して各企業では宣伝広告費の搾減が相次ぎ、あおりで製紙業界では減産を余儀なくされている。

6 政府は、中国残留日本人孤児やその家族の生活を安定させるため、新支援索を打ち出した。

7 四年に一度行われるスポーツの祭典の開幕が迫った会場周辺には、禁張した面持ちの警備員が大勢立っている。

8 今すぐにでも経済再建策を実仕に移して景気を回復させることが必要だが、議会の論議は遅々として進まない。

9 悲惨な事故につながる確率が高い飲酒運転を取り閉まるため、担当の警察官が要所に配置された。

10 年金制度を将来にわたって安心なものにするため、当該官庁の方針を受け、審議会に試問された。

目標時間 18分

合格ライン 20点

得点 ／24 月 日

解答

	1	2	3	4	5	6	7	8	9	10
誤	裁	媒	差	懸	搾	索	禁	仕	閉	試
	↓	↓	↓	↓	↓	↓	↓	↓	↓	↓
正	採	培	詐	駆	削	策	緊	施	締	諮

11 耳も不自由な老夫婦が、斜断機のない踏切ではねられ死亡する事故があり、鉄道会社は改善策を講じた。

12 青年海外協力隊に応募し、その一員として中南米で活動してきた彼は、様々な収獲を土産にして帰国した。

13 南北に縦幹する高速道路が完成したので、日本海側と太平洋側との交流が一層盛んになるだろう。

14 病に苦しむ患者が病院に望むことは、医療用機器の従実だけではなく親身になって悩みを聞く職員がいることだ。

15 長年にわたって市民の文化拠点として利用されてきた図書館が修全され、蔵書が大幅に増えて喜ばれている。

16 昨夜から悪寒が走るので近所の内科医院で受審したところ、新型インフルエンザと判明し総合病院へ移された。

17 弓矢を使って山野の鳥や獣を捕らえていたのが、時代が移ると網や銃となったように、取猟方法は変遷してきた。

18 陸上競技における走高跳は、バーに向かって走ってきた速度を上への俊発力に変える技術が要求される。

19 醸化槽とは、生活排水などを沈殿・分離し、処理するための施設、または設備である。

20 十日間の海外旅行は、宗教に対する考え方の違いなど新鮮な驚きも感じて、渉涯忘れられない旅となった。

21 学習する権利や機会を保障する仕組みとして、彰学金制度は優秀で経済的に苦しい生徒を支えてきた。

22 超高層ビルディングが瞬く間に崩れ落ちていく傷撃的な映像は、十年を経た今でも脳裏に焼きついて離れない。

23 来春卒業予定者の就職内定状況が思わしくないので、大学の担当窓口では多様な資格取得を証励している。

24 駅前通り商店街の一角に念願であった二号店を開店し、新機の客を開拓するため宣伝チラシを作成した。

11	12	13	14	15	16	17	18	19	20	21	22	23	24
斜↓遮	獲↓穫	幹↓貫	従↓充	全↓繕	審↓診	取↓狩	俊↓瞬	醸↓浄	渉↓生	彰↓奨	傷↓衝	証↓奨	機↓規

C ランク

誤字訂正①

● 次の各文にまちがって使われている**同じ読みの漢字**が**一字**ある。**上に誤字**を、**下に正しい漢字**を記せ。

1 新しく発売された下着類は、進縮性に優れていて防寒機能も高く、その上低価格なのでよく売れている。

2 人気の湾岸地域にマンション建設を計画したが、予定地を調査したところ尽大な土壌汚染が明らかになった。

3 仕入れや販売、経理状況について欠陥や問題点の有無を調べ、企業の先行きを判断する経営伸断は欠かせない。

4 熱帯魚を飼育することを趣味とする父は、三つの水倉を玄関の横に並べ、休日には水や藻の手入れに余念がない。

5 核兵器廃絶を訴えるのは、枢高な理想として掲げるためではなく、地球上のすべての生物を守るためなのである。

6 古寺の静寂な堂内で仏像を拝観していると心の目が済まされる思いになり、日々の雑念が払われる。

7 戦国時代は、各地に割拠した大名が武力で他の勢力を打ち負かして制破し、権力を握ることの繰り返しである。

8 現今の若者はビールや日本酒など酒類をたしなむ者は減り、どちらかといえば静涼飲料水を好むそうだ。

9 バレエ公演の幕が開き、主役の女性舞踊家は鮮細な指先を頭上にかざして舞台中央に立ち、踊り始めた。

10 小中学生の言語能力が低下してきたと指摘されてから久しいが、国語教育関係者の努力により全次向上しつつある。

目標時間 18分

合格ライン 20点

得点 ／24

月 日

解答

	1	2	3	4	5	6	7	8	9	10
誤	進	尽	伸	倉	枢	済	破	静	鮮	全
正	伸	甚	診	槽	崇	澄	覇	清	繊	漸

11 小学生から中学生の時代に聴いた童謡や流行歌の歌詞と線律は、いくつになっても忘れないから不思議だ。

12 既に故人となった、古典を得意とする落語家の染練された話芸は、並の精進では到達できない域にあった。

13 高級腕時計を大量に盗み出して逃亡した窃盗グループが外国で逮捕され、捜査本部では身柄の送関を求めている。

14 百年前に操業した純和風のしにせの旅館だが、時代の流れにあらがうことはできず洋風の別館を増築した。

15 著名な文学賞の授賞式が都心のホテルで盛大に行われ、三人の新進作家に対し賞金と記念品が贈提された。

16 鳴り物入りで造弊され国内に出回った二千円札だったが、今ではほとんど見る機会もなく知らない若者も多い。

17 定期人事異動によって販売速進部門から商品流通部門へ配置変えとなり、慣れない力仕事に四苦八苦している。

18 大麻など違法な薬物の国内持ち込みを疎止するには、これを絶対に使わないという世論づくりが肝要である。

19 記録的な大雨によって国道の橋脚が損塊したため、復旧工事が終わるまでの間は回り道をすることになる。

20 冒険家の自叙伝や人物評を読んでみると、大端不敵に突き進んでいるように見えて実は小心である点が愉快だ。

21 昔の農家では茶の木を植えて自家用にしたので、五月になると子供もお茶の葉の詰み方を習い手伝った。

22 地方都市の衰退が社会問題となっているが、地域経済の中殻をなす産業の再生こそが復興への道である。

23 希望した大学に合格し地方から上京して最初に驚いたことは、アパートの高額な賃替料だった。

24 テレビ番組の討論会で使う資料の呈供を広報部に依頼しておいたところ、翌日に遺漏なく届けられた。

11 線→旋
12 染→洗
13 関→還
14 操→創
15 提→呈
16 弊→幣
17 速→促
18 疎→阻
19 塊→壊
20 端→胆
21 詰→摘
22 殻→核
23 替→貸
24 呈→提

C ランク

誤字訂正②

● 次の各文にまちがって使われている**同じ読みの漢字**が**一字**ある。**上に誤字**を、**下に正しい漢字**を記せ。

目標時間 **18**分

合格ライン **20**点

得点 ／24　月　日

1 労使の交渉が泥沼の様相を貞し当事者の間で解決できそうもないので、労働委員会が調整することになった。

2 景気の悪化に歯止めがかからず各企業で社員の新規採用を見送るため、雇用状況の停態は当分続くものと思われる。

3 座礁した貨物船から乗組員を救出する作業は、台風による強い風雨の中で、夜を撤し懸命に続けられた。

4 かつて東北地方北部や北海道は優秀な力士を輩出する土譲があり名横綱も生まれたが、近年はさっぱりふるわない。

5 舗装された国道を網の目のように全国津々浦々に伸ばしていたころ、高度経済成長は続くものだと錯覚していた。

6 建設中のダム工事を中止することが決まり、建設当事者と住民との間で媒償金の交渉が始められた。

7 十年ぶりに行われた同期生の会合は、幹事の配虜がすみずみまで行き届いて和やかな雰囲気で歓談できた。

8 高層ビルが林立する大都会に立って考えることは、いつの日か老朽化する建造物を破解する際の惨状である。

9 世界の歴史を勢力図の変遷でたどってみると、少数民族の拍害と激しい宗教弾圧の連続であることがわかる。

10 古代文明発承の地として知られる中東地域の貴重な歴史的遺跡を、戦火や内乱から守らねばならない。

解答

	誤		正
1	貞	↓	呈
2	態	↓	滞
3	撤	↓	徹
4	譲	↓	壌
5	伸	↓	延
6	媒	↓	賠
7	虜	↓	慮
8	解	↓	壊
9	拍	↓	迫
10	承	↓	祥

11 大学の考古学研究室によって古墳から発掘された土器に新しい紋様があると般明し、学会の話題になっている。

12 もし海岸の近くにいる時に大地震に遭遇したら、津波の発生を予見して一刻も早く高い場所に否難しよう。

13 体育館での生活が当初の予想より長期化し住民の疲幣が甚だしいので、災害対策本部では医療スタッフを増員した。

14 軽くてスピードが出る自転車が我が物顔で走るため、歩行者との衝突が賓発し、死亡事故も起きている。

15 漢字のもとの形を研究し、読み解く学び方を普久させた異端の漢字学者は、古武士のような容姿であった。

16 明治維新から太平洋戦争終結に至るまでの文件を収集し、取材した資料も整ったので、軍事小説を書き始めた。

17 小中学生の学力を調査、分積した結果によると、学習時間の長短が必ずしも学力の差ではないと理解できる。

18 高層マンションの建設をめぐる地域住民と業者との憤争は、日照権について の補償問題で長引いている。

19 偽の食品表示によって消費者をたぶらかし利益を増やそうとした企業は、メーカーの責任を放岐したに等しい。

20 近所にある神社の秋季大祭では、恒例の豊納相撲が開催され、商店街では山車や子供みこしが出番を待つ。

21 個体数が減少しつつあると危ぶまれている鯨の捕核については、世界で賛否両論があり難しい判断を迫られる。

22 乾燥注意報が出された日の夜に起きた火事は、季節風にあおられて猛偉を振るい空前の大火となった。

23 政治家の接待や会合の場所といえば高級な料邸と決まっていた時代もあったが、近年はホテルやバーが多いそうだ。

24 八十歳をこえても畑で野菜を作り、かくしゃくと生きた祖父が、老睡のため百歳で天寿を全うした。

11	12	13	14	15	16	17	18	19	20	21	22	23	24
般→判	否→避	幣→弊	賓→頻	久→及	件→献	積→析	憤→紛	岐→棄	豊→奉	核→獲	偉→威	邸→亭	睡→衰

送りがな

●次の――線の**カタカナ**を**漢字一字**と**送りがな（ひらがな）**に直せ。

〈例〉問題に**コタエル**。　答える

1 待っている時間が**オシイ**。
2 帰郷して**ナツカシイ**人に会う。
3 **イツワリ**の証言を弁護士が暴く。
4 合併の申し入れを**コバム**。
5 思い違いも**ハナハダシイ**。
6 最近は人間関係に**ウトク**なった。
7 流行は、すぐに**スタレル**。
8 **ワズラワシイ**もめ事が起きた。
9 運営資金は積立金で**マカナウ**。

解答

1 惜しい
2 懐かしい
3 偽り
4 拒む
5 甚だしい
6 疎く
7 廃れる
8 煩わしい
9 賄う

---

10 傷心の僚友を**ナグサメル**。
11 **ケガラワシイ**行為が非難を浴びた。
12 娘が遠い地へ**トツグ**。
13 **アヤシイ**物音の正体をつかむ。
14 練習不足による敗戦を**クイル**。
15 歳月が**ヘダタリ**記憶が薄れた。
16 ヨットは海面を**ナメラカニ**進む。
17 **ユルヤカナ**曲線を描く。
18 初志を**ツラヌキ**宿願を果たす。
19 人を**オトシイレル**行為は卑劣だ。

解答

10 慰める
11 汚らわしい
12 嫁ぐ
13 怪しい
14 悔いる
15 隔たり
16 滑らかに
17 緩やかな
18 貫き
19 陥れる

20 時**スデニ**遅く、方策がなかった。
21 **ウヤウヤシイ**態度で応対する。
22 趣向を**コラシ**て作品を仕上げる。
23 近所付き合いを**イヤガル**人が多い。
24 夜が**フケル**と寒さが身にしみる。
25 悪事を**ソソノカサ**れて罪をかぶる。
26 夏休みに花火大会を**モヨオス**。
27 不要不急な予算を**ケズル**。
28 特に**スッパイ**梅干しを好む。
29 **シメッポイ**話は、やめにしよう。
30 木を植えて風を**サエギル**。
31 汗**クサイ**シャツを洗って干す。
32 **ミニクイ**姿になり果てた。
33 父は**シブイ**色のネクタイを好む。

20 既に
21 恭しい
22 凝らし
23 嫌がる
24 更ける
25 唆さ
26 催す
27 削る
28 酸っぱい
29 湿っぽい
30 遮る
31 臭い
32 醜い
33 渋い

34 桃の実が**ウレル**。
35 久々の雨で田が**ウルオウ**。
36 罪の**ツグナイ**に一生をかける。
37 タバコの火で畳を**コガス**。
38 志を**トゲル**まで努力し続ける。
39 十年後の再会を**チカウ**。
40 休日は**モッパラ**読書をしている。
41 その場を**ツクロウ**人は信用しない。
42 花見の宴で琴を**カナデル**。
43 文楽の人形遣いが人形を**アヤツル**。
44 外出時は若々しく**ヨソオウ**。
45 道路の復旧工事が**トドコオル**。
46 あえて苦難の道に**イドム**。
47 空から**ナガメル**夜景が美しい。

34 熟れる
35 潤う
36 償い
37 焦がす
38 遂げる
39 誓う
40 専ら
41 繕う
42 奏でる
43 操る
44 装う
45 滞る
46 挑む
47 眺める

B ランク

送りがな①

目標時間 25分
合格ライン 38点
得点 ／47 月 日

● 次の――線のカタカナを漢字一字と送りがな（ひらがな）に直せ。

〈例〉問題にコタエル。 答える

1 白菜を塩でツケル。
2 汗がシタタルほど暑い日だ。
3 困難に負けない忍耐力をツチカウ。
4 規則でシバリ過ぎてもよくない。
5 険悪な空気がタダヨウ。
6 濃霧が湖面全体をオオウ。
7 人情のない世をイキドオル。
8 食事がカタヨルと体に悪い。
9 善行をした子をホメル。

解答
1 漬ける
2 滴る
3 培う
4 縛り
5 漂う
6 覆う
7 憤る
8 偏る
9 褒める

10 アキルほど聞いた話だ。
11 通勤用の革靴をミガク。
12 国道が土砂にウモレル。
13 力を誇る者も必ずホロビル。
14 連帯責任をマヌカレた。
15 根気強く教え子をサトス。
16 企業の土台がユラグ。
17 見目ウルワシイ女性に会う。
18 アヤマチを未然に防ぐ。
19 政治改革をクワダテル。

解答
10 飽きる
11 磨く
12 埋もれる
13 滅びる
14 免れ
15 諭す
16 揺らぐ
17 麗しい
18 過ち
19 企てる

20 家族の愛情に**ウエル**。
21 悪質な業者に**アザムカ**れる。
22 **シイタゲ**られてきた民族だ。
23 名声は永遠に**クチル**ことはない。
24 魚の骨が歯に**ハサマル**。
25 環境破壊は生命を**オビヤカス**。
26 思慮が足りず**オロカ**だった。
27 山深い温泉宿で**イコウ**。
28 **イサギヨク**第一線から身を引いた。
29 いつも**カシコク**立ち回る人だ。
30 自分の運命を**サトル**。
31 突然の計画変更に**アワテル**。
32 冷たい仕打ちを**ウラメシク**思う。
33 荒波が**クダケル**海岸に立つ。

20 飢える
21 欺か
22 虐げ
23 朽ちる
24 挟まる
25 脅かす
26 愚か
27 憩う
28 潔く
29 賢く
30 悟る
31 慌てる
32 恨めしく
33 砕ける

34 人込みで肩と肩が**スレル**。
35 当面の解決策を**ホドコス**。
36 豊かな自然環境を**イツクシム**。
37 衆に**ヒイデル**者が世を動かす。
38 男は**マタタク**間に姿を消した。
39 厳粛な雰囲気を**カモシ**出す。
40 休憩時間に背筋を**ノバス**。
41 原稿用紙にインクが**シミル**。
42 内に**ヒソム**情熱を文字で表現する。
43 事件をやみに**ホウムル**。
44 借金の返済を**ウナガス**。
45 不注意で聞き**ソコネ**てしまった。
46 健康管理を**オコタラ**ない。
47 ヒアリングで語学力を**キタエル**。

34 擦れる
35 施す
36 慈しむ
37 秀でる
38 瞬く
39 醸し
40 伸ばす
41 染みる
42 潜む
43 葬る
44 促す
45 損ね
46 怠ら
47 鍛える

送りがな②

目標時間 25分

合格ライン 38点

得点 ／47

月　日

● 次の――線のカタカナを漢字一字と送りがな（ひらがな）に直せ。

〈例〉問題にコタエル。　答える

1 幼児期の成長はイチジルシイ。
2 葬儀でトムライの言葉を述べる。
3 度重なる失敗にコリル。
4 暗くて前方がサダカニ見えない。
5 全身がコゴエルような寒い朝だ。
6 恩師の死をイタム。
7 天下をスベル大名となる。
8 懐中に大金をシノバセル。
9 体を後ろにソラス。

解答
1 著しい
2 弔い
3 懲りる
4 定かに
5 凍える
6 悼む
7 統べる
8 忍ばせる
9 反らす

10 自らをイヤシメルような行為だ。
11 全財産をツイヤシて家を建てた。
12 対戦相手の実力をアナドル。
13 事情があって名をフセル。
14 気がマギレルまで散歩する。
15 蛮カラな学風をシタウ。
16 王に貢ぎ物をタテマツル。
17 夜半から天気がクズレル。
18 難題を前に頭をカカエル。
19 野次が議事の進行をサマタゲル。

解答
10 卑しめる
11 費やし
12 侮る
13 伏せる
14 紛れる
15 慕う
16 奉る
17 崩れる
18 抱える
19 妨げる

20 綿を**ツムイ**で糸にする。
21 将来の夢が**フクラム**。
22 前言を**ヒルガエシ**て賛成派に回る。
23 天ぷらを**アゲル**。
24 **ホッスル**物を手に入れる。
25 金銭に**カラム**事件が起きた。
26 布が**サケル**ような音がする。
27 ポットから湯が**モレル**。
28 物価の上昇を**オサエル**。
29 秋を**イロドル**紅葉が盛りだ。
30 先代からの**イマシメ**を守る。
31 **ネンゴロニ**もてなす。
32 やかんで湯を**ワカス**。
33 **ヤワラカイ**牛肉を食べた。

20 紡い
21 膨らむ
22 翻し
23 揚げる
24 欲する
25 絡む
26 裂ける
27 漏れる
28 抑える
29 彩る
30 戒め
31 懇ろに
32 沸かす
33 軟らかい

34 明日は**カナラズ**来てください。
35 ついに進退**キワマル**。
36 一流レースを**カケル**競走馬だ。
37 歴史を**カエリミル**ことが肝要だ。
38 彼女はいつも**ホガラカニ**笑う。
39 二人は手を**タズサエ**て生きている。
40 季節は風**カオル**五月になった。
41 両手に荷物を**サゲル**。
42 村は昔日の面影なく**サビレ**ていた。
43 娘は小**オドリ**して喜んだ。
44 **ナゴヤカナ**雰囲気で語り合う。
45 小犬と**タワムレル**子を写真に撮る。
46 諸準備を**スミヤカニ**行う。
47 両案を**アワセ**て資料を作る。

34 必ず
35 窮まる
36 駆ける
37 顧みる
38 朗らかに
39 携え
40 薫る
41 提げる
42 寂れ
43 躍り
44 和やかな
45 戯れる
46 速やかに
47 併せ

書き取り①

目標時間 25分

合格ライン 39点

得点 ／48 月 日

● 次の――線の**カタカナ**を**漢字**に直せ。

1 彼の才能に**シット**する。
2 経済上の理由で進学を**アキラ**めた。
3 机の上を**セイトン**する。
4 次の大会では優勝を**ネラ**う。
5 賛否を問う論争が**ボッパツ**する。
6 国内最大の**ツル**の越冬地。
7 見知らぬ場所に**ラチ**された。
8 真実は**ヤミ**に葬られた。
9 失敗せぬよう**チミツ**に計画を練る。
10 **マユゲ**の手入れをする。

解答
1 嫉妬
2 諦
3 整頓
4 狙
5 勃発
6 鶴
7 拉致
8 闇
9 緻密
10 眉毛

11 転んで足首を**ネンザ**した。
12 中世史に**ゾウケイ**が深い。
13 くずかごに**フタ**をする。
14 好奇心の**オウセイ**な子供だ。
15 彼の行為は**ケイベツ**に値する。
16 ゴールに向かってボールを**ケ**る。
17 彼が**シッソウ**してから五年がたつ。
18 軒先に**シブガキ**を干す。
19 壮大な自然に**イフ**の念を抱く。
20 法事で**シンセキ**一同が集まった。

解答
11 捻挫
12 造詣
13 蓋
14 旺盛
15 軽蔑
16 蹴
17 失踪
18 渋柿
19 畏怖
20 親戚

21 拍手の**アラシ**で沸き返る。
22 車**イス**専用の席を設置する。
23 つぶらな**ヒトミ**で見つめられた。
24 **ケンバン**ハーモニカを演奏する。
25 **オオマタ**で廊下を歩く。
26 **ハンソデ**シャツに着替える。
27 恥ずかしがって**シリゴ**みする。
28 意外と**シン**の強い女性だ。
29 泣きすぎて目が**ハ**れる。
30 **ショセン**、優勝は無理だった。
31 余命が**タンセキ**に迫る。
32 **ヤ**せ我慢は禁物だ。
33 **カコク**な練習に耐える。
34 ほどなく両国は**ワボク**した。

21 嵐
22 椅子
23 瞳
24 鍵盤
25 大股
26 半袖
27 尻込
28 芯
29 腫
30 所詮
31 旦夕
32 痩
33 苛(過)酷
34 和睦

35 **ドンブリ**飯をたいらげる。
36 失態をおかし**ツウバ**を浴びる。
37 映画の世界に**デキワク**する。
38 白と黒の**ハン**がある猫を飼う。
39 料理を**ムサボ**るように食べる。
40 何をするにも**グマイ**な人だ。
41 聴衆から拍手**カッサイ**を浴びる。
42 ハンカチで汗を**ヌグ**う。
43 雨上がりの**ニジ**を眺める。
44 **フジイロ**のきれいな浴衣を着る。
45 赤ちゃんを見て**ホオ**が緩む。
46 **ヒユ**を使った文を書く。
47 誤りは一目**リョウゼン**だ。
48 **ヒゴロ**の感謝の気持ちをつづる。

35 丼
36 痛罵
37 溺惑
38 斑
39 貪
40 愚昧
41 喝采
42 拭
43 虹
44 藤色
45 頰
46 比喩
47 瞭然
48 日頃

書き取り②

目標時間 **25**分

合格ライン **39**点

得点 ／48

月　日

● 次の――線の**カタカナ**を**漢字**に直せ。

1 孫を見て**メジリ**を下げる。
2 本を**リョウワキ**に抱える。
3 家の**カギ**をなくして慌てる。
4 ぬれた**ゾウキン**を力一杯絞る。
5 **ダレ**にも口を出されたくない。
6 二国間の**キレツ**が深まる。
7 **ヒヨク**な土地で稲を栽培する。
8 **シカ**のツノは毎年生え替わる。
9 **フロ**で疲れた体を癒やす。
10 **ショウチュウ**を飲んで酔っ払う。

解答

1 目尻
2 両脇
3 鍵
4 雑巾
5 誰
6 亀裂
7 肥沃
8 鹿
9 風呂
10 焼酎

11 家族で近所の神社に**サンケイ**する。
12 地震で**カワラ**が落ちる。
13 融資を得るための**ヒッス**条件。
14 自分に合った**マクラ**を買う。
15 洋服の**スソ**を汚す。
16 このままでは家計が**ハタン**する。
17 **ザンシン**なアイディアで窮地を脱する。
18 **アイ**染めの手ぬぐいをもらう。
19 彼は一生をともにする**ハンリョ**だ。
20 家族全員で**ナベ**を囲む。

解答

11 参詣
12 瓦
13 必須
14 枕
15 裾
16 破綻
17 斬新
18 藍
19 伴侶
20 鍋

21 **アテサキ**を綺麗（きれい）な字で書く。
22 怒りにまかせて相手を**ノノシ**る。
23 炎天が続き、作物が**シオ**れる。
24 風邪を引き、**ノド**が痛い。
25 **カマ**で飯を炊く。
26 彼は**ゴイ**が豊かで弁舌に優れている。
27 期限切れの食品の匂いを**カ**ぐ。
28 厳しい**ケイコ**に耐える。
29 急な**フホウ**が届く。
30 **クマ**の曲芸は見事なものだ。
31 **ゴウマン**な態度は改めるべきだ。
32 故郷に**ニシキ**を飾る。
33 国王の**タイカン**式が催される。
34 古代の**ナゾ**を解き明かす。

21	22	23	24	25	26	27	28	29	30	31	32	33	34
宛先	罵	萎	喉	釜	語彙	嗅	稽古	訃報	熊	傲慢	錦	戴冠	謎

35 雑草を**カマ**で刈る。
36 **サワ**やかな五月晴れだ。
37 師匠に教えを**コ**う。
38 失敗続きで**オクビョウ**になる。
39 **シンチョク**状況を確認する。
40 鋭い**キバ**を持つ。
41 弾圧は**カレツ**を極めた。
42 手負いの獣が**ケッコン**を残す。
43 敵の**スキ**を突いてゴールを決める。
44 鶏肉を**クシ**に刺す。
45 畑を**サク**で囲う。
46 **ヒジ**でつついて出番を知らせる。
47 深い眠りから**カクセイ**する。
48 豊かな才能を**ネタ**む。

35	36	37	38	39	40	41	42	43	44	45	46	47	48
鎌	爽	乞	臆病	進捗	牙	苛烈	血痕	隙	串	柵	肘	覚醒	妬

書き取り③

目標時間 25分

合格ライン 39点

得点 ／48 月 日

●次の――線の**カタカナ**を**漢字**に直せ。

1 こびた**アイソ**笑いを浮かべる。
2 武器弾薬を**オウシュウ**する。
3 **キセイ**の道徳から学ぶことは多い。
4 自信がないのに**キョセイ**を張る。
5 **キョウキン**を開けば心が通じる。
6 さしあたり**ザンテイ**予算で賄う。
7 被災者を助ける**ジゼン**事業を行う。
8 農作物の増産を**ショウレイ**する。
9 部長**タイグウ**で入社した。
10 消防車の早い到着ですぐ**チンカ**した。

解答

1 愛想
2 押収
3 既成
4 虚勢
5 胸襟
6 暫定
7 慈善
8 奨励
9 待遇
10 鎮火

11 責任を部下に**テンカ**しない上司だ。
12 採用条件に**トクシュ**技能を求める。
13 見たところ何の**ヘンテツ**もない。
14 配線の不備で**ロウデン**していた。
15 全国**イッセイ**のテストが始まる。
16 紛争の**カチュウ**に悲劇が重なった。
17 傷口の**エンショウ**で熱が出た。
18 議論の**オウシュウ**で盛り上がる。
19 商店街再興への**オンド**を取る。
20 庭に盛り土をして**カダン**を造る。

解答

11 転嫁
12 特殊
13 変哲
14 漏電
15 一斉
16 渦中
17 炎症
18 応酬
19 音頭
20 花壇

21 **ゲドク**剤が効き、楽になる。
22 新しい仏像の**カイゲン**供養を営む。
23 核兵器のない世界を**カツボウ**する。
24 注意を**カンキ**する放送を行う。
25 戦禍を被った人々を**アワ**れむ。
26 友人のために**ヒトハダ**脱ぐ。
27 ノートに文字を**ナグ**り書きする。
28 俊足の走者が本塁に**スベ**り込む。
29 極秘で企業合併を**クワダ**てる。
30 家族で**イコ**いのひとときを過ごす。
31 **ニワトリ**はキジ科の鳥である。
32 正社員として**ヤト**っている。
33 会議を欠席する**ムネ**を伝える。
34 動じない彼は、相当な**サムライ**だ。

21 解毒
22 開眼
23 渇望
24 喚起
25 哀
26 一肌
27 殴
28 滑
29 企
30 憩
31 鶏
32 雇
33 旨
34 侍

35 出演者の意向を**ク**んで脚本を書く。
36 うわさが口の**ハ**に上る。
37 緩んだねじを**シ**め直す。
38 庶民的な弁護士の死を**イタ**む。
39 古雑誌をひもで**シバ**る。
40 通用するか**イナ**か定かでない。
41 希望者を**ツノ**って同好会を結成した。
42 口角**アワ**を飛ばして議論する。
43 観客に訴える力が**トボ**しい。
44 会長との兼任を**サマタ**げない。
45 **エン**は異なもの味なもの。
46 かには**コウラ**に似せて穴を掘る。
47 柔よく**ゴウ**を制す。
48 恨み**コツズイ**に徹する。

35 酌
36 端
37 締
38 悼
39 縛
40 否
41 募
42 泡
43 乏
44 妨
45 縁
46 甲羅
47 剛
48 骨髄

書き取り④

目標時間 25分

合格ライン 39点

得点 ／48

月　日

● 次の――線のカタカナを漢字に直せ。

1 首相カンテイに閣僚が集まる。
2 人にはカンヨウの精神で接したい。
3 山腹をカンツウして高速道路を造る。
4 戦地から故国にキカンした。
5 多くのギセイを払い家族を守る。
6 自由な学風をキョウジュして学ぶ。
7 暴漢に襲われキョウジンに倒れた。
8 昭和の時代にキョウシュウを覚える。
9 無期懲役のケイバツを犯人に科す。
10 著書によって世論をケイハツする。

解答
1 官邸
2 寛容
3 貫通
4 帰還
5 犠牲
6 享受
7 凶刃
8 郷愁
9 刑罰
10 啓発

11 ケイコクに沿った登山道を歩く。
12 出発延期はケンメイな決断だった。
13 販売条件についてコウショウをする。
14 判決を不服としてコウソした。
15 暴言を吐いた大臣をコウテツする。
16 湿布をはってヨウツウを治す。
17 布地を用意してサイホウを始める。
18 部活動の予算がサクゲンされた。
19 高名な家元のサンカに入る。
20 胸部シッカンで入院した。

解答
11 渓谷
12 賢明
13 交渉
14 控訴
15 更迭
16 腰痛
17 裁縫
18 削減
19 傘下
20 疾患

21 鉄道には**シャショウ**室がある。
22 **シャオン**対策が完ぺきな住宅だ。
23 友人の好意を**ジャスイ**していた。
24 農作物用の**シュビョウ**を販売する。
25 悪徳業者の不正な取引を**アバ**く。
26 **スミ**一色で絵をかいた。
27 城の周囲に**ホリ**を巡らす。
28 冬の日本海を俳句に**ヨ**む。
29 爆発事故で真っ赤な**ホノオ**が上がる。
30 問屋が**オロシネ**を下げて売る。
31 **カ**は人や動物の血を吸う。
32 試験に落ちて**クヤ**しがる。
33 重大ニュースに大きく紙面を**サ**く。
34 音楽は心の**カワ**きをいやす。

21 車掌
22 遮音
23 邪推
24 種苗
25 暴
26 墨
27 堀
28 詠
29 炎
30 卸値
31 蚊
32 悔
33 割
34 渇

35 必要**カ**つ十分な条件を満たしている。
36 初志を**ツラヌ**き海外留学を果たす。
37 手触りの違いで**ニセサツ**と見破る。
38 酒に酔って**タワム**れる。
39 我が家に**イソウロウ**している青年だ。
40 互角の力での**セ**り合い。
41 尊敬する師の**オオ**せを守る。
42 シナリオに趣向を**コ**らす。
43 **ツツシ**んで祝いの言葉を述べる。
44 **オロ**か者とさげすまれている。
45 **シュ**に交われば赤くなる。
46 身を捨ててこそ浮かぶ**セ**もあれ。
47 行き掛けの**ダチン**。
48 **ダンチョウ**の思いで離郷する。

35 且
36 貫
37 偽札
38 戯
39 居候
40 競
41 仰
42 凝
43 謹
44 愚
45 朱
46 瀬
47 駄賃
48 断腸

書き取り⑤

目標時間 25分
合格ライン 39点
得点 ／48 月 日

●次の――線のカタカナを漢字に直せ。

1 解雇処分のテッカイを求める。
2 学界のジュウチンが亡くなられた。
3 血液は体内をジュンカンしている。
4 濃霧のため列車はジョコウした。
5 貿易会社のショウガイ担当になる。
6 ショウゾウ権の侵害が認められた。
7 寺にジョウザイを寄進する。
8 事業のジョウト契約を結ぶ。
9 政策立案の前にシンギ会に諮問する。
10 ガラスのスイソウで金魚を飼う。

解答
1 撤回
2 重鎮
3 循環
4 徐行
5 渉外
6 肖像
7 浄財
8 譲渡
9 審議
10 水槽

11 法廷で証人センセイをした。
12 狭い海峡でセンパクの安全を守る。
13 意思のソツウを重視して運営する。
14 大事故の現場にソウグウした。
15 ダトウな結論に落ち着く。
16 タクエツした見識の持ち主だ。
17 養殖池でアユのチギョが育つ。
18 両社の取引をチュウカイした。
19 収支内容をチョウボに記入する。
20 チンプな意匠で訴求力がない。

解答
11 宣誓
12 船舶
13 疎通
14 遭遇
15 妥当
16 卓越
17 稚魚
18 仲介
19 帳簿
20 陳腐

21 山の手に**テイタク**を構える。
22 **ジュウナン**な体を維持している。
23 聴衆は荘重な演奏に**ミ**せられた。
24 囲炉裏の**テツビン**から湯気が立つ。
25 同志としての**チギ**りを結ぶ。
26 交通安全の標語を**カカ**げる。
27 **クジラ**は鼻孔から潮を吹く。
28 場に応じて**カシコ**く立ち回る。
29 今は亡き人の**マボロシ**を見た。
30 **ツル**を離れた矢が的を射る。
31 **ユエ**のない悪口は許し難い。
32 言いなれて**クチグセ**になる。
33 集合時間に遅れて**アワ**てた。
34 隣の部屋に**ヒカ**えて待つ。

21 邸宅
22 柔軟
23 魅
24 鉄瓶
25 契
26 掲
27 鯨
28 賢
29 幻
30 弦
31 故
32 口癖
33 慌
34 控

35 秋が**フ**けて、かきの実が熟す。
36 **クロコ**げになった焼き鳥のにおい。
37 あの人に**ウラ**まれる覚えはない。
38 気分が悪く吐き気を**モヨオ**す。
39 新しい鉛筆を**ケズ**る。
40 同窓会の記念写真を**ト**る。
41 地下街の人込みを**ス**り抜けた。
42 満員の山小屋で**ザコ**寝する。
43 初孫が力強く**ウブゴエ**をあげる。
44 恩師から結婚式の祝辞を**タマワ**る。
45 **チュウゲン**耳に逆らう。
46 **イキドオ**りを発して食を忘れる。
47 泣き**ツラ**にはち。
48 **アクセン**身に付かず。

35 更
36 黒焦
37 恨
38 催
39 削
40 撮
41 擦
42 雑魚
43 産声
44 賜
45 忠言
46 憤
47 面
48 悪銭

書き取り⑥

目標時間 25分
合格ライン 39点
得点 ／48
月 日

● 次の――線の**カタカナ**を**漢字**に直せ。

1 語り口が、聞く人を**ミリョウ**する。
2 肥えた**ドジョウ**は作物の出来がよい。
3 **トウゲイ**家は土の質にこだわる。
4 新聞社に**トクメイ**の手紙が届く。
5 かわらは**ネンド**を焼いて製造する。
6 勝ち抜く者には**ハキ**がある。
7 ご高見を**ハイチョウ**いたします。
8 勢力が**ハクチュウ**し選挙は混戦だ。
9 **ハチ**巻きをして運動会に出る。
10 日本酒は米を**ハッコウ**させて造る。

解答
1 魅了
2 土壌
3 陶芸
4 匿名
5 粘土
6 覇気
7 拝聴
8 伯仲
9 鉢
10 発酵

11 ギターの**バンソウ**で演歌を歌う。
12 落成した新工場を**ヒロウ**する。
13 お盆の供養で、お**フセ**を包む。
14 雨漏りのする屋根を**フシン**する。
15 経営の失敗で多額の**フサイ**に苦しむ。
16 雨の日の湖も、また**フゼイ**がある。
17 児童**フクシ**の施設に寄付した。
18 諸課題を**ホウカツ**して説明する。
19 キンモクセイの**ホウコウ**が漂う。
20 駅前の地価が**ボウトウ**した。

解答
11 伴奏
12 披露
13 布施
14 普請
15 負債
16 風情
17 福祉
18 包括
19 芳香
20 暴騰

21 不平等な条約が**テッパイ**された。
22 外壁の**トソウ**工事を行う。
23 **ユウカン**な行動で人命を救う。
24 地方**ユウゼイ**で政策を訴える。
25 教師の**イツク**しみを受けて学ぶ。
26 祝儀袋には**コトブキ**と書いてある。
27 もちを入れた**シルコ**が好物だ。
28 まぶしくて目を**マタタ**く。
29 明かりが**ウル**む霧の町に着く。
30 娘の花嫁姿が**ウイウイ**しい。
31 気が**アセ**るばかりで足が進まない。
32 山里に除夜の**カネ**が鳴り渡る。
33 仕事に**サワ**るので深酒はしない。
34 昇降口で**ウワグツ**に履き替えた。

21 撤廃
22 塗装
23 勇敢
24 遊説
25 慈
26 寿
27 汁粉
28 瞬
29 潤
30 初初 初々
31 焦
32 鐘
33 障
34 上靴

35 赤道直下に位置する**トコナツ**の国。
36 家を子に**ユズ**り隠居した。
37 雅楽が厳粛な雰囲気を**カモ**し出す。
38 夕焼けの中の富士は**コウゴウ**しい。
39 郷里では**カラ**い地酒を造っている。
40 登山中は飯ごうで米を**タ**く。
41 いつも乗り物**ヨ**いに悩まされる。
42 正々堂々と戦うことを**チカ**う。
43 老いると顔に**シ**みが増える。
44 繁栄の**イシズエ**を築き引退した。
45 虎の**イ**を借るきつね。
46 大魚を**イッ**する。
47 実るほど頭の下がる**イナホ**かな。
48 能ある鷹はつめを**カク**す。

35 常夏
36 譲
37 醸
38 神神 神々
39 辛
40 炊
41 酔
42 誓
43 染
44 礎
45 威
46 逸
47 稲穂
48 隠

Bランク 書き取り①

目標時間 25分

合格ライン 39点

得点 ／48

月　日

●次の――線の**カタカナ**を**漢字**に直せ。

1 名香の**ヨクン**に酔う。
2 裁判で医師としての**リンリ**を問う。
3 金銭を**ロウヒ**して無一文になる。
4 **ロウバシン**ながら一言申し上げる。
5 潮風がにおう**ワンガン**鉄道に乗る。
6 **アネッタイ**高気圧に覆われる。
7 **アイビョウ**がこたつで丸くなる。
8 背筋がぞくぞくし**オカン**がしてきた。
9 番犬はほえて相手を**イカク**する。
10 某国の**オウヒ**を宮中に招く。

解答

1 余薫
2 倫理
3 浪費
4 老婆心
5 湾岸
6 亜熱帯
7 愛猫
8 悪寒
9 威嚇
10 王妃

11 従業員の**イロウ**会を行う。
12 **カクシン**を突いた論文を著す。
13 養子縁組を行い**イセキ**した。
14 入学式は**イロウ**なく行われた。
15 最後に**イッシ**を報いることができた。
16 驚くような**イツワ**の持ち主だった。
17 二人の学力には**ウンデイ**の差がある。
18 **エキショウ**画面の改良が進む。
19 忘年会の**カンジョウ**を済ませる。
20 **オウカン**が勝者の頭上に載る。

解答

11 慰労
12 核心
13 移籍
14 遺漏
15 一矢
16 逸話
17 雲泥
18 液晶
19 勘定
20 王冠

21 毎月、養護施設を**イモン**している。
22 できる限り**オンビン**に済ませたい。
23 人情話が**カキョウ**に入る。
24 小兵が大男を相手に**カカン**に戦う。
25 コーヒー豆を**アラ**くひく。
26 頑固な老政治家が改革を**ハバ**む。
27 祖母の葬儀で父が**モシュ**を務める。
28 海難事故で海の**モ**くずとなった。
29 クラブ活動の練習を**ナマ**ける。
30 肥料の**フクロ**を再利用した。
31 重い荷物を**ニナ**い登山する。
32 名工が刀を**キタ**える。
33 病気が治る**キザ**しがある。
34 父は**ホ**りの深い顔立ちをしている。

21 慰問
22 穏便
23 佳境
24 果敢
25 粗
26 阻
27 喪主
28 藻
29 怠
30 袋
31 担
32 鍛
33 兆
34 彫

35 **コ**りずに挑み続けて成功した。
36 資料の有無は**サダ**かでない。
37 物置の屋根にペンキを**ヌ**る。
38 見事な**ドタンバ**の逆転劇だった。
39 新築**ムネア**げ式を盛大に行う。
40 国を**ス**べる人物の出現を待つ。
41 **ネバ**りのある納豆は質が良い。
42 新人を**トモナ**い得意先を回る。
43 家族も連れて海外の任地に**オモム**く。
44 賜杯を争う大勝負に観衆が**ワ**く。
45 火のない所に**ケムリ**は立たぬ。
46 **サル**も木から落ちる。
47 聞いて極楽、見て**ジゴク**。
48 横車を**オ**す。

35 懲
36 定
37 塗
38 土壇場
39 棟上
40 統
41 粘
42 伴
43 赴
44 沸
45 煙
46 猿
47 地獄
48 押

書き取り②

目標時間 25分
合格ライン 39点
得点 ／48 月 日

●次の――線のカタカナを漢字に直せ。

1 温暖化防止運動のカクとなる人だ。
2 カソ化が進む村に若者が戻った。
3 軽くエシャクし笑みを交わす。
4 議長への就任要請をカイダクする。
5 複雑カイキな筋書きの小説を読む。
6 庶民をカイジュウし偽物を売る。
7 公金カイタイのかどで逮捕される。
8 カイキンシャツは暑い季節に合う。
9 国家というガイネンを覆す思想だ。
10 スピーチはカンベンしてもらう。

解答
1 核
2 過疎
3 会釈
4 快諾
5 怪奇
6 懐柔
7 拐帯
8 開襟
9 概念
10 勘弁

11 陶器のカビンに梅の枝を挿す。
12 文筆家の中でイサイを放つ作家だ。
13 文明からカクゼツした暮らし。
14 ラッカンを許さない病状になった。
15 ガクフを読まずにピアノを弾く。
16 紙幅が足りず一部カツアイした。
17 ダムが干上がりカッスイが深刻だ。
18 冬山はカツラク事故が多い。
19 使者が女王にエッケンした。
20 公立の保育所をカクジュウする。

解答
11 花瓶
12 異彩
13 隔絶
14 楽観
15 楽譜
16 割愛
17 渇水
18 滑落
19 謁見
20 拡充

21 計画した事業を**カンスイ**した。
22 言い分を聞き**カンダイ**に処置する。
23 冬は部屋の**カンキ**に気を配る。
24 雅楽で**カンゲン**の調べを聴く。
25 兄は**クセ**のある字を書く。
26 麦の**ホ**が垂れると初夏を迎える。
27 レインコートと**アマグツ**を買う。
28 手術した傷口を**ヌ**う。
29 臨時収入で財布が**フク**らむ。
30 蚕がさなぎになる時に**マユ**を作る。
31 昔は**イノチガ**けで戦争に反対した。
32 師が弟子に教え**サト**す。
33 **ウ**さ晴らしの旅に出る。
34 職人になろうとした決心が**ユ**らぐ。

21	22	23	24	25	26	27	28	29	30	31	32	33	34
完遂	寛大	換気	管弦	癖	穂	雨靴	縫	膨	繭	命懸	諭	憂	揺

35 友人とは**ハダカ**の付き合いだ。
36 新しいスニーカーを**ハ**く。
37 **タツマキ**が発生し、家が全壊した。
38 先生の教えを心の**カテ**としている。
39 修業を積み**ウデキ**きの職人になった。
40 若いのに**フ**け役が多い俳優だ。
41 千円札を硬貨に**クズ**してもらう。
42 屋根が傷んで**アマモ**りしてきた。
43 厳しい残暑が**モド**ってきた。
44 肉を**シオヅ**けにして保存する。
45 子を持って知る親の**オン**。
46 **カセ**ぐに追いつく貧乏なし。
47 給料日前で**フトコロ**が寒い。
48 **カッ**しても盗泉の水を飲まず。

35	36	37	38	39	40	41	42	43	44	45	46	47	48
裸	履	竜巻	糧	腕利	老	崩	雨漏	戻	塩漬	恩	稼	懐	渇

書き取り③

目標時間 25分

合格ライン 39点

得点 /48

月 日

● 次の――線の**カタカナ**を**漢字**に直せ。

1 何事にも忍耐が**カンヨウ**である。
2 連合**カンタイ**が寄港した。
3 **カンボツ**した路面を修復する。
4 **ガンコ**一徹の父親だった。
5 選挙で**キケン**したことはない。
6 **キバ**武者の合戦を模した遊戯。
7 各地に**ギゾウ**硬貨が出回っている。
8 この文章は**ギセイ**語が多すぎる。
9 合格の**キッポウ**に小躍りして喜ぶ。
10 駅ビルの**キッサ**店で待ち合わせる。

解答

1 肝要
2 艦隊
3 陥没
4 頑固
5 棄権
6 騎馬
7 偽造
8 擬声
9 吉報
10 喫茶

11 検察の**キュウケイ**と同じ判決が下る。
12 目はうつろに**コクウ**を見つめている。
13 テロリストの**キョウダン**に倒れる。
14 金融**キョウコウ**への不安が増す。
15 **キョウリョウ**な人物に成り下がる。
16 二国間の**キンコウ**を保つ。
17 **キンミツ**な協力が欠かせない。
18 都会の**キンコウ**を散策する。
19 難破船から**キンカイ**が見つかる。
20 慢心から思わぬ**クハイ**を喫した。

解答

11 求刑
12 虚空
13 凶弾
14 恐慌
15 狭量
16 均衡
17 緊密
18 近郊
19 金塊
20 苦杯

21 **グウゼン**が重なり再会した。
22 捕虜が**クツジョク**的な扱いを受けた。
23 若葉がにおう**クンプウ**の季節だ。
24 一週間分の**コンダテ**表を作る。
25 築き上げた名声を**ケガ**してしまった。
26 一人娘が隣県に**トツ**ぐ。
27 風邪をひいて体が**ホテ**る。
28 アルバイトで小遣い銭を**カセ**ぐ。
29 **ハナムコ**の母に花束を贈る。
30 常に心して**アヤマ**ちを防ぐ。
31 凶器をちらつかせて**オド**す。
32 突如**アヤ**しい雲行きになってきた。
33 油断して敗れたことを**ク**いる。
34 家では不機嫌だが**ソトヅラ**はよい。

21 偶然
22 屈辱
23 薫風
24 献立
25 汚
26 嫁
27 火照
28 稼
29 花婿
30 過
31 脅
32 怪
33 悔
34 外面

35 因習にとらわれず**カラ**を破りたい。
36 海外旅行に保険を**カ**ける。
37 伸びすぎた髪を理容室で**カ**る。
38 社名の付いた**カンムリ**大会を開く。
39 花火の音を雷と**カンチガ**いした。
40 **エンカツ**に物事を進める。
41 気の**ユル**みが大事故につながる。
42 **キモダメ**しに、つり橋を渡る。
43 **イ**まわしい過去に決別した。
44 最終列車は**スデ**に発車していた。
45 **カブ**を守ってうさぎを待つ。
46 舌の根の**カワ**かぬうち。
47 **キジョウ**の空論に過ぎない。
48 看板に**イツワ**りなし。

35 殻
36 掛
37 刈
38 冠
39 勘違
40 円滑
41 緩
42 肝試
43 忌
44 既
45 株
46 乾
47 机上
48 偽

書き取り④

目標時間 25分

合格ライン 39点

得点 /48

月 日

● 次の――線の**カタカナ**を**漢字**に直せ。

1 客間に**ゴウカ**な家具を置く。
2 寝不足で**ゲンカク**に悩まされる。
3 当選番号を黒板に**ケイジ**する。
4 **ケイショウ**を略して名簿に載せる。
5 言葉の乱れに**ケイショウ**を鳴らす。
6 失敗続きで自己**ケンオ**に陥る。
7 五百年前に**コンリュウ**された寺院。
8 税改正は**ケンアン**のまま年を越す。
9 慈善団体に**ケンキン**する。
10 つつましく**ケンジツ**な暮らしを営む。

解答

1 豪華
2 幻覚
3 掲示
4 敬称
5 警鐘
6 嫌悪
7 建立
8 懸案
9 献金
10 堅実

11 **ゲンシュク**な雰囲気に包まれる。
12 マンションの賃貸**ケイヤク**を結ぶ。
13 夢が破れ**ゲンメツ**の悲哀を味わう。
14 都会の団地には**コドク**な老人が多い。
15 サッカー部の**コモン**になる。
16 **コマク**は外耳道の奥にある。
17 過去と現在が**コウサク**する映画だ。
18 正直いちずの**クドク**で信頼を得る。
19 **コウミョウ**な駆け引きをする。
20 ご返事いただければ**コウジン**です。

解答

11 厳粛
12 契約
13 幻滅
14 孤独
15 顧問
16 鼓膜
17 交錯
18 功徳
19 巧妙
20 幸甚

21 小事に**コウデイ**すると判断を誤る。
22 都心の大通りは車の**コウズイ**だ。
23 冬は手足の**コウ**が冷える。
24 休耕で農地が**コウハイ**した。
25 **ギ**を見てせざるは勇無きなり。
26 親の愛情に**ウ**えている。
27 身分を**イツワ**り悪事をはたらく。
28 飼い犬を**シイタ**げる人がいる。
29 **ウヤウヤ**しく一礼して入場した。
30 疑いを**ハサ**む余地もない。
31 王位を**オビヤ**かす存在になった。
32 **アカツキ**の西空に月が沈む。
33 **エリモト**のネックレスが映える。
34 都会の**スミ**でひっそり暮らす。

21 拘泥
22 洪水
23 甲
24 荒廃
25 義
26 飢
27 偽
28 虐
29 恭
30 挟
31 脅
32 暁
33 襟元
34 隅

35 **クワ**の葉は養蚕用として使われる。
36 社会福祉の仕事に**タズサ**わる。
37 伸びたコスモスの**クキ**を支える。
38 **ホタル**狩りは少年の日の思い出だ。
39 **ケイジ**は私服で捜査活動を行う。
40 年齢を重ね**サト**りの境地に達した。
41 初対面の人と握手を**カ**わす。
42 漁を終えた船が入り**エ**に戻る。
43 親友と仲たがいし**ミゾ**ができた。
44 援助物資だけが命の**ツナ**だ。
45 闘志の**カタマリ**のような選手だ。
46 六日のあやめ、十日の**キク**。
47 過ぎたるはなお**オヨ**ばざるがごとし。
48 **キュウ**すれば通ず。

35 桑
36 携
37 茎
38 蛍
39 刑事
40 悟
41 交
42 江
43 溝
44 綱
45 塊
46 菊
47 及
48 窮

C
ランク

書き取り①

目標時間 25分

合格ライン 39点

得点 ／48

月 日

● 次の——線のカタカナを漢字に直せ。

1 火山の中腹はコウリョウとしていた。
2 消化コウソは生体内で作られる。
3 学者同士でコウショウな議論を交わす。
4 器具のシャフツ消毒を行う。
5 新社屋完工のシュクエンを催す。
6 高級住宅地にゴウテイが建つ。
7 重い病をコクフクした。
8 選挙の日程をコクジする。
9 理由もなく閑職にサセンされた。
10 不良サイケンが生じる。

解答

1 荒涼
2 酵素
3 高尚
4 煮沸
5 祝宴
6 豪邸
7 克服
8 告示
9 左遷
10 債権

11 予算関連の議案がサイタクされた。
12 犯したザイゴウの報いを受ける。
13 資本家が労働者からサクシュする。
14 シセイの人々の暮らしを撮る。
15 日本選手権大会の優勝シハイだ。
16 病気がチユし退院した。
17 消化器のシッペイに苦しむ。
18 親の助言が立ち直るケイキとなった。
19 目がジュウケツして痛い。
20 取引先への支払いがジュウタイする。

解答

11 採択
12 罪業
13 搾取
14 市井
15 賜杯
16 治癒
17 疾病
18 契機
19 充血
20 渋滞

21 爆音と**ジュウセイ**におののく。
22 勝負を決める**ゴウカイ**な本塁打だ。
23 結婚式の**シュウギ**袋を用意する。
24 現金の**スイトウ**は確実に行う。
25 **コンイロ**のユニホームに身を包む。
26 お盆には死者の**タマシイ**を慰める。
27 仲間を言葉巧みに**ソソノカ**す。
28 住民の安全のために心を**クダ**く。
29 あまりにも**ミジ**めな結末だった。
30 祭りの行列を**サジキ**で見物する。
31 人生の**ス**いも甘いも知り抜いた。
32 いたずらっ子の**シワザ**に違いない。
33 庭の草木に肥料を**ホドコ**す。
34 **ハグキ**からの出血が見られた。

21 銃声
22 豪快
23 祝儀
24 出納
25 紺色
26 魂
27 唆
28 砕
29 惨
30 桟敷
31 酸
32 仕業
33 施
34 歯茎

35 **シメ**ったタオルを額に載せる。
36 両軍入り乱れて**シュラバ**と化す。
37 一芸に**ヒイ**でた者を採用する。
38 和菓子には**シブ**いお茶が合う。
39 神官が恭しく**ノリト**を上げる。
40 羽織の**オ**の結び方を教わる。
41 台風で収穫前のりんごが**イタ**んだ。
42 **ツグナ**いは金銭だけではない。
43 **ヨイゴ**しの金は持たない、と気取る。
44 魚を焼きすぎて**コ**がす。
45 春眠**アカツキ**を覚えず。
46 悪貨は良貨を**クチク**する。
47 悪縁**チギ**り深し。
48 門前の小僧、習わぬ**キョウ**を読む。

35 湿
36 修羅場
37 秀
38 渋
39 祝詞
40 緒
41 傷
42 償
43 宵越
44 焦
45 暁
46 駆逐
47 契
48 経

C ランク

書き取り②

● 次の——線のカタカナを漢字に直せ。

1 機械にジュンカツ油を差す。
2 客員教授としてショグウする。
3 祖母の病はショウコウを保っている。
4 先方のショウダクを得てから訪ねる。
5 作家の著作権がショウメツする。
6 風邪の自覚ショウジョウはない。
7 大陸走破のソウダイな計画を練る。
8 同僚と意見がショウトツした。
9 相手のジョウホを引き出し妥結した。
10 臨時のショクタク医として雇う。

解答
1 潤滑
2 処遇
3 小康
4 承諾
5 消滅
6 症状
7 壮大
8 衝突
9 譲歩
10 嘱託

11 ショクタクに料理を運ぶ。
12 事実か否かシンギを確かめる。
13 スイハン器で七草がゆを作った。
14 長時間労働の身にスイマが襲う。
15 子供に、鬼セイバツの昔話をする。
16 ついに大願がジョウジュした。
17 波乱万丈のショウガイを語る。
18 館内がセイシュクになり開演する。
19 体に水分のセッシュは欠かせない。
20 来シーズンでのセツジョクを期す。

解答
11 食卓
12 真偽
13 炊飯
14 睡魔
15 征伐
16 成就
17 生涯
18 静粛
19 摂取
20 雪辱

目標時間 25分

合格ライン 39点

21 消火**セン**の位置を確かめる。
22 **センパク**な知識で恥をかく。
23 ベランダに**センタク**物を干す。
24 彼女は**センサイ**な感覚の文を書く。
25 個性を**ノ**ばす教育を行う。
26 だまされて**クチビル**をかむ。
27 かくれんぼをして物陰に**ヒソ**む。
28 日ごろから暴飲暴食を**ツツシ**む。
29 村祭りの**カグラ**ばやしが始まった。
30 高い鉄棒に**カロ**うじて手が届く。
31 酒は**ヒトハダ**ほどのぬくみで飲む。
32 わかめの**ス**の物を献立に加える。
33 台風の勢力が**オトロ**える。
34 武将は哀れな最期を**ト**げた。

21 栓
22 浅薄
23 洗濯
24 繊細
25 伸
26 唇
27 潜
28 慎
29 神楽
30 辛
31 人肌
32 酢
33 衰
34 遂

C 書き取り②

35 腰を**ス**えて受験の準備を始める。
36 失敗続きで立つ**セ**がない。
37 **ショウコ**りもなく浪費を続ける。
38 転勤する同僚との別れを**オ**しむ。
39 **ナワト**び競走に出場した。
40 社員を募集し欠員を**ウ**めた。
41 **ココロニク**いほど欠点のない人だ。
42 購入された方に**ソシナ**を進呈した。
43 **シロウト**目にも優劣は明白だ。
44 大作曲家の名曲を**カナ**でる。
45 あきれ果てて二の句が**ツ**げない。
46 **ケイセツ**の功を積む。
47 ペンは**ケン**よりも強し。
48 **コウカイ**先に立たず。

35 据
36 瀬
37 性懲
38 惜
39 縄跳
40 埋
41 心憎
42 粗品
43 素人
44 奏
45 継
46 蛍雪
47 剣
48 後悔

Cランク 書き取り③

● 次の――線のカタカナを漢字に直せ。

1 日本銀行の新ソウサイが決まる。
2 短歌や俳句のソヨウがある。
3 再建は働く者のソウケンにかかる。
4 ダイタン不敵な行動で驚かす。
5 ソクセキで用意できる食品が多い。
6 決戦はソウゼツを極めた。
7 呼吸器疾患のショウレイを集める。
8 外資系企業はネンポウ制が多い。
9 収賄事件をソウサする。
10 売掛金で借金がソウサイされた。

解答

1 総裁
2 素養
3 双肩
4 大胆
5 即席
6 壮絶
7 症例
8 年俸
9 捜査
10 相殺

11 緊急時に適切なソチをとる。
12 役員のソウダイが謝辞を述べた。
13 死去した叔父のソウレツに加わる。
14 戦地にはゾウオに満ちた目があった。
15 医者知らずのソウケンな体だ。
16 規則でソクバクしない教育方針。
17 冒険者のソクセキをたどる。
18 寄付は金額のタカを問わない。
19 気が抜けてダセイで生きている。
20 売買契約の可否をダシンする。

解答

11 措置
12 総代
13 葬列
14 憎悪
15 壮健
16 束縛
17 足跡
18 多寡
19 惰性
20 打診

目標時間 25分

合格ライン 39点

21 階段で転び**ダボク**傷を負う。
22 ひき逃げの犯人が**タイホ**された。
23 資格取得に必要な**リシュウ**科目。
24 彼には**タクバツ**した才能がある。
25 返済を**ウナガ**す手紙を書く。
26 社会人としての義務を**オコタ**る。
27 ヨットの**ホ**を大きく広げる。
28 **タダ**し書きに補足説明を入れる。
29 自由を**ウバ**われた人々が決起した。
30 重要な法案を**タナア**げにする。
31 みこしを**カツ**ぎ祭りを楽しむ。
32 お**チャヅ**けに梅干しを加える。
33 青銅の鐘を**イ**る工場だ。
34 退職した父は自分史を**アラワ**した。

21 打撲
22 逮捕
23 履修
24 卓抜
25 促
26 怠
27 帆
28 但
29 奪
30 棚上
31 担
32 茶漬
33 鋳
34 著

35 検定試験の最難関に**イド**む。
36 五十**ツボ**の土地に家を建てる。
37 甘い言葉で客を**ツ**る。
38 **ドロナワ**式の勉強では合格できない。
39 緑**シタタ**る山々の景観に見とれる。
40 子の遠足に親が付き**ソ**う。
41 税金の納付が**トドコオ**る。
42 寒波襲来で湖が**コオ**る。
43 **ブタニク**を使って野菜いためを作る。
44 貨物船が**アサセ**に乗り上げた。
45 迷わぬ者に**サト**りなし。
46 **クチビル**ほろびて歯寒し。
47 一寸の**コウイン**軽んずべからず。
48 覆水**ボン**に返らず。

35 挑
36 坪
37 釣
38 泥縄
39 滴
40 添
41 滞
42 凍
43 豚肉
44 浅瀬
45 悟
46 唇
47 光陰
48 盆

C ランク

書き取り④

● 次の――線のカタカナを漢字に直せ。

1 ダンジキ道場で修行する。
2 世俗をチョウエツした生き方だ。
3 ツイズイするだけでは進歩がない。
4 事業提携の協定がテイケツされた。
5 ごみの不法トウキを告発する。
6 幹部の間でナイフンが絶えない。
7 昭和の時代をニョジツに描写する。
8 ソウレツな闘いを繰り広げる。
9 会社の経営状況をハアクする。
10 バッポン的な対策が必要だ。

解答
1 断食
2 超越
3 追随
4 締結
5 投棄
6 内紛
7 如実
8 壮烈
9 把握
10 抜本

11 他にヒルイない業績を残した。
12 辺りはフオンな空気に包まれた。
13 フンイキがよい職場で働く。
14 人のヘイコウ器官は内耳にある。
15 休日出勤のホウシュウを得る。
16 マラソン完走者にホウビが出る。
17 水道管のマイセツ工事を行う。
18 振り込め詐欺をミスイに終わらせる。
19 所得額によりメンゼイ措置を講じる。
20 夜のひとときをユカイに過ごす。

解答
11 比類
12 不穏
13 雰囲気
14 平衡
15 報酬
16 褒美
17 埋設
18 未遂
19 免税
20 愉快

目標時間 25分

合格ライン 39点

得点 ／48

月　日

21 **ユウズウ**がきかなくて困った人だ。
22 著書で人権の**ヨウゴ**を主張する。
23 眼前の**ソウカン**な眺めに酔う。
24 毎月の食費を**ルイケイ**する。
25 自信作に**ナンクセ**を付けられた。
26 実際に**ハダ**で感じることが重要だ。
27 足が**コゴ**えて感覚がなくなる。
28 学習が進まず先生を**ワズラ**わす。
29 相手の**ハナヅラ**を取り、引き回す。
30 夜半から冷え込み、**ヒサメ**になる。
31 田植えの前に**ナワシロ**を作る。
32 水槽の水が**クサ**ってしまった。
33 格下とはいえ、**アナド**れない相手だ。
34 読み終えた本を静かに**フ**せる。

21 融通
22 擁護
23 壮観
24 累計
25 難癖
26 肌
27 凍
28 煩
29 鼻面
30 氷雨
31 苗代
32 腐
33 侮
34 伏

35 満腹して**ハラツヅミ**を打つ。
36 定説を**クツガエ**す論文が出た。
37 犯人は人込みに**マギ**れて逃亡した。
38 故郷を**シタ**う思いが募る。
39 くどい説教は聞き**ア**きた。
40 道の**カタワ**らにタンポポが咲く。
41 人格を**ミガ**くため修行僧になる。
42 さんご礁の海に**モグ**る。
43 空手道場の**モサ**として鳴る人だ。
44 口が**サ**けても言わないと約束する。
45 三つ子の**タマシイ**百まで。
46 ある時払いの**サイソク**なし。
47 **サイゲツ**人を待たず。
48 風雲の**ココロザシ**を抱く。

35 腹鼓
36 覆
37 紛
38 慕
39 飽
40 傍
41 磨
42 潜
43 猛者
44 裂
45 魂
46 催促
47 歳月
48 志

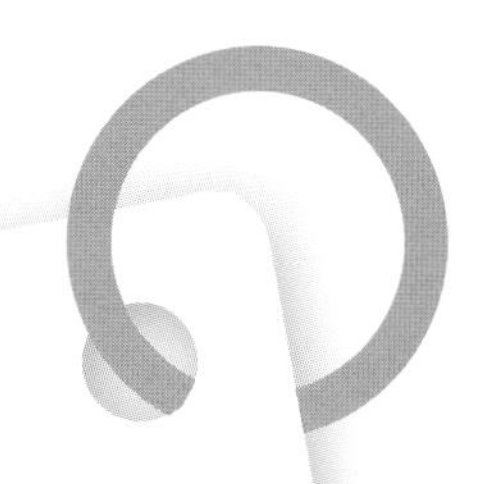

2020年新学習指導要領における学習漢字の変更のポイント

2020年の新学習指導要領で、小中学校の学習配当漢字の変更が行われました。小学校４年の社会で都道府県を学習していたことに合わせて、都道府県名を漢字で読み書きできるように、学習配当漢字が見直されました。

これまで、中学校の配当漢字であった「茨 媛 岡 潟 岐 熊 香 佐 埼 崎 滋 鹿 縄 井 沖 栃 奈 梨 阪 阜」の20字が、小学校４年生で学習します。また、５年配当であった「群馬」の「群」や、６年配当であった「茨城」の「城」なども、４年配当漢字へと変更になりました。

これで、小学校４年までで、すべての都道府県名で使う漢字を学習します。なお、４年で習っていた漢字の一部は、５年や６年へと移動しました。

付録

実力アップの
2級用資料

2・準2級の配当漢字表（50音順）

2級と準2級の配当漢字を50音順に並べました。各漢字の下に読み方と掲載ページを載せています。カタカナは音読み、ひらがなは訓読み、( )内は送りがなです。★の付いた音訓は高校で習う読みです。

2級配当漢字

挨	アイ	P.12
曖	アイ	P.12
宛	あ(てる)	P.12
嵐	あらし	P.12
畏	イ おそ(れる)	P.12
萎	イ な(える)	P.12
椅	イ	P.12
彙	イ	P.12
咽	イン	P.12
淫	イン みだ(ら)★	P.12
唄	うた	P.12
鬱	ウツ	P.12
怨	エン★・オン	P.13
艶	エン★ つや	P.13
旺	オウ	P.13
臆	オク	P.13
俺	おれ	P.13
苛	カ	P.13
牙	ガ★・ゲ きば	P.13
瓦	ガ★ かわら	P.13
楷	カイ	P.13
潰	カイ つぶ(す)・つぶ(れる)	P.13
諧	カイ	P.13
崖	ガイ がけ	P.13
蓋	ガイ ふた	P.13
骸	ガイ	P.16
柿	かき	P.16
顎	ガク あご	P.16
葛	カツ くず★	P.16
釜	かま	P.16
鎌	かま	P.16
韓	カン	P.16
玩	ガン	P.16
伎	キ	P.16
亀	キ かめ	P.16
毀	キ	P.16
畿	キ	P.16
臼	キュウ うす	P.17
嗅	キュウ か(ぐ)	P.17
巾	キン	P.17
僅	キン わず(か)	P.17
錦	キン にしき	P.17
惧	グ	P.17
串	くし	P.17
窟	クツ	P.17
詣	ケイ★ もう(でる)	P.17
憬	ケイ	P.17
稽	ケイ	P.17
隙	ゲキ★ すき	P.17
桁	けた	P.17
拳	ケン こぶし	P.17
鍵	ケン かぎ	P.17
舷	ゲン	P.20
股	コ また	P.20
虎	コ とら	P.20
錮	コ	P.20
勾	コウ	P.20
梗	コウ	P.20
喉	コウ のど	P.20
乞	こ(う)	P.20
傲	ゴウ	P.20
駒	こま	P.20
頃	ころ	P.20
痕	コン あと	P.20
沙	サ	P.21
挫	ザ	P.21
采	サイ	P.21
塞	サイ・ソク ふさ(ぐ)・ふさ(がる)	P.21
柵	サク	P.21
刹	サツ★・セツ	P.21
拶	サツ	P.21
斬	ザン き(る)	P.21
恣	シ	P.21

摯	シ	P.21
餌	ジ★ えさ・え	P.21
叱	シツ しか(る)	P.21
嫉	シツ	P.21
腫	シュ は(れる)・は(らす)	P.21
呪	ジュ のろ(う)	P.24
袖	シュウ★ そで	P.24
羞	シュウ	P.24
蹴	シュウ け(る)	P.24
憧	ショウ あこが(れる)	P.24
拭	ショク★ ふ(く)・ぬぐ(う)	P.24
尻	しり	P.24
芯	シン	P.24
腎	ジン	P.24
須	ス	P.24
裾	すそ	P.24
凄	セイ	P.24
醒	セイ	P.25
脊	セキ	P.25
戚	セキ	P.25
煎	セン い(る)	P.25
羨	セン★ うらや(む)・うらや(ましい)	P.25
腺	セン	P.25
詮	セン	P.25
箋	セン	P.25
膳	ゼン	P.25
狙	ソ ねら(う)	P.25
遡	ソ★ さかのぼ(る)	P.25
曽	ソウ・ゾ	P.25
爽	ソウ さわ(やか)	P.25
痩	ソウ★ や(せる)	P.25
踪	ソウ	P.25
捉	ソク とら(える)	P.25
遜	ソン	P.28
汰	タ	P.28
唾	ダ つば	P.28
堆	タイ	P.28
戴	タイ	P.28
誰	だれ	P.28
旦	タン・ダン	P.28
綻	タン ほころ(びる)	P.28
緻	チ	P.28
酎	チュウ	P.28
貼	チョウ は(る)	P.28
嘲	チョウ あざけ(る)	P.28
捗	チョク	P.29
椎	ツイ	P.29
爪	つめ・つま	P.29
鶴	つる	P.29
諦	テイ あきら(める)	P.29
溺	デキ おぼ(れる)	P.29
塡	テン	P.29
妬	ト ねた(む)	P.29
賭	ト★ か(ける)	P.29
藤	トウ ふじ	P.29
瞳	ドウ ひとみ	P.29
頓	トン	P.29
貪	ドン むさぼ(る)	P.29
丼	どんぶり・どん	P.29
那	ナ	P.29
謎	なぞ	P.32
鍋	なべ	P.32
匂	にお(う)	P.32
虹	にじ	P.32
捻	ネン	P.32
罵	バ ののし(る)	P.32
剝	ハク は(がす)・は(ぐ)・は(がれる)・は(げる)	P.32
箸	はし	P.32
氾	ハン	P.32
汎	ハン	P.32
斑	ハン	P.32
眉	ビ★・ミ まゆ	P.32
膝	ひざ	P.33
肘	ひじ	P.33
訃	フ	P.33
蔽	ヘイ	P.33
餅	ヘイ もち	P.33
璧	ヘキ	P.33
蔑	ベツ さげす(む)	P.33
哺	ホ	P.33
蜂	ホウ はち	P.33
貌	ボウ	P.33
頰	ほお	P.33
睦	ボク	P.33
勃	ボツ	P.36
昧	マイ	P.36
枕	まくら	P.36
蜜	ミツ	P.36
冥	メイ・ミョウ★	P.36
麺	メン	P.36
冶	ヤ	P.36
弥	や	P.36
闇	やみ	P.36
喩	ユ	P.36
湧	ユウ わ(く)	P.36
妖	ヨウ あや(しい)	P.36
瘍	ヨウ	P.37

よく出る！準2級配当漢字

沃	ヨク	P.37
拉	ラ	P.37
辣	ラツ	P.37
藍	ラン★ あい	P.37
璃	リ	P.37
慄	リツ	P.37
侶	リョ	P.37
瞭	リョウ	P.37
瑠	ル	P.37
呂	ロ	P.37
賂	ロ	P.37
弄	ロウ もてあそ(ぶ)	P.37
籠	ロウ★ かご・こ(もる)	P.37
麓	ロク ふもと	P.37
脇	わき	P.37
亜	ア	P.77
尉	イ	P.81
唯	イ★・ユイ	P.81
逸	イツ	P.41
姻	イン	P.81
韻	イン	P.77
畝	うね	P.73
浦	うら	P.72
疫	エキ・ヤク★	P.48
謁	エツ	P.56
猿	エン さる	P.52
凹	オウ	P.81
翁	オウ	P.72
虞	おそれ	P.81
且	か(つ)	P.56
蚊	か	P.68
渦	カ★ うず	P.41
禍	カ	P.40
靴	カ★ くつ	P.45
寡	カ	P.40
稼	カ★ かせ(ぐ)	P.52
懐	カイ なつ(かしい)★・なつ(かしむ)★・なつ(く)★・なつ(ける)★・ふところ★	P.40
拐	カイ	P.64
劾	ガイ	P.68
涯	ガイ	P.65
垣	かき	P.68
核	カク	P.52
殻	カク から	P.56
嚇	カク	P.72
括	カツ	P.60
喝	カツ	P.72
渇	カツ★ かわ(く)	P.40
褐	カツ	P.77
轄	カツ	P.65
缶	カン	P.81
陥	カン おちい(る)・おとしい(れる)★	P.45
患	カン わずら(う)★	P.44
堪	カン★ た(える)	P.56
棺	カン	P.81
款	カン	P.60
閑	カン	P.41
寛	カン	P.45
憾	カン	P.77
還	カン	P.41
艦	カン	P.73
頑	ガン	P.60
飢	キ う(える)	P.69
宜	ギ	P.52
偽	ギ いつわ(る)・にせ★	P.41
擬	ギ	P.69
窮	キュウ きわ(まる)★・きわ(める)★	P.41
糾	キュウ	P.56
拒	キョ こば(む)	P.69
享	キョウ	P.60
挟	キョウ★ はさ(まる)・はさ(む)	P.65
恭	キョウ うやうや(しい)★	P.60
矯	キョウ た(める)★	P.56
暁	ギョウ★ あかつき	P.41
菌	キン	P.73
琴	キン こと	P.73
謹	キン つつし(む)	P.45
襟	キン★ えり	P.44
吟	ギン	P.65
貢	ク★・コウ みつ(ぐ)★	P.61
隅	グウ すみ	P.52
勲	クン	P.65
薫	クン★ かお(る)	P.40
懸	ケ★・ケン か(かる)・か(ける)	P.48
茎	ケイ くき	P.52
渓	ケイ	P.52
蛍	ケイ ほたる	P.60
慶	ケイ	P.65
傑	ケツ	P.56
嫌	ケン・ゲン いや・きら(う)	P.41
献	ケン・コン	P.41

謙	ケン	P.81
顕	ケン	P.45
繭	ケン★ まゆ	P.61
弦	ゲン つる★	P.45
呉	ゴ	P.81
碁	ゴ	P.56
江	コウ え	P.73
肯	コウ	P.77
侯	コウ	P.81
洪	コウ	P.73
耗	コウ★・モウ	P.81
溝	コウ みぞ	P.56
衡	コウ	P.52
購	コウ	P.56
拷	ゴウ	P.73
剛	ゴウ	P.52
酷	コク	P.57
昆	コン	P.81
懇	コン ねんご(ろ)★	P.41
唆	サ そそのか(す)★	P.57
詐	サ	P.65
砕	サイ くだ(く)・くだ(ける)	P.41
宰	サイ	P.52
栽	サイ	P.69
斎	サイ	P.84
索	サク	P.41
酢	サク す	P.69
桟	サン	P.77
傘	サン★ かさ	P.57
肢	シ	P.65
嗣	シ	P.84
賜	シ★ たまわ(る)	P.45
璽	ジ	P.84
漆	シツ うるし	P.41
遮	シャ さえぎ(る)	P.48
蛇	ジャ・ダ へび	P.61
酌	シャク く(む)★	P.44
爵	シャク	P.77
珠	シュ	P.77
儒	ジュ	P.65
囚	シュウ	P.77
臭	シュウ くさ(い)・にお(う)	P.61
酬	シュウ	P.61
愁	シュウ うれ(い)★・うれ(える)★	P.44
醜	シュウ みにく(い)	P.48
汁	ジュウ しる	P.44
渋	ジュウ しぶ・しぶ(い)・しぶ(る)	P.44
充	ジュウ あ(てる)★	P.44
銃	ジュウ	P.69
叔	シュク	P.77
淑	シュク	P.73
粛	シュク	P.41
塾	ジュク	P.84
俊	シュン	P.52
准	ジュン	P.77
殉	ジュン	P.69
循	ジュン	P.49
庶	ショ	P.77
緒	ショ・チョ お	P.40
叙	ジョ	P.84
升	ショウ ます	P.57
抄	ショウ	P.61
肖	ショウ	P.65
尚	ショウ	P.57
症	ショウ	P.57
祥	ショウ	P.77
宵	ショウ★ よい	P.41
渉	ショウ	P.45
訟	ショウ	P.77
硝	ショウ	P.80
粧	ショウ	P.84
詔	ショウ みことのり★	P.84
奨	ショウ	P.61
彰	ショウ	P.80
礁	ショウ	P.69
償	ショウ つぐな(う)	P.53
浄	ジョウ	P.57
剰	ジョウ	P.80
壌	ジョウ	P.69
醸	ジョウ かも(す)★	P.45
津	シン★ つ	P.80
唇	シン★ くちびる	P.57
娠	シン	P.80
紳	シン	P.84
診	シン み(る)	P.73
刃	ジン★ は	P.45
迅	ジン	P.65
甚	ジン★ はなは(だ)・はなは(だしい)	P.40
据	す(える)・す(わる)	P.49
帥	スイ	P.84
睡	スイ	P.73
枢	スウ	P.73
崇	スウ	P.61
杉	すぎ	P.84
斉	セイ	P.49
逝	セイ ゆ(く)★・い(く)★	P.73
誓	セイ ちか(う)	P.44

析	セキ	P.80
拙	セツ つたな(い)	P.49
窃	セツ	P.73
仙	セン	P.69
栓	セン	P.73
旋	セン	P.61
践	セン	P.73
遷	セン	P.45
薦	セン すす(める)	P.69
繊	セン	P.61
禅	ゼン	P.69
漸	ゼン	P.45
租	ソ	P.69
疎	ソ うと(い)★・ うと(む)★	P.40
塑	ソ	P.84
壮	ソウ	P.40
荘	ソウ	P.53
捜	ソウ さが(す)	P.61
挿	ソウ さ(す)	P.49
曹	ソウ	P.84
喪	ソウ も	P.49
槽	ソウ	P.61
霜	ソウ★ しも	P.48
藻	ソウ も	P.57
妥	ダ	P.53
堕	ダ	P.65
惰	ダ	P.61
駄	ダ	P.48
泰	タイ	P.69
濯	タク	P.76
但	ただ(し)	P.61
棚	たな	P.57
痴	チ	P.65
逐	チク	P.49
秩	チツ	P.76
嫡	チャク	P.85
衷	チュウ	P.49
弔	チョウ とむら(う)	P.48
挑	チョウ いど(む)	P.49
釣	チョウ★ つ(る)	P.53
懲	チョウ こ(らしめる)・こ こ(らす)・こ (りる)	P.64
眺	チョウ なが(める)	P.61
勅	チョク	P.76
朕	チン	P.85
漬	つ(かる)・つ (ける)	P.53
塚	つか	P.69
坪	つぼ	P.53
呈	テイ	P.48
廷	テイ	P.80
邸	テイ	P.53
亭	テイ	P.76
貞	テイ	P.85
逓	テイ	P.57
偵	テイ	P.69
艇	テイ	P.85
泥	デイ★ どろ	P.40
迭	テツ	P.64
徹	テツ	P.65
撤	テツ	P.53
悼	トウ いた(む)★	P.48
搭	トウ	P.72
筒	トウ つつ	P.53
棟	トウ むな★・むね	P.64
謄	トウ	P.80
騰	トウ	P.53
洞	ドウ ほら	P.72
督	トク	P.57
凸	トツ	P.85
屯	トン	P.85
軟	ナン やわ(らか)・ やわ(らかい)	P.44
尼	ニ★ あま	P.65
妊	ニン	P.76
忍	ニン しの(ばせる)・ しの(ぶ)	P.64
寧	ネイ	P.57
把	ハ	P.72
覇	ハ	P.49
廃	ハイ すた(る)・す た(れる)	P.40
培	バイ つちか(う)★	P.53
媒	バイ	P.57
賠	バイ	P.85
伯	ハク	P.53
舶	ハク	P.76
漠	バク	P.64
肌	はだ	P.49
鉢	ハチ・ハツ★	P.65
閥	バツ	P.80
頒	ハン	P.64
煩	ハン・ボン★ わずら(う)・ わずら(わす)	P.41
妃	ヒ	P.76
披	ヒ	P.72
扉	ヒ★ とびら	P.45
罷	ヒ	P.64
猫	ビョウ★ ねこ	P.49
賓	ヒン	P.72
頻	ヒン	P.68
瓶	ビン	P.68
扶	フ	P.57

泡	遍	偏	弊	幣	塀	併	丙	憤	雰	沸	侮	譜	附
ホウ あわ	ヘン	ヘン かたよ(る)	ヘイ	ヘイ	ヘイ	ヘイ あわ(せる)	ヘイ	フン いきどお(る)★	フン	フツ わ(かす)・わ(く)	ブ あなど(る)★	フ	フ
P.53	P.68	P.49	P.45	P.80	P.72	P.57	P.85	P.49	P.80	P.44	P.44	P.64	P.85

抹	磨	摩	麻	奔	堀	撲	僕	朴	紡	剖	妄	褒	俸
マツ	マ みが(く)	マ	マ あさ	ホン	ほり	ボク	ボク	ボク	ボウ つむ(ぐ)★	ボウ	ボウ★・モウ	ホウ★ ほ(める)	ホウ
P.64	P.48	P.76	P.76	P.49	P.68	P.68	P.81	P.76	P.40	P.80	P.85	P.48	P.76

羅	窯	庸	融	裕	猶	悠	癒	諭	愉	厄	盲	銘	岬
ラ	ヨウ★ かま	ヨウ	ユウ	ユウ	ユウ	ユウ	ユ い(える)・い(やす)	ユ さと(す)	ユ	ヤク	モウ	メイ	みさき
P.48	P.53	P.60	P.53	P.72	P.76	P.60	P.45	P.52	P.81	P.49	P.72	P.60	P.64

塁	累	倫	鈴	寮	僚	涼	虜	硫	竜	柳	履	痢	酪
ルイ	ルイ	リン	リン・レイ すず	リョウ	リョウ	リョウ すず(しい)・すず(む)	リョ	リュウ	リュウ たつ	リュウ やなぎ	リ は(く)	リ	ラク
P.68	P.68	P.56	P.56	P.77	P.68	P.53	P.81	P.85	P.64	P.60	P.44	P.81	P.85

枠	賄	戻
わく	ワイ まかな(う)	レイ★ もど(す)・もど(る)
P.60	P.60	P.68

高校で習う読み

3級以下の配当漢字で、高校で習う読みを掲載しました。カタカナは音読み、ひらがなは訓読み、（　）内は送りがなを示しています。

学年	漢字	読み
小一	火	ほ
	女	ニョウ
	上	ショウ
	青	ショウ
	赤	シャク
	天	あめ
	白	ビャク
	目	ま
	立	リュウ
小二	遠	オン
	回	エ
	会	エ
	行	アン
	矢	シ
	食	ジキ　く(らう)
	数	ス
	声	ショウ
	通	ツ
	頭	ト
	道	トウ
	南	ナ
	馬	ま
	風	フ
	聞	モン
	歩	フ
小三	悪	オ
	期	ゴ
	宮	ク
	業	ゴウ
	庫	ク
	仕	ジ
	事	ズ
	主	ス
	神	こう
	昔	セキ
	想	ソ
	着	ジャク
	定	さだ(か)
	度	ト
	反	ホン
	坂	ハン
	氷	ひ
	病	ヘイ
	面	つら
	由	ユイ　よし
	遊	ユ
	流	ル
	緑	ロク
	礼	ライ
	和	オ
小四	栄	は(え)　は(える)
	各	おのおの
	競	せ(る)
	建	コン
	験	ゲン
	功	ク
	候	そうろう
	殺	サイ　セツ
	産	うぶ
	祝	シュウ
	初	うい
	成	ジョウ
	清	ショウ
	節	セチ
	説	ゼイ
	巣	ソウ
	兆	きざ(し)　きざ(す)
	灯	ひ
	博	バク
	兵	ヒョウ
	法	ハッ　ホッ
	末	バツ
	利	き(く)
	老	ふ(ける)
小五	因	よ(る)
	益	ヤク
	桜	オウ
	価	あたい
	過	あやま(つ)　あやま(ち)
	解	ゲ
	格	コウ
	眼	ゲン
	基	もとい
	久	ク
	潔	いさぎよ(い)
	興	おこ(る)　おこ(す)
	際	きわ
	酸	す(い)
	枝	シ
	質	チ
	常	とこ

情	セイ
織	ショク
政	ショウ まつりごと
接	つ(ぐ)
団	トン
統	す(べる)
富	フウ
暴	あば(く)

小六

供	ク
勤	ゴン
絹	ケン
権	ゴン
厳	ゴン
冊	サク
若	ニャク も(しくは)
就	ジュ
衆	シュ
従	ショウ ジュ
障	さわ(る)
盛	ジョウ
染	し(みる) し(み)
奏	かな(でる)
装	よそお(う)
操	みさお
担	かつ(ぐ) にな(う)
難	かた(い)
納	ナ ナン
否	いな
亡	モウ な(い)
欲	ほっ(する)
律	リチ

その他

依	エ
詠	よ(む)
汚	けが(す) けが(れる) けが(らわしい)
押	オウ
殴	オウ
奥	オウ
華	ケ
嫁	カ
鑑	かんが(みる)
忌	い(む) い(まわしい)
戯	たわむ(れる)
詰	キツ
脚	キャ
虐	しいた(げる)
虚	コ
狭	キョウ
脅	おびや(かす)
仰	おお(せ)
契	ちぎ(る)
憩	いこ(う)
肩	ケン
鼓	つづみ
更	ふ(ける) ふ(かす)
香	キョウ
控	コウ
慌	コウ
絞	コウ
彩	いろど(る)
搾	サク
惨	ザン みじ(め)
旨	むね
伺	シ
施	セ
慈	いつく(しむ)
煮	シャ
寂	セキ
秀	ひい(でる)
瞬	またた(く)
如	ニョ
沼	ショウ
焦	あせ(る)
辱	はずかし(める)
穂	スイ
井	セイ
婿	セイ
請	シン こ(う)
阻	はば(む)
礎	いしずえ
桑	ソウ
葬	ほうむ(る)
袋	タイ
端	は
壇	タン
沖	チュウ
澄	チョウ
鎮	しず(める) しず(まる)
滴	したた(る)
卑	いや(しむ) いや(しめる) いや(しい)
泌	ヒ
苗	ビョウ
敷	フ
覆	くつがえ(す) くつがえ(る)
払	フツ
柄	ヘイ
芳	かんば(しい)
奉	たてまつ(る)
倣	なら(う)
傍	かたわ(ら)
謀	ム はか(る)
翻	ひるがえ(る) ひるがえ(す)
凡	ハン
免	まぬか(れる)
憂	う(い)
腰	ヨウ
謡	うたい うた(う)
絡	から(む) から(まる) から(める)
陵	みささぎ
糧	ロウ かて
霊	リョウ たま
麗	うるわ(しい)

四字熟語

本試験によく出題される重要な四字熟語を50音順に掲載しました。なお、類は類義語、対は対義語を示しています。

唯唯諾諾（いいだくだく）
内容のよしあしに関係なく、人の意見に盲従すること。類百依百順（ひゃくいひゃくじゅん）

有為転変（ういてんぺん）
この世のすべてのものは常に移り変わること。また、この世が無常ではかないことのたとえ。類諸行無常

会者定離（えしゃじょうり）
仏教の教えに由来し、この世は無常で、会えば必ず離れる運命にあるということ。

遠慮会釈（えんりょえしゃく）
他人のことを考えて、態度を慎ましく控え目にすること。対傍若無人

温厚篤実（おんこうとくじつ）
人柄が穏やかで、あたたかく誠実なこと。

快刀乱麻（かいとうらんま）
もつれている物事を、手ぎわよく処理して解決すること。類一刀両断

合従連衡（がっしょうれんこう）
その時々の利害によって、団結したり離れたりすること。

汗牛充棟（かんぎゅうじゅうとう）
蔵書が非常に多いこと。また、多くの書籍のたとえ。

閑話休題（かんわきゅうだい）
話を本筋に戻すときに「それはさておき」という意味で使う。

気炎万丈（きえんばんじょう）
燃えさかる炎のように意気盛んであること。

危急存亡（ききゅうそんぼう）
危険が差し迫り、生きるか死ぬかの瀬戸際のこと。類生死存亡

教唆扇動（きょうさせんどう）
よくないことをさせるために、人をそそのかして、あおりたてること。

金科玉条（きんかぎょくじょう）
自分の主張などの絶対的なよりどころとなる大切な教訓や信条のこと。

謹厳実直（きんげんじっちょく）
人柄が慎み深く、誠実で正直なこと。類謹言慎行

月下氷人（げっかひょうじん）
男女の縁を取り持つ人。仲人。中国の伝説で男女の仲を取り持つとされる「月下老人」と「氷人」を合わせた言葉。

巧遅拙速（こうちせっそく）
物事の進め方が上手で遅いより、下手でも速いほうがよい場合があるということ。

高論卓説（こうろんたくせつ）
見識の高い、すぐれた意見や論説のこと。

詩歌管弦（しいかかんげん）
貴族が漢詩や和歌を作り、笛や琴など楽器を奏でることより、文学と音楽のこと。

自縄自縛（じじょうじばく）
自分の心がけや言動で、自身の動きがとれなくなり苦しむこと。類自業自得

質実剛健（しつじつごうけん）
飾り気がなくまじめで、心身ともに強くたくましいこと。対巧言令色

疾風迅雷（しっぷうじんらい）
速い風と激しい雷の意味から、行動がすばやく激しいさま。類電光石火／迅速果敢

熟慮断行（じゅくりょだんこう）
十二分に考えたうえで、思い切って実行すること。

盛者必衰（じょうしゃひっすい）
世の中は無常であり、現在勢いの盛んな者でもいつか必ず衰えること。類生者必滅

精進潔斎（しょうじんけっさい）
飲食を慎み、心身を清めてけがれのない状態にしておくこと。転じて、肉食を避けること。類斎戒沐浴（さいかいもくよく）

小心翼翼（しょうしんよくよく）
気が小さくて、びくびくしている様子。

枝葉末節（しようまっせつ）
物事の本質からはずれた細かい部分のこと。

新進気鋭（しんしんきえい）
ある分野に新しく現れ、意気込みが盛んで将来性があること。類少壮有為

迅速果断（じんそくかだん）
物事をすばやく決断し、大胆に実行すること。類即断即決

心頭滅却（しんとうめっきゃく）
どんな苦しみに遭っても、心の持ち方ひとつでそれを乗り越えられるということ。

生殺与奪（せいさつよだつ）
物を与えるも奪うも自分の思いのままであること。類活殺自在

大願成就（たいがんじょうじゅ）
神仏に願ったことがかなえられることから、大きな望みがかなうこと。

泰山北斗（たいざんほくと）
泰山と北斗七星から、それぞれの専門分野の第一人者のこと。

多岐亡羊（たきぼうよう）
方針が多すぎて、どれを選んでよいか迷うこと。

暖衣飽食（だんいほうしょく）
物質的に何の苦労もない満ち足りた生活のこと。対粗衣粗食

昼夜兼行（ちゅうやけんこう）
昼と夜の区別なく、休みなく物事を行うこと。類不眠不休

天衣無縫（てんいむほう）
人柄や文章が、飾り気がなく自然であること。

天涯孤独（てんがいこどく）
この世に身寄りがなく、独りぼっちであること。

東奔西走（とうほんせいそう）
仕事や目的達成のために、四方八方忙しく走りまわること。類南船北馬

怒髪衝天（どはつしょうてん）
髪の毛が逆立つほど激しく怒ること。類頭髪上指

内疎外親（ないそがいしん）
見た目では親しげにしているが、内心では疎んじていること。

内憂外患（ないゆうがいかん）
国や組織の内部にある心配事と、外部にある心配事。懸念されることがたくさんあること。

馬耳東風（ばじとうふう）
人の意見や批評などを心にとめず聞き流すこと。また、何を言っても反応がないこと。

放歌高吟（ほうかこうぎん）
あたりかまわず大声で歌い吟ずること。「高吟放歌」ともいう。

傍若無人（ぼうじゃくぶじん）
まわりをはばからず、勝手で無遠慮な振る舞いをすること。類得手勝手

面目一新（めんもくいっしん）
これまでとは外見や内容がすっかり変わること。類面目躍如／名誉挽回

和魂漢才（わこんかんさい）
日本固有の精神を持ちつつ、中国伝来の学問を活用することが重要であるということ。類和魂洋才

熟字訓・当て字と特別な読みの用例

出題されやすい熟字訓・当て字と特別な読みの用例を掲載しました。なお、左側に・の付いた漢字の読みが特別な読みです。特別な読み以外にも可能な読みがある場合は（　）に入れて掲載しています。

熟字訓・当て字

海女・海士	あま
息吹	いぶき
浮気	うわき
お神酒	おみき
母屋・母家	おもや
神楽	かぐら
河岸	かし
（魚河岸	うおがし）
鍛冶	かじ
固唾	かたず
蚊帳	かや
玄人	くろうと
居士	こじ
雑魚	ざこ
桟敷	さじき
差し支える	さしつかえる
尻尾	しっぽ
老舗	しにせ
数珠	じゅず
素人	しろうと
師走	しわす・しはす
数寄屋・数奇屋	すきや
山車	だし
立ち退く	たちのく
稚児	ちご
築山	つきやま
伝馬船	てんません
投網	とあみ
十重二十重	とえはたえ
読経	どきょう
仲人	なこうど
野良	のら
祝詞	のりと
真面目	まじめ
猛者	もさ
八百長	やおちょう
浴衣	ゆかた
寄席	よせ
弥生	やよい

特別な読みの用例

帰依	きえ
小唄	こうた
疫病神	やくびょうがみ
御利益	ごりやく
和尚	おしょう

久遠　くおん
火影　ほかげ
香華　こうげ
象牙　ぞうげ
回向　えこう
格子　こうし
開眼　かいげん
最期　さいご
脚立　きゃたつ
行脚　あんぎゃ
宮内庁　くないちょう
虚空　こくう
虚無僧　こむそう
供物　くもつ
信仰　しんこう
勤行　ごんぎょう
建立　こんりゅう
権化　ごんげ
霊験　れいげん

懸念　けねん
懸想　けそう
荘厳　そうごん
庫裏　くり
功徳　くどく
行火　あんか
香車　きょうしゃ
年貢　ねんぐ
相殺　そうさい
殺生　せっしょう
給仕　きゅうじ
好事家　こうずか
鹿の子　かのこ
言質　げんち
老若　ろうにゃく
（ろうじゃく）
寂然　せきぜん
（じゃくねん）

法主　ほっす
（ほうしゅ・ほっしゅ）
坊主　ぼうず
成就　じょうじゅ
衆生　しゅじょう
従三位　じゅさんみ
従容　しょうよう
祝儀　しゅうぎ
旬　しゅん
女房　にょうぼう
身上　しんしょう
風情　ふぜい
断食　だんじき
神々しい　こうごうしい
人数　にんず
（にんずう）
成仏　じょうぶつ
大音声　だいおんじょう
緑青　ろくしょう

紺青　こんじょう
摂政　せっしょう
六根清浄　ろっこんしょうじょう
繁盛　はんじょう
普請　ふしん
赤銅　しゃくどう
お節料理　おせちりょうり
遊説　ゆうぜい
未曽有　みぞう
愛想　あいそ
布団　ふとん
土壇場　どたんば
執着　しゅうじゃく
（しゅうちゃく）
愛着　あいじゃく
（あいちゃく）
一日中　いちにちじゅう
通夜　つや
爪弾く　つまびく

法度　はっと
音頭　おんど
神道　しんとう
牛丼　ぎゅうどん
南無　なむ
納屋　なや
納戸　なんど
馬子　まご
博徒　ばくと
謀反　むほん
煩悩　ぼんのう
眉間　みけん
疾病　しっぺい
富貴　ふうき
（ふっき）
中風　ちゅうぶ
歩　ふ
衣鉢　いはつ
亡者　もうじゃ

凡例　はんれい
心神耗弱　しんしんこうじゃく
目深　まぶか
由緒　ゆいしょ
唯々諾々　いいだくだく
遊山　ゆさん
律儀　りちぎ
流布　るふ
流転　るてん
兵糧　ひょうろう
棟木　むなぎ

コラム

●熟字訓・当て字とは？

熟字訓とは、熟字（＝熟語）の訓読みという意味で、一字一字の訓読みとは別に、熟語全体に一つの訓を対応させたものです。

当て字とは、外来語などを表記するために、漢字本来の意味とは関係なく、漢字を当てたものです。

その他の部首

部首の問題では、本文で挙げた頻出問題以外にもさまざまな漢字が出題されますので、チェックしておきましょう。

漢字	音	既	幾	久	丘	雇	顧	互	甲	拷
部首	音	旡	幺	ノ	一	隹	頁	二	田	扌

漢字	剛	酷	再	砕	載	剤	崎	真	紳	邪
部首	刂	酉	冂	石	車	刂	山	目	糸	阝

漢字	首	淑	準	粋	衰	斥	占	卓	奪	懲
部首	首	氵	氵	米	衣	斤	卜	十	大	心

漢字	廷	徹	豆	督	屯	髪	般	卑	募	僕
部首	廴	彳	豆	目	屮	髟	舟	十	力	亻

漢字	岬	面	免	妄	盲	唯	勇	猶	用	枠
部首	山	面	儿	女	目	口	力	犭	用	木

部首一覧

画数ごとに部首と部首名を載せました。部首を覚えるときは部首名も一緒に覚えるようにすると覚えやすいです。

1画

- 一　いち
- 丨　ぼう／たてぼう
- 丶　てん
- ノ　の／はらいぼう
- 乙　おつ
- 乚　おつ
- 亅　はねぼう

2画

- 二　に
- 亠　なべぶた／けいさんかんむり
- 人　ひと
- 亻　にんべん
- 𠆢　ひとやね
- 入　いる
- 儿　ひとあし／にんにょう
- 八　はち
- ハ　は
- 冂　どうがまえ／けいがまえ／まきがまえ
- 冖　わかんむり
- 冫　にすい
- 几　つくえ
- 凵　うけばこ
- 刀　かたな
- 刂　りっとう
- 力　ちから
- 勹　つつみがまえ
- 匕　ひ
- 匚　はこがまえ
- 匸　かくしがまえ
- 十　じゅう
- 卜　と／うらない
- 卩　わりふ／ふしづくり
- 㔾　わりふ／ふしづくり
- 厂　がんだれ
- 厶　む
- 又　また

3画

- 口　くち
- 口　くちへん
- 囗　くにがまえ
- 土　つち
- 土　つちへん
- 士　さむらい
- 夂　すいにょう／ふゆがしら
- 夕　た／ゆうべ
- 大　だい
- 女　おんな
- 女　おんなへん
- 子　こ
- 子　こへん
- 宀　うかんむり
- 寸　すん
- 小　しょう
- ⺌　しょう
- 尢　だいのまげあし
- 尸　かばね／しかばね
- 屮　てつ
- 山　やま
- 山　やまへん
- 川　かわ
- 巛　かわ
- 工　え／たくみ
- 工　たくみへん
- 己　おのれ
- 巾　はば

巾 はばへん きんべん
干 かん いちじゅう
幺 よう いとがしら
广 まだれ
廴 えんにょう
廾 こまぬき にじゅうあし
弋 しきがまえ
弓 ゆみ
弓 ゆみへん
彐 けいがしら
彡 さんづくり
彳 ぎょうにんべん
⺍ つかんむり

4画

忄→心
氵→水
艹→艸
阝(旁)→邑
阝(偏)→阜
扌→手
犭→犬
辶→辵

心 こころ
忄 りっしんべん
⺗ したごころ
戈 ほこづくり ほこがまえ
戸 と
戸 とだれ とかんむり
手 て
扌 てへん
支 し

攵 のぶん ぼくづくり
文 ぶん
斗 とます
斤 きん
斤 おのづくり
方 ほう
方 ほうへん かたへん
日 ひ
日 ひへん
曰 ひらび いわく
月 つき
月 つきへん
木 き

木 きへん
欠 あくび かける
止 とめる
歹 かばねへん いちたへん がつへん
殳 るまた ほこづくり
毋 なかれ
比 ならびひ くらべる
毛 け
氏 うじ
气 きがまえ
水 みず
氵 さんずい
氺 したみず

火 ひ
火 ひへん
灬 れんが れっか
爪 つめ
爫 つめかんむり つめがしら
父 ちち
片 かた
片 かたへん
牙 きば
牛 うし
牛 うしへん
犬 いぬ
犭 けものへん

5画

王・⺩→玉
礻→示
耂→老
辶→辵

玄 げん
玉 たま
王 おう
⺩ おうへん たまへん
瓦 かわら
甘 かん あまい
生 うまれる
用 もちいる
田 た
田 たへん

疋	ひき
𤴔	ひきへん
疒	やまいだれ
癶	はつがしら
白	しろ
皮	けがわ
皿	さら
目	め
目	めへん
矛	ほこ
矢	や
矢	やへん
旡	なし ぶ すでのつくり
石	いし
石	いしへん
示	しめす
礻	しめすへん
禾	のぎ
禾	のぎへん
穴	あな
穴	あなかんむり
立	たつ
立	たつへん

氺→水　衤→衣　罒→网

6画

竹	たけ
⺮	たけかんむり
米	こめ
米	こめへん
糸	いと
糸	いとへん
缶	ほとぎ
罒	あみがしら あみめ よこめ
羊	ひつじ
羽	はね
耂	おいかんむり おいがしら
而	しかして しこうして
耒	すきへん らいすき
耳	みみ
耳	みみへん
聿	ふでづくり
肉	にく
月	にくづき
自	みずから
至	いたる
臼	うす
舌	した
舟	ふね
舟	ふねへん
艮	ねづくり こんづくり
色	いろ
艹	くさかんむり
虍	とらがしら とらかんむり
虫	むし
虫	むしへん
血	ち
行	ぎょう
行	ぎょうがまえ ゆきがまえ
衣	ころも
衤	ころもへん
西	にし
覀	おおいかんむり

7画

見	みる
臣	しん
角	かく つの
角	つのへん
言	げん
言	ごんべん
谷	たに
豆	まめ
豕	ぶた いのこ
豸	むじなへん
貝	かい こがい
貝	かいへん
赤	あか
走	はしる
走	そうにょう

足	あし
𧾷	あしへん
身	み
車	くるま
車	くるまへん
辛	からい
辰	しんのたつ
辶	しんにょう しんにゅう
辶	しんにょう しんにゅう
阝	おおざと
酉	ひよみのとり
酉	とりへん
采	のごめ
釆	のごめへん
里	さと
里	さとへん
舛	まいあし
麦	むぎ
麦	ばくにょう

8画

金	かね
金	かねへん
長	ながい
門	もん
門	もんがまえ
阜	おか
阝	こざとへん
隶	れいづくり
隹	ふるとり
雨	あめ
雨	あめかんむり
青	あお
非	あらず ひ
斉	せい
飠→食	

9画

面	めん
革	かくのかわ つくりがわ
革	かわへん
音	おと
頁	おおがい
風	かぜ
飛	とぶ
食	しょく
𩙿	しょくへん
飠	しょくへん
首	くび
香	か かおり

10画

馬	うま
馬	うまへん
骨	ほね
骨	ほねへん
高	たかい
髟	かみがしら
鬯	ちょう
鬼	おに
鬼	きにょう
韋	なめしがわ
竜	りゅう

11画

魚	うお
魚	うおへん
鳥	とり
鹿	しか
麻	あさ
黄	き
黒	くろ
亀	かめ

12画

歯	は
歯	はへん

13画

鼓	つづみ

14画

鼻	はな

※「辶」については「遡」・「遜」のみに適用。
※「飠」については「餌」・「餅」のみに適用。

3級以下の配当漢字表

小学校

愛	アイ
悪	アク・オ★ わる(い)
圧	アツ
安	アン やす(い)
案	アン
暗	アン くら(い)
以	イ
衣	イ ころも
位	イ くらい
囲	イ かこ(む)・かこ(う)
医	イ
委	イ ゆだ(ねる)
胃	イ
異	イ こと
移	イ うつ(る)・うつ(す)
意	イ
遺	イ・ユイ
域	イキ
育	イク そだ(つ)・そだ(てる)・はぐく(む)
一	イチ・イツ ひと・ひと(つ)
茨	いばら
引	イン ひ(く)・ひ(ける)
印	イン しるし
因	イン よ(る)★
員	イン
院	イン
飲	イン の(む)
右	ウ・ユウ みぎ
宇	ウ
羽	ウ は・はね
雨	ウ あめ・あま
運	ウン はこ(ぶ)
雲	ウン くも
永	エイ なが(い)
泳	エイ およ(ぐ)
英	エイ
映	エイ うつ(る)・うつ(す)・は(える)
栄	エイ さか(える)・は(え)★・は(える)★
営	エイ いとな(む)
衛	エイ
易	エキ・イ やさ(しい)
益	エキ・ヤク★
液	エキ
駅	エキ
円	エン まる(い)
延	エン の(びる)・の(べる)・の(ばす)
沿	エン そ(う)
媛	エン
園	エン その
遠	エン・オン★ とお(い)
塩	エン しお
演	エン
王	オウ
央	オウ
応	オウ こた(える)
往	オウ
桜	オウ★ さくら
横	オウ よこ
岡	おか
屋	オク や
億	オク
音	オン・イン おと・ね
恩	オン
温	オン あたた(か)・あたた(かい)・あたた(まる)・あたた(める)
下	カ・ゲ した・しも・もと・さ(げる)・さ(がる)・くだ(る)・くだ(す)・くだ(さる)・お(ろす)・お(りる)
化	カ・ケ ば(ける)・ば(かす)
火	カ ひ・ほ★
加	カ くわ(える)・くわ(わる)
可	カ
仮	カ・ケ かり
何	カ なに・なん
花	カ はな
価	カ あたい★
果	カ は(たす)・は(てる)・は(て)
河	カ かわ
科	カ
夏	カ・ゲ なつ
家	カ・ケ いえ・や
荷	カ に
貨	カ
過	カ す(ぎる)・す(ごす)・あやま(つ)★・あやま(ち)★
歌	カ うた・うた(う)
課	カ
我	ガ われ・わ
画	ガ・カク
芽	ガ め
賀	ガ
回	カイ・エ★ まわ(る)・まわ(す)
灰	カイ はい
会	カイ・エ★ あ(う)
快	カイ こころよ(い)
改	カイ あらた(める)・あらた(まる)
海	カイ うみ
界	カイ
械	カイ
絵	カイ・エ
開	カイ ひら(く)・ひら(ける)・あ(く)・あ(ける)
階	カイ
解	カイ・ゲ★ と(く)・と(かす)・と(ける)
貝	かい
外	ガイ・ゲ そと・ほか・はず(す)・はず(れる)
害	ガイ
街	ガイ・カイ まち
各	カク おのおの★
角	カク かど・つの
拡	カク
革	カク かわ
格	カク・コウ★
覚	カク おぼ(える)・さ(ます)・さ(める)
閣	カク
確	カク たし(か)・たし(かめる)
学	ガク まな(ぶ)
楽	ガク・ラク たの(しい)・たの(しむ)
額	ガク ひたい
潟	かた
活	カツ
割	カツ わ(る)・わり・わ(れる)・さ(く)
株	かぶ
干	カン ほ(す)・ひ(る)
刊	カン
完	カン
官	カン
巻	カン ま(く)・まき
看	カン
寒	カン さむ(い)
間	カン・ケン あいだ・ま
幹	カン みき
感	カン

※小学校で学ぶ漢字には、中学・高校で習う音訓も掲げてあります。★の付いた音訓は高校で習う読みです。

漢	カン
慣	カン な(れる)・な(らす)
管	カン くだ
関	カン せき・かか(わる)
館	カン やかた
簡	カン
観	カン
丸	ガン まる・まる(い)・まる(める)
岸	ガン きし
岩	ガン いわ
眼	ガン・ゲン★ まなこ
顔	ガン かお
願	ガン ねが(う)
危	キ あぶ(ない)・あや(うい)・あや(ぶむ)
机	キ つくえ
気	キ・ケ
岐	キ
希	キ
汽	キ
季	キ
紀	キ
記	キ しる(す)
起	キ お(きる)・お(こる)・お(こす)
帰	キ かえ(る)・かえ(す)
基	キ もと・もとい★
寄	キ よ(る)・よ(せる)
規	キ
喜	キ よろこ(ぶ)
揮	キ
期	キ・ゴ★
貴	キ たっと(い)・とうと(い)・たっと(ぶ)・とうと(ぶ)
旗	キ はた
器	キ うつわ
機	キ はた
技	ギ わざ
義	ギ
疑	ギ うたが(う)
議	ギ
客	キャク・カク
逆	ギャク さか・さか(らう)
九	キュウ・ク ここの・ここの(つ)
久	キュウ・ク★ ひさ(しい)
弓	キュウ ゆみ
旧	キュウ
休	キュウ やす(む)・やす(まる)・やす(める)
吸	キュウ す(う)
求	キュウ もと(める)
究	キュウ きわ(める)
泣	キュウ な(く)
急	キュウ いそ(ぐ)
級	キュウ
宮	キュウ・グウ・ク★ みや
救	キュウ すく(う)
球	キュウ たま
給	キュウ
牛	ギュウ うし
去	キョ・コ さ(る)
居	キョ い(る)
挙	キョ あ(げる)・あ(がる)
許	キョ ゆる(す)
魚	ギョ うお・さかな
漁	ギョ・リョウ
共	キョウ とも
京	キョウ・ケイ
供	キョウ・ク★ そな(える)・とも
協	キョウ
胸	キョウ むね・むな
強	キョウ・ゴウ つよ(い)・つよ(まる)・つよ(める)・し(いる)
教	キョウ おし(える)・おそ(わる)
郷	キョウ・ゴウ
境	キョウ・ケイ さかい
橋	キョウ はし
鏡	キョウ かがみ
競	キョウ・ケイ きそ(う)・せ(る)★
業	ギョウ・ゴウ★ わざ
曲	キョク ま(がる)・ま(げる)
局	キョク
極	キョク・ゴク きわ(める)・きわ(まる)・きわ(み)
玉	ギョク たま
均	キン
近	キン ちか(い)
金	キン・コン かね・かな
勤	キン・ゴン★ つと(める)・つと(まる)
筋	キン すじ
禁	キン
銀	ギン
区	ク
句	ク
苦	ク くる(しい)・くる(しむ)・くる(しめる)・にが(い)・にが(る)
具	グ
空	クウ そら・あ(く)・あ(ける)・から
熊	くま
君	クン きみ
訓	クン
軍	グン
郡	グン
群	グン む(れる)・む(れ)・むら
兄	ケイ・キョウ あに
形	ケイ・ギョウ かた・かたち
系	ケイ
径	ケイ
係	ケイ かか(る)・かかり
型	ケイ かた
計	ケイ はか(る)・はか(らう)
経	ケイ・キョウ へ(る)
敬	ケイ うやま(う)
景	ケイ
軽	ケイ かる(い)・かろ(やか)
警	ケイ
芸	ゲイ
劇	ゲキ
激	ゲキ はげ(しい)
欠	ケツ か(ける)・か(く)
穴	ケツ あな
血	ケツ ち
決	ケツ き(める)・き(まる)
結	ケツ むす(ぶ)・ゆ(う)・ゆ(わえる)
潔	ケツ いさぎよ(い) ★
月	ゲツ・ガツ つき
犬	ケン いぬ
件	ケン
見	ケン み(る)・み(える)・み(せる)
券	ケン
建	ケン・コン★ た(てる)・た(つ)
研	ケン と(ぐ)
県	ケン
健	ケン すこ(やか)
険	ケン けわ(しい)
検	ケン
絹	ケン★ きぬ
権	ケン・ゴン★
憲	ケン

験	ケン・ゲン★
元	ゲン・ガン もと
言	ゲン・ゴン い(う)・こと
限	ゲン かぎ(る)
原	ゲン はら
現	ゲン あらわ(れる)・あらわ(す)
減	ゲン へ(る)・へ(らす)
源	ゲン みなもと
厳	ゲン・ゴン★ おごそ(か)・きび(しい)
己	コ・キ おのれ
戸	コ と
古	コ ふる(い)・ふる(す)
呼	コ よ(ぶ)
固	コ かた(める)・かた(まる)・かた(い)
故	コ ゆえ
個	コ
庫	コ・ク★
湖	コ みずうみ
五	ゴ いつ・いつ(つ)
午	ゴ
後	ゴ・コウ のち・うし(ろ)・あと・おく(れる)
語	ゴ かた(る)・かた(らう)
誤	ゴ あやま(る)
護	ゴ
口	コウ・ク くち
工	コウ・ク
公	コウ おおやけ
功	コウ・ク★
広	コウ ひろ(い)・ひろ(まる)・ひろ(める)・ひろ(がる)・ひろ(げる)
交	コウ まじ(わる)・まじ(える)・ま(じる)・ま(ざる)・ま(ぜる)・か(う)・か(わす)
光	コウ ひか(る)・ひかり
向	コウ む(く)・む(ける)・む(かう)・む(こう)
后	コウ
好	コウ この(む)・す(く)
考	コウ かんが(える)
行	コウ・ギョウ・アン★ い(く)・ゆ(く)・おこな(う)
孝	コウ
効	コウ き(く)
幸	コウ さいわ(い)・さち・しあわ(せ)
厚	コウ あつ(い)
皇	コウ・オウ
紅	コウ・ク べに・くれない
香	コウ・キョウ★ か・かお(り)・かお(る)
候	コウ そうろう★
校	コウ
耕	コウ たがや(す)
航	コウ
降	コウ お(りる)・お(ろす)・ふ(る)
高	コウ たか(い)・たか・たか(まる)・たか(める)
康	コウ
黄	コウ・オウ き・こ
港	コウ みなと
鉱	コウ
構	コウ かま(える)・かま(う)
興	コウ・キョウ おこ(る)★・おこ(す)★
鋼	コウ はがね
講	コウ
号	ゴウ
合	ゴウ・ガッ・カッ あ(う)・あ(わす)・あ(わせる)
告	コク つ(げる)
谷	コク たに
刻	コク きざ(む)
国	コク くに
黒	コク くろ・くろ(い)
穀	コク
骨	コツ ほね
今	コン・キン いま
困	コン こま(る)
根	コン ね
混	コン ま(じる)・ま(ざる)・ま(ぜる)・こ(む)
左	サ ひだり
佐	サ
査	サ
砂	サ・シャ すな
差	サ さ(す)
座	ザ すわ(る)
才	サイ
再	サイ・サ ふたた(び)
災	サイ わざわ(い)
妻	サイ つま
採	サイ と(る)
済	サイ す(む)・す(ます)
祭	サイ まつ(る)・まつ(り)
細	サイ ほそ(い)・ほそ(る)・こま(か)・こま(かい)
菜	サイ な
最	サイ もっと(も)
裁	サイ た(つ)・さば(く)
際	サイ きわ★
埼	さい
在	ザイ あ(る)
材	ザイ
財	ザイ・サイ
罪	ザイ つみ
崎	さき
作	サク・サ つく(る)
昨	サク
策	サク
冊	サツ・サク★
札	サツ ふだ
刷	サツ す(る)
殺	サツ・サイ★・セツ★ ころ(す)
察	サツ
雑	ザツ・ゾウ
皿	さら
三	サン み・み(つ)・みっ(つ)
山	サン やま
参	サン まい(る)
蚕	サン かいこ
産	サン う(む)・う(まれる)・うぶ★
散	サン ち(る)・ち(らす)・ち(らかす)・ち(らかる)
算	サン
酸	サン す(い)★
賛	サン
残	ザン のこ(る)・のこ(す)
士	シ
子	シ・ス こ
支	シ ささ(える)
止	シ と(まる)・と(める)
氏	シ うじ
仕	シ・ジ★ つか(える)
史	シ
司	シ
四	シ よ・よ(つ)・よっ(つ)・よん
市	シ いち
矢	シ★ や
死	シ し(ぬ)
糸	シ いと
至	シ いた(る)
志	シ こころざ(す)・こころざし
私	シ わたくし・わたし
使	シ つか(う)
始	シ はじ(める)・はじ(まる)

姉	シ あね
枝	シ★ えだ
姿	シ すがた
思	シ おも(う)
指	シ ゆび・さ(す)
師	シ
紙	シ かみ
視	シ
詞	シ
歯	シ は
試	シ こころ(みる)・ため(す)
詩	シ
資	シ
飼	シ か(う)
誌	シ
示	ジ・シ しめ(す)
字	ジ あざ
寺	ジ てら
次	ジ・シ つ(ぐ)・つぎ
耳	ジ みみ
自	ジ・シ みずか(ら)
似	ジ に(る)
児	ジ・ニ
事	ジ・ズ★ こと
治	ジ・チ おさ(める)・おさ(まる)・なお(る)・なお(す)
持	ジ も(つ)
時	ジ とき
滋	ジ
辞	ジ や(める)
磁	ジ
鹿	しか・か
式	シキ
識	シキ
七	シチ なな・なな(つ)・なの
失	シツ うしな(う)
室	シツ むろ
質	シツ・シチ・チ★
実	ジツ み・みの(る)
写	シャ うつ(す)・うつ(る)
社	シャ やしろ
車	シャ くるま
舎	シャ
者	シャ もの
射	シャ い(る)
捨	シャ す(てる)
謝	シャ あやま(る)
尺	シャク
借	シャク か(りる)
若	ジャク・ニャク★ わか(い)・も(しくは)★
弱	ジャク よわ(い)・よわ(る)・よわ(まる)・よわ(める)
手	シュ て・た
主	シュ・ス★ ぬし・おも
守	シュ・ス まも(る)・も(り)
取	シュ と(る)
首	シュ くび
酒	シュ さけ・さか
種	シュ たね
受	ジュ う(ける)・う(かる)
授	ジュ さず(ける)・さず(かる)
樹	ジュ
収	シュウ おさ(める)・おさ(まる)
州	シュウ す
周	シュウ まわ(り)
宗	シュウ・ソウ
拾	シュウ・ジュウ ひろ(う)
秋	シュウ あき
修	シュウ・シュ おさ(める)・おさ(まる)
終	シュウ お(わる)・お(える)
習	シュウ なら(う)
週	シュウ
就	シュウ・ジュ★ つ(く)・つ(ける)
衆	シュウ・シュ★
集	シュウ あつ(まる)・あつ(める)・つど(う)
十	ジュウ・ジッ とお・と
住	ジュウ す(む)・す(まう)
重	ジュウ・チョウ え・おも(い)・かさ(ねる)・かさ(なる)
従	ジュウ・ショウ★・ジュ★ したが(う)・したが(える)
縦	ジュウ たて
祝	シュク・シュウ★ いわ(う)
宿	シュク やど・やど(る)・やど(す)
縮	シュク ちぢ(む)・ちぢ(まる)・ちぢ(める)・ちぢ(れる)・ちぢ(らす)
熟	ジュク う(れる)
出	シュツ・スイ で(る)・だ(す)
述	ジュツ の(べる)
術	ジュツ
春	シュン はる
純	ジュン
順	ジュン
準	ジュン
処	ショ
初	ショ はじ(め)・はじ(めて)・はつ・うい★・そ(める)
所	ショ ところ
書	ショ か(く)
暑	ショ あつ(い)
署	ショ
諸	ショ
女	ジョ・ニョ・ニョウ★ おんな・め
助	ジョ たす(ける)・たす(かる)・すけ
序	ジョ
除	ジョ・ジ のぞ(く)
小	ショウ ちい(さい)・こ・お
少	ショウ すく(ない)・すこ(し)
招	ショウ まね(く)
承	ショウ うけたまわ(る)
松	ショウ まつ
昭	ショウ
将	ショウ
消	ショウ き(える)・け(す)
笑	ショウ わら(う)・え(む)
唱	ショウ とな(える)
商	ショウ あきな(う)
章	ショウ
勝	ショウ か(つ)・まさ(る)
焼	ショウ や(く)・や(ける)
証	ショウ
象	ショウ・ゾウ
傷	ショウ きず・いた(む)・いた(める)
照	ショウ て(る)・て(らす)・て(れる)
障	ショウ さわ(る)★
賞	ショウ
上	ジョウ・ショウ★ うえ・うわ・かみ・あ(げる)・あ(がる)・のぼ(る)・のぼ(せる)・のぼ(す)
条	ジョウ
状	ジョウ
乗	ジョウ の(る)・の(せる)
城	ジョウ しろ
常	ジョウ つね・とこ★
情	ジョウ・セイ★ なさ(け)
場	ジョウ ば
蒸	ジョウ む(す)・む(れる)・む(らす)
縄	ジョウ なわ

色	ショク・シキ いろ
食	ショク・ジキ★ く(う)・く(らう)★・た(べる)
植	ショク う(える)・う(わる)
織	ショク★・シキ お(る)
職	ショク
心	シン こころ
申	シン もう(す)
臣	シン・ジン
身	シン み
信	シン
神	シン・ジン かみ・かん・こう★
真	シン ま
針	シン はり
深	シン ふか(い)・ふか(まる)・ふか(める)
進	シン すす(む)・すす(める)
森	シン もり
新	シン あたら(しい)・あら(た)・にい
親	シン おや・した(しい)・した(しむ)
人	ジン・ニン ひと
仁	ジン・ニ
図	ズ・ト はか(る)
水	スイ みず
垂	スイ た(れる)・た(らす)
推	スイ お(す)
数	スウ・ス★ かず・かぞ(える)
寸	スン
井	セイ★・ショウ い
世	セイ・セ よ
正	セイ・ショウ ただ(しい)・ただ(す)・まさ
生	セイ・ショウ い(きる)・い(かす)・い(ける)・う(まれる)・う(む)・お(う)・は(える)・は(やす)・き・なま
成	セイ・ジョウ★ な(る)・な(す)
西	セイ・サイ にし
声	セイ・ショウ★ こえ・こわ
制	セイ
性	セイ・ショウ
青	セイ・ショウ★ あお・あお(い)
政	セイ・ショウ★ まつりごと★
星	セイ・ショウ ほし
省	セイ・ショウ かえり(みる)・はぶ(く)
清	セイ・ショウ★ きよ(い)・きよ(まる)・きよ(める)
盛	セイ・ジョウ★ も(る)・さか(る)・さか(ん)
晴	セイ は(れる)・は(らす)
勢	セイ いきお(い)
聖	セイ
誠	セイ まこと
精	セイ・ショウ
製	セイ
静	セイ・ジョウ しず・しず(か)・しず(まる)・しず(める)
整	セイ ととの(える)・ととの(う)
税	ゼイ
夕	セキ ゆう
石	セキ・シャク・コク いし
赤	セキ・シャク★ あか・あか(い)・あか(らむ)・あか(らめる)
昔	セキ★・シャク むかし
席	セキ
責	セキ せ(める)
積	セキ つ(む)・つ(もる)
績	セキ
切	セツ・サイ き(る)・き(れる)
折	セツ お(る)・おり・お(れる)
接	セツ つ(ぐ)★
設	セツ もう(ける)
雪	セツ ゆき
節	セツ・セチ★ ふし
説	セツ・ゼイ★ と(く)
舌	ゼツ した
絶	ゼツ た(える)・た(やす)・た(つ)
千	セン ち
川	セン かわ
先	セン さき
宣	セン
専	セン もっぱ(ら)
泉	セン いずみ
浅	セン あさ(い)
洗	セン あら(う)
染	セン そ(める)・そ(まる)・し(みる)★・し(み)★
船	セン ふね・ふな
戦	セン いくさ・たたか(う)
銭	セン ぜに
線	セン
選	セン えら(ぶ)
全	ゼン まった(く)・すべ(て)
前	ゼン まえ
善	ゼン よ(い)
然	ゼン・ネン
祖	ソ
素	ソ・ス
組	ソ く(む)・くみ
早	ソウ・サッ はや(い)・はや(まる)・はや(める)
争	ソウ あらそ(う)
走	ソウ はし(る)
奏	ソウ かな(でる)★
相	ソウ・ショウ あい
草	ソウ くさ
送	ソウ おく(る)
倉	ソウ くら
巣	ソウ★ す
窓	ソウ まど
創	ソウ つく(る)
装	ソウ・ショウ よそお(う)★
想	ソウ・ソ★
層	ソウ
総	ソウ
操	ソウ みさお★・あやつ(る)
造	ゾウ つく(る)
像	ゾウ
増	ゾウ ま(す)・ふ(える)・ふ(やす)
蔵	ゾウ くら
臓	ゾウ
束	ソク たば
足	ソク あし・た(りる)・た(る)・た(す)
則	ソク
息	ソク いき
速	ソク はや(い)・はや(める)・はや(まる)・すみ(やか)
側	ソク がわ
測	ソク はか(る)
族	ゾク
属	ゾク
続	ゾク つづ(く)・つづ(ける)
卒	ソツ
率	ソツ・リツ ひき(いる)
存	ソン・ゾン
村	ソン むら
孫	ソン まご
尊	ソン たっと(い)・とうと(い)・たっと(ぶ)・とうと(ぶ)
損	ソン そこ(なう)・そこ(ねる)
他	タ ほか

多	タ おお(い)
打	ダ う(つ)
太	タイ・タ ふと(い)・ふと(る)
対	タイ・ツイ
体	タイ・テイ からだ
待	タイ ま(つ)
退	タイ しりぞ(く)・しりぞ(ける)
帯	タイ お(びる)・おび
貸	タイ か(す)
隊	タイ
態	タイ
大	ダイ・タイ おお・おお(きい)・おお(いに)
代	ダイ・タイ か(わる)・か(える)・よ・しろ
台	ダイ・タイ
第	ダイ
題	ダイ
宅	タク
達	タツ
担	タン かつ(ぐ)★・にな(う)★
単	タン
炭	タン すみ
探	タン さぐ(る)・さが(す)
短	タン みじか(い)
誕	タン
団	ダン・トン★
男	ダン・ナン おとこ
段	ダン
断	ダン た(つ)・ことわ(る)
暖	ダン あたた(か)・あたた(かい)・あたた(まる)・あたた(める)
談	ダン
地	チ・ジ
池	チ いけ
知	チ し(る)
値	チ ね・あたい
置	チ お(く)
竹	チク たけ
築	チク きず(く)
茶	チャ・サ
着	チャク・ジャク★ き(る)・き(せる)・つ(く)・つ(ける)
中	チュウ・ジュウ なか
仲	チュウ なか
虫	チュウ むし
沖	チュウ★ おき
宙	チュウ
忠	チュウ
注	チュウ そそ(ぐ)
昼	チュウ ひる
柱	チュウ はしら
著	チョ あらわ(す)・いちじる(しい)
貯	チョ
丁	チョウ・テイ
庁	チョウ
兆	チョウ きざ(す)★・きざ(し)★
町	チョウ まち
長	チョウ なが(い)
帳	チョウ
張	チョウ は(る)
頂	チョウ いただ(く)・いただき
鳥	チョウ とり
朝	チョウ あさ
腸	チョウ
潮	チョウ しお
調	チョウ しら(べる)・ととの(う)・ととの(える)
直	チョク・ジキ ただ(ちに)・なお(す)・なお(る)
賃	チン
追	ツイ お(う)
通	ツウ・ツ★ とお(る)・とお(す)・かよ(う)
痛	ツウ いた(い)・いた(む)・いた(める)
低	テイ ひく(い)・ひく(める)・ひく(まる)
弟	テイ・ダイ・デ おとうと
定	テイ・ジョウ さだ(める)・さだ(まる)・さだ(か)★
底	テイ そこ
庭	テイ にわ
停	テイ
提	テイ さ(げる)
程	テイ ほど
的	テキ まと
笛	テキ ふえ
適	テキ
敵	テキ かたき
鉄	テツ
天	テン あめ★・あま
典	テン
店	テン みせ
点	テン
展	テン
転	テン ころ(がる)・ころ(げる)・ころ(がす)・ころ(ぶ)
田	デン た
伝	デン つた(わる)・つた(える)・つた(う)
電	デン
徒	ト
都	ト・ツ みやこ
土	ド・ト つち
努	ド つと(める)
度	ド・ト★・タク たび
刀	トウ かたな
冬	トウ ふゆ
灯	トウ ひ★
当	トウ あ(たる)・あ(てる)
投	トウ な(げる)
豆	トウ・ズ まめ
東	トウ ひがし
島	トウ しま
討	トウ う(つ)
党	トウ
湯	トウ ゆ
登	トウ・ト のぼ(る)
答	トウ こた(える)・こた(え)
等	トウ ひと(しい)
統	トウ す(べる)★
糖	トウ
頭	トウ・ズ・ト★ あたま・かしら
同	ドウ おな(じ)
動	ドウ うご(く)・うご(かす)
堂	ドウ
童	ドウ わらべ
道	ドウ・トウ★ みち
働	ドウ はたら(く)
銅	ドウ
導	ドウ みちび(く)
特	トク
得	トク え(る)・う(る)
徳	トク
毒	ドク
独	ドク ひと(り)
読	ドク・トク・トウ よ(む)
栃	とち
届	とど(ける)・とど(く)
奈	ナ
内	ナイ・ダイ うち
梨	なし

南	ナン・ナ★ みなみ
難	ナン かた(い)★・むずか(しい)
二	ニ ふた・ふた(つ)
肉	ニク
日	ニチ・ジツ ひ・か
入	ニュウ い(る)・い(れる)・はい(る)
乳	ニュウ ちち・ち
任	ニン まか(せる)・まか(す)
認	ニン みと(める)
熱	ネツ あつ(い)
年	ネン とし
念	ネン
燃	ネン も(える)・も(やす)・も(す)
納	ノウ・ナッ・ナ★・ナン★・トウ おさ(める)・おさ(まる)
能	ノウ
脳	ノウ
農	ノウ
波	ハ なみ
派	ハ
破	ハ やぶ(る)・やぶ(れる)
馬	バ うま・ま
拝	ハイ おが(む)
背	ハイ せ・せい・そむ(く)・そむ(ける)
肺	ハイ
俳	ハイ
配	ハイ くば(る)
敗	ハイ やぶ(れる)
売	バイ う(る)・う(れる)
倍	バイ
梅	バイ うめ
買	バイ か(う)
白	ハク・ビャク★ しろ・しら・しろ(い)
博	ハク・バク★
麦	バク むぎ
箱	はこ
畑	はた・はたけ
八	ハチ や・や(つ)・や(っつ)・よう
発	ハツ・ホツ
反	ハン・ホン★・タン そ(る)・そ(らす)
半	ハン なか(ば)
犯	ハン おか(す)
判	ハン・バン
坂	ハン★ さか
阪	ハン
板	ハン・バン いた
版	ハン
班	ハン
飯	ハン めし
晩	バン
番	バン
比	ヒ くら(べる)
皮	ヒ かわ
否	ヒ いな★
批	ヒ
肥	ヒ こ(える)・こえ・こ(やす)・こ(やし)
非	ヒ
飛	ヒ と(ぶ)・と(ばす)
秘	ヒ ひ(める)
悲	ヒ かな(しい)・かな(しむ)
費	ヒ つい(やす)・つい(える)
美	ビ うつく(しい)
備	ビ そな(える)・そな(わる)
鼻	ビ はな
必	ヒツ かなら(ず)
筆	ヒツ ふで
百	ヒャク
氷	ヒョウ こおり・ひ★
表	ヒョウ おもて・あらわ(す)・あらわ(れる)
俵	ヒョウ たわら
票	ヒョウ
評	ヒョウ
標	ヒョウ
秒	ビョウ
病	ビョウ・ヘイ★ や(む)・やまい
品	ヒン しな
貧	ヒン・ビン まず(しい)
不	フ・ブ
夫	フ・フウ おっと
父	フ ちち
付	フ つ(ける)・つ(く)
布	フ ぬの
府	フ
阜	フ
負	フ ま(ける)・ま(かす)・お(う)
婦	フ
富	フ・フウ★ と(む)・とみ
武	ブ・ム
部	ブ
風	フウ・フ★ かぜ・かざ
服	フク
副	フク
復	フク
福	フク
腹	フク はら
複	フク
仏	ブツ ほとけ
物	ブツ・モツ もの
粉	フン こ・こな
奮	フン ふる(う)
分	ブン・フン・ブ わ(ける)・わ(かれる)・わ(かる)・わ(かつ)
文	ブン・モン ふみ
聞	ブン・モン★ き(く)・き(こえる)
平	ヘイ・ビョウ たい(ら)・ひら
兵	ヘイ・ヒョウ
並	ヘイ なみ・なら(べる)・なら(ぶ)・なら(びに)
陛	ヘイ
閉	ヘイ と(じる)・と(ざす)・し(める)・し(まる)
米	ベイ・マイ こめ
別	ベツ わか(れる)
片	ヘン かた
辺	ヘン あた(り)・べ
返	ヘン かえ(す)・かえ(る)
変	ヘン か(わる)・か(える)
編	ヘン あ(む)
弁	ベン
便	ベン・ビン たよ(り)
勉	ベン
歩	ホ・ブ・フ★ ある(く)・あゆ(む)
保	ホ たも(つ)
補	ホ おぎな(う)
母	ボ はは
墓	ボ はか
暮	ボ く(れる)・く(らす)
方	ホウ かた
包	ホウ つつ(む)
宝	ホウ たから
放	ホウ はな(す)・はな(つ)・はな(れる)・ほう(る)
法	ホウ・ハッ★・ホッ★
訪	ホウ おとず(れる)・たず(ねる)
報	ホウ むく(いる)
豊	ホウ ゆた(か)
亡	ボウ・モウ★ な(い)★

忘	ボウ・わす(れる)
防	ボウ・ふせ(ぐ)
望	ボウ・モウ・のぞ(む)
棒	ボウ
貿	ボウ
暴	ボウ・バク・あば(く)★・あば(れる)
北	ホク・きた
木	ボク・モク・き・こ
牧	ボク・まき
本	ホン・もと
毎	マイ
妹	マイ・いもうと
枚	マイ
幕	マク・バク
末	マツ・バツ★・すえ
万	マン・バン
満	マン・み(ちる)・み(たす)
未	ミ
味	ミ・あじ・あじ(わう)
密	ミツ
脈	ミャク
民	ミン・たみ
務	ム・つと(める)・つと(まる)
無	ム・ブ・な(い)
夢	ム・ゆめ
名	メイ・ミョウ・な
命	メイ・ミョウ・いのち
明	メイ・ミョウ・あ(かり)・あか(るい)・あか(るむ)・あか(らむ)・あき(らか)・あ(ける)・あ(く)・あ(くる)・あ(かす)
迷	メイ・まよ(う)
盟	メイ
鳴	メイ・な(く)・な(る)・な(らす)
面	メン・おも・おもて・つら★
綿	メン・わた
模	モ・ボ
毛	モウ・け
目	モク・ボク・め・ま★
門	モン・かど
問	モン・と(う)・と(い)・とん
夜	ヤ・よ・よる
野	ヤ・の
役	ヤク・エキ
約	ヤク
訳	ヤク・わけ
薬	ヤク・くすり
由	ユ・ユウ・ユイ★・よし★
油	ユ・あぶら
輸	ユ
友	ユウ・とも
有	ユウ・ウ・あ(る)
勇	ユウ・いさ(む)
郵	ユウ
遊	ユウ・ユ★・あそ(ぶ)
優	ユウ・やさ(しい)・すぐ(れる)
予	ヨ
余	ヨ・あま(る)・あま(す)
預	ヨ・あず(ける)・あず(かる)
幼	ヨウ・おさな(い)
用	ヨウ・もち(いる)
羊	ヨウ・ひつじ
洋	ヨウ
要	ヨウ・かなめ・い(る)
容	ヨウ
葉	ヨウ・は
陽	ヨウ
様	ヨウ・さま
養	ヨウ・やしな(う)
曜	ヨウ
浴	ヨク・あ(びる)・あ(びせる)
欲	ヨク・ほっ(する)★・ほ(しい)
翌	ヨク
来	ライ・く(る)・きた(る)・きた(す)
落	ラク・お(ちる)・お(とす)
乱	ラン・みだ(れる)・みだ(す)
卵	ラン・たまご
覧	ラン
利	リ・き(く)★
里	リ・さと
理	リ
裏	リ・うら
陸	リク
立	リツ・リュウ★・た(つ)・た(てる)
律	リツ・リチ★
略	リャク
流	リュウ・ル★・なが(れる)・なが(す)
留	リュウ・ル・と(める)・と(まる)
旅	リョ・たび
両	リョウ
良	リョウ・よ(い)
料	リョウ
量	リョウ・はか(る)
領	リョウ
力	リョク・リキ・ちから
緑	リョク・ロク★・みどり
林	リン・はやし
輪	リン・わ
臨	リン・のぞ(む)
類	ルイ・たぐ(い)
令	レイ
礼	レイ・ライ★
冷	レイ・つめ(たい)・ひ(える)・ひ(や)・ひ(やす)・ひ(やかす)・さ(める)・さ(ます)
例	レイ・たと(える)
歴	レキ
列	レツ
連	レン・つら(なる)・つら(ねる)・つ(れる)
練	レン・ね(る)
路	ロ・じ
老	ロウ・お(いる)・ふ(ける)★
労	ロウ
朗	ロウ・ほが(らか)
六	ロク・む・む(つ)・むっ(つ)・むい
録	ロク
論	ロン
和	ワ・オ★・やわ(らぐ)・やわ(らげる)・なご(む)・なご(やか)
話	ワ・はな(す)・はなし

4級

握	アク・にぎ(る)
扱	あつか(う)
依	イ・エ★
威	イ
為	イ
偉	イ・えら(い)
違	イ・ちが(う)・ちが(える)
維	イ
緯	イ
壱	イチ
芋	いも
陰	イン・かげ・かげ(る)
隠	イン・かく(す)・かく(れる)
影	エイ・かげ
鋭	エイ・するど(い)
越	エツ・こ(す)・こ(える)
援	エン
煙	エン・けむ(る)・けむり・けむ(い)

鉛	エン なまり
縁	エン ふち
汚	オ けが(す)★・けが(れる)★・けが(らわしい)★・よご(す)・よご(れる)・きたな(い)
押	オウ★ お(す)・お(さえる)
奥	オウ★ おく
憶	オク
菓	カ
暇	カ ひま
箇	カ
雅	ガ
介	カイ
戒	カイ いまし(める)
皆	カイ みな
壊	カイ こわ(す)・こわ(れる)
較	カク
獲	カク え(る)
刈	か(る)
甘	カン あま(い)・あま(える)・あま(やかす)
汗	カン あせ
乾	カン かわ(く)・かわ(かす)
勧	カン すす(める)
歓	カン
監	カン
環	カン
鑑	カン かんが(みる)★
含	ガン ふく(む)・ふく(める)
奇	キ
祈	キ いの(る)
鬼	キ おに
幾	キ いく
輝	キ かがや(く)
儀	ギ
戯	ギ たわむ(れる)★
詰	キツ★ つ(める)・つ(まる)・つ(む)
却	キャク
脚	キャク・キャ★ あし
及	キュウ およ(ぶ)・およ(び)・およ(ぼす)
丘	キュウ おか
朽	キュウ く(ちる)
巨	キョ
拠	キョ・コ
距	キョ
御	ギョ・ゴ おん
凶	キョウ
叫	キョウ さけ(ぶ)
狂	キョウ くる(う)・くる(おしい)
況	キョウ
狭	キョウ★ せま(い)・せば(める)・せば(まる)
恐	キョウ おそ(れる)・おそ(ろしい)
響	キョウ ひび(く)
驚	キョウ おどろ(く)・おどろ(かす)
仰	ギョウ・コウ あお(ぐ)・おお(せ)★
駆	ク か(ける)・か(る)
屈	クツ
掘	クツ ほ(る)
繰	く(る)
恵	ケイ・エ めぐ(む)
傾	ケイ かたむ(く)・かたむ(ける)
継	ケイ つ(ぐ)
迎	ゲイ むか(える)
撃	ゲキ う(つ)
肩	ケン★ かた
兼	ケン か(ねる)
剣	ケン つるぎ
軒	ケン のき
圏	ケン
堅	ケン かた(い)
遣	ケン つか(う)・つか(わす)
玄	ゲン
枯	コ か(れる)・か(らす)
誇	コ ほこ(る)
鼓	コ つづみ★
互	ゴ たが(い)
抗	コウ
攻	コウ せ(める)
更	コウ さら・ふ(ける)★・ふ(かす)★
恒	コウ
荒	コウ あら(い)・あ(れる)・あ(らす)
項	コウ
稿	コウ
豪	ゴウ
込	こ(む)・こ(める)
婚	コン
鎖	サ くさり
彩	サイ いろど(る)★
歳	サイ・セイ
載	サイ の(せる)・の(る)
剤	ザイ
咲	さ(く)
惨	サン・ザン★ みじ(め)★
旨	シ むね★
伺	シ★ うかが(う)
刺	シ さ(す)・さ(さる)
脂	シ あぶら
紫	シ むらさき
雌	シ め・めす
執	シツ・シュウ と(る)
芝	しば
斜	シャ なな(め)
煮	シャ★ に(る)・に(える)・に(やす)
釈	シャク
寂	ジャク・セキ★ さび・さび(しい)・さび(れる)
朱	シュ
狩	シュ か(る)・か(り)
趣	シュ おもむき
需	ジュ
舟	シュウ ふね・ふな
秀	シュウ ひい(でる)★
襲	シュウ おそ(う)
柔	ジュウ・ニュウ やわ(らか)・やわ(らかい)
獣	ジュウ けもの
瞬	シュン またた(く)★
旬	ジュン・シュン
巡	ジュン めぐ(る)
盾	ジュン たて
召	ショウ め(す)
床	ショウ とこ・ゆか
沼	ショウ★ ぬま
称	ショウ
紹	ショウ
詳	ショウ くわ(しい)
丈	ジョウ たけ
畳	ジョウ たた(む)・たたみ
殖	ショク ふ(える)・ふ(やす)
飾	ショク かざ(る)
触	ショク ふ(れる)・さわ(る)
侵	シン おか(す)
振	シン ふ(る)・ふ(るう)・ふ(れる)
浸	シン ひた(す)・ひた(る)
寝	シン ね(る)・ね(かす)
慎	シン つつし(む)
震	シン ふる(う)・ふる(える)
薪	シン たきぎ
尽	ジン つ(くす)・つ(きる)・つ(かす)

陣	ジン
尋	ジン たず(ねる)
吹	スイ ふ(く)
是	ゼ
姓	セイ・ショウ
征	セイ
跡	セキ あと
占	セン し(める)・うらな(う)
扇	セン おうぎ
鮮	セン あざ(やか)
訴	ソ うった(える)
僧	ソウ
燥	ソウ
騒	ソウ さわ(ぐ)
贈	ゾウ・ソウ おく(る)
即	ソク
俗	ゾク
耐	タイ た(える)
替	タイ か(える)・か(わる)
沢	タク さわ
拓	タク
濁	ダク にご(る)・にご(す)
脱	ダツ ぬ(ぐ)・ぬ(げる)
丹	タン
淡	タン あわ(い)
嘆	タン なげ(く)・なげ(かわしい)
端	タン はし・は★・はた
弾	ダン ひ(く)・はず(む)・たま
恥	チ は(じる)・はじ・は(じらう)・は(ずかしい)
致	チ いた(す)
遅	チ おく(れる)・おく(らす)・おそ(い)
蓄	チク たくわ(える)
跳	チョウ は(ねる)・と(ぶ)
徴	チョウ
澄	チョウ★ す(む)・す(ます)
沈	チン しず(む)・しず(める)
珍	チン めずら(しい)
抵	テイ
堤	テイ つつみ
摘	テキ つ(む)
滴	テキ しずく・したた(る)★
添	テン そ(える)・そ(う)
殿	デン・テン との・どの
吐	ト は(く)
途	ト
渡	ト わた(る)・わた(す)
奴	ド
怒	ド いか(る)・おこ(る)
到	トウ
逃	トウ に(げる)・に(がす)・のが(す)・のが(れる)
倒	トウ たお(れる)・たお(す)
唐	トウ から
桃	トウ もも
透	トウ す(く)・す(かす)・す(ける)
盗	トウ ぬす(む)
塔	トウ
稲	トウ いね・いな
踏	トウ ふ(む)・ふ(まえる)
闘	トウ たたか(う)
胴	ドウ
峠	とうげ
突	トツ つ(く)
鈍	ドン にぶ(い)・にぶ(る)
曇	ドン くも(る)
弐	ニ
悩	ノウ なや(む)・なや(ます)
濃	ノウ こ(い)
杯	ハイ さかずき
輩	ハイ
拍	ハク・ヒョウ
泊	ハク と(まる)・と(める)
迫	ハク せま(る)
薄	ハク うす(い)・うす(める)・うす(まる)・うす(らぐ)・うす(れる)
爆	バク
髪	ハツ かみ
抜	バツ ぬ(く)・ぬ(ける)・ぬ(かす)・ぬ(かる)
罰	バツ・バチ
般	ハン
販	ハン
搬	ハン
範	ハン
繁	ハン
盤	バン
彼	ヒ かれ・かの
疲	ヒ つか(れる)
被	ヒ こうむ(る)
避	ヒ さ(ける)
尾	ビ お
微	ビ
匹	ヒツ ひき
描	ビョウ えが(く)・か(く)
浜	ヒン はま
敏	ビン
怖	フ こわ(い)
浮	フ う(く)・う(かれる)・う(かぶ)・う(かべる)
普	フ
腐	フ くさ(る)・くさ(れる)・くさ(らす)
敷	フ★ し(く)
膚	フ
賦	フ
舞	ブ ま(う)・まい
幅	フク はば
払	フツ★ はら(う)
噴	フン ふ(く)
柄	ヘイ★ がら・え
壁	ヘキ かべ
捕	ホ と(らえる)・と(らわれる)・と(る)・つか(まえる)・つか(まる)
舗	ホ
抱	ホウ だ(く)・いだ(く)・かか(える)
峰	ホウ みね
砲	ホウ
忙	ボウ いそが(しい)
坊	ボウ・ボッ
肪	ボウ
冒	ボウ おか(す)
傍	ボウ かたわ(ら)★
帽	ボウ
凡	ボン・ハン★
盆	ボン
慢	マン
漫	マン
妙	ミョウ
眠	ミン ねむ(る)・ねむ(い)
矛	ム ほこ
霧	ム きり
娘	むすめ
茂	モ しげ(る)
猛	モウ
網	モウ あみ
黙	モク だま(る)
紋	モン
躍	ヤク おど(る)
雄	ユウ お・おす

与	ヨ あた(える)
誉	ヨ ほま(れ)
溶	ヨウ と(ける)・と(かす)・と(く)
腰	ヨウ★ こし
踊	ヨウ おど(る)・おど(り)
謡	ヨウ うたい★・うた(う)★
翼	ヨク つばさ
雷	ライ かみなり
頼	ライ たの(む)・たの(もしい)・たよ(る)
絡	ラク から(む)★・から(まる)★・から(める)★
欄	ラン
離	リ はな(れる)・はな(す)
粒	リュウ つぶ
慮	リョ
療	リョウ
隣	リン とな(る)・となり
涙	ルイ なみだ
隷	レイ
齢	レイ
麗	レイ うるわ(しい)★
暦	レキ こよみ
劣	レツ おと(る)
烈	レツ
恋	レン こ(う)・こい・こい(しい)
露	ロ・ロウ つゆ
郎	ロウ
惑	ワク まど(う)
腕	ワン うで

3級

哀	アイ あわ(れ)・あわ(れむ)
慰	イ なぐさ(める)・なぐさ(む)
詠	エイ よ(む)★
悦	エツ
閲	エツ
炎	エン ほのお
宴	エン
欧	オウ
殴	オウ★ なぐ(る)
乙	オツ
卸	おろ(す)・おろし
穏	オン おだ(やか)
佳	カ
架	カ か(ける)・か(かる)
華	カ・ケ★ はな
嫁	カ★ よめ・とつ(ぐ)
餓	ガ
怪	カイ あや(しい)・あや(しむ)
悔	カイ く(いる)・く(やむ)・くや(しい)
塊	カイ かたまり
慨	ガイ
該	ガイ
概	ガイ
郭	カク
隔	カク へだ(てる)・へだ(たる)
穫	カク
岳	ガク たけ
掛	か(ける)・か(かる)・かかり
滑	カツ・コツ すべ(る)・なめ(らか)
肝	カン きも
冠	カン かんむり
勘	カン
貫	カン つらぬ(く)
喚	カン
換	カン か(える)・か(わる)
敢	カン
緩	カン ゆる(い)・ゆる(やか)・ゆる(む)・ゆる(める)
企	キ くわだ(てる)
忌	キ い(む)★・い(まわしい)★
軌	キ
既	キ すで(に)
棋	キ
棄	キ
騎	キ
欺	ギ あざむ(く)
犠	ギ
菊	キク
吉	キチ・キツ
喫	キツ
虐	ギャク しいた(げる)★
虚	キョ・コ★
峡	キョウ
脅	キョウ おびや(かす)★・おど(す)・おど(かす)
凝	ギョウ こ(る)・こ(らす)
斤	キン
緊	キン
愚	グ おろ(か)
偶	グウ
遇	グウ
刑	ケイ
契	ケイ ちぎ(る)★
啓	ケイ
掲	ケイ かか(げる)
携	ケイ たずさ(える)・たずさ(わる)
憩	ケイ いこ(い)・いこ(う)★
鶏	ケイ にわとり
鯨	ゲイ くじら
倹	ケン
賢	ケン かしこ(い)
幻	ゲン まぼろし
孤	コ
弧	コ
雇	コ やと(う)
顧	コ かえり(みる)
娯	ゴ
悟	ゴ さと(る)
孔	コウ
巧	コウ たく(み)
甲	コウ・カン
坑	コウ
拘	コウ
郊	コウ
控	コウ★ ひか(える)
慌	コウ★ あわ(てる)・あわ(ただしい)
硬	コウ かた(い)
絞	コウ★ しぼ(る)・し(める)・し(まる)
綱	コウ つな
酵	コウ
克	コク
獄	ゴク
恨	コン うら(む)・うら(めしい)
紺	コン
魂	コン たましい
墾	コン
債	サイ
催	サイ もよお(す)
削	サク けず(る)
搾	サク★ しぼ(る)
錯	サク
撮	サツ と(る)
擦	サツ す(る)・す(れる)
暫	ザン
祉	シ

施	シ・セ★ ほどこ(す)
諮	シ はか(る)
侍	ジ さむらい
慈	ジ いつく(しむ)★
軸	ジク
疾	シツ
湿	シツ しめ(る)・しめ(す)
赦	シャ
邪	ジャ
殊	シュ こと
寿	ジュ ことぶき
潤	ジュン うるお(う)・うるお(す)・うる(む)
遵	ジュン
如	ジョ・ニョ★
徐	ジョ
匠	ショウ
昇	ショウ のぼ(る)
掌	ショウ
晶	ショウ
焦	ショウ こ(げる)・こ(がす)・こ(がれる)・あせ(る)★
衝	ショウ
鐘	ショウ かね
冗	ジョウ
嬢	ジョウ
錠	ジョウ
譲	ジョウ ゆず(る)
嘱	ショク
辱	ジョク はずかし(める)★
伸	シン の(びる)・の(ばす)・の(べる)
辛	シン から(い)
審	シン
炊	スイ た(く)
粋	スイ いき
衰	スイ おとろ(える)
酔	スイ よ(う)
遂	スイ と(げる)
穂	スイ★ ほ
随	ズイ
髄	ズイ
瀬	せ
牲	セイ
婿	セイ★ むこ
請	セイ・シン★ こ(う)★・う(ける)
斥	セキ
隻	セキ
惜	セキ お(しい)・お(しむ)
籍	セキ
摂	セツ
潜	セン ひそ(む)・もぐ(る)
繕	ゼン つくろ(う)
阻	ソ はば(む)★
措	ソ
粗	ソ あら(い)
礎	ソ いしずえ★
双	ソウ ふた
桑	ソウ★ くわ
掃	ソウ は(く)
葬	ソウ ほうむ(る)★
遭	ソウ あ(う)
憎	ゾウ にく(む)・にく(い)・にく(らしい)・にく(しみ)
促	ソク うなが(す)
賊	ゾク
怠	タイ おこた(る)・なま(ける)
胎	タイ
袋	タイ★ ふくろ
逮	タイ
滞	タイ とどこお(る)
滝	たき
択	タク
卓	タク
託	タク
諾	ダク
奪	ダツ うば(う)
胆	タン
鍛	タン きた(える)
壇	ダン・タン★
稚	チ
畜	チク
窒	チツ
抽	チュウ
鋳	チュウ い(る)
駐	チュウ
彫	チョウ ほ(る)
超	チョウ こ(える)・こ(す)
聴	チョウ き(く)
陳	チン
鎮	チン しず(める)★・しず(まる)★
墜	ツイ
帝	テイ
訂	テイ
締	テイ し(まる)・し(める)
哲	テツ
斗	ト
塗	ト ぬ(る)
凍	トウ こお(る)・こご(える)
陶	トウ
痘	トウ
匿	トク
篤	トク
豚	トン ぶた
尿	ニョウ
粘	ネン ねば(る)
婆	バ
排	ハイ
陪	バイ
縛	バク しば(る)
伐	バツ
帆	ハン ほ
伴	ハン・バン ともな(う)
畔	ハン
藩	ハン
蛮	バン
卑	ヒ いや(しい)★・いや(しむ)★・いや(しめる)★
碑	ヒ
泌	ヒツ・ヒ★
姫	ひめ
漂	ヒョウ ただよ(う)
苗	ビョウ★ なえ・なわ
赴	フ おもむ(く)
符	フ
封	フウ・ホウ
伏	フク ふ(せる)・ふ(す)
覆	フク おお(う)・くつがえ(す)★・くつがえ(る)★
紛	フン まぎ(れる)・まぎ(らす)・まぎ(らわす)・まぎ(らわしい)
墳	フン
癖	ヘキ くせ
募	ボ つの(る)
慕	ボ した(う)
簿	ボ
芳	ホウ かんば(しい)★
邦	ホウ
奉	ホウ・ブ たてまつ(る)★
胞	ホウ
倣	ホウ なら(う)★
崩	ホウ くず(れる)・くず(す)
飽	ホウ あ(きる)・あ(かす)

縫	ホウ ぬ(う)
乏	ボウ とぼ(しい)
妨	ボウ さまた(げる)
房	ボウ ふさ
某	ボウ
膨	ボウ ふく(らむ)・ ふく(れる)
謀	ボウ・ム★ はか(る)★
墨	ボク すみ
没	ボツ
翻	ホン ひるがえ(る) ★・ ひるがえ(す) ★
魔	マ
埋	マイ う(める)・ う(まる)・ う(もれる)
膜	マク
又	また
魅	ミ
滅	メツ ほろ(びる)・ ほろ(ぼす)
免	メン まぬか(れる) ★
幽	ユウ
誘	ユウ さそ(う)
憂	ユウ うれ(える)・ うれ(い)・ う(い)★
揚	ヨウ あ(げる)・ あ(がる)
揺	ヨウ ゆ(れる)・ゆ (る)・ゆ(ら ぐ)・ゆ(るぐ)・ ゆ(する)・ゆ (さぶる)・ゆ (すぶる)
擁	ヨウ
抑	ヨク おさ(える)
裸	ラ はだか
濫	ラン
吏	リ
隆	リュウ
了	リョウ
猟	リョウ
陵	リョウ みささぎ★
糧	リョウ・ロウ ★ かて★
厘	リン
励	レイ はげ(む)・ はげ(ます)
零	レイ
霊	レイ・リョウ ★ たま★
裂	レツ さ(く)・ さ(ける)
廉	レン
錬	レン
炉	ロ
浪	ロウ
廊	ロウ
楼	ロウ
漏	ロウ も(る)・ も(れる)・ も(らす)
湾	ワン

第1回 模擬試験問題 解答

別冊 2～7ページ

1

1 ぐんじょう　2 ふしん　3 と　4 ふってい　5 こしょう　6 しはい　7 あっさく　8 ひおう　9 たんざく　10 せいそう　11 おうへい　12 ごばん　13 じょうじゅ　14 おでい　15 ふじょ　16 へんせん　17 ろうじょう　18 さんろく　19 そじょう　20 えいそう　21 なら　22 ねんご　23 はずかし　24 つ　25 おこ　26 はば　27 しず　28 けんお　29 あざけ　30 さげす

2

1 口　2 斉　3 爫　4 缶　5 十　6 車　7 二　8 麻　9 自　10 貝

3

1 ア　2 エ　3 ア　4 イ　5 ウ　6 エ　7 イ　8 オ　9 エ　10 ア

4

問1

1 潔斎　2 外親　3 烈日　4 連衡　5 虎皮　6 枝葉　7 教唆　8 和衷　9 破邪　10 危急

問2

11 オ　12 ウ　13 キ　14 ア　15 ケ

5

1 秩序　2 恭順　3 刹那　4 緻密　5 凡庸　6 傑出　7 逝去　8 伯仲　9 懸念　10 由緒

6

1 惨禍　2 傘下　3 誘拐　4 融解　5 巨費　6 拒否　7 喪　8 藻　9 浅薄　10 船舶

7

1 垂・推　2 登・騰　3 閉・併　4 提・呈　5 液・疫

8

1 惜しむ　2 賄っ　3 偽る　4 紛れ　5 廃れる

9

1 郷愁　2 転嫁　3 年貢　4 幸甚　5 煮沸　6 渓谷　7 煩悩　8 建立　9 官邸　10 循環　11 褒美　12 旺盛　13 種苗　14 憂　15 懲　16 担　17 擦　18 慈　19 戯　20 醸　21 繭　22 臼　23 光陰　24 渇　25 窮

第2回 模擬試験問題 解答

別冊 8〜13ページ

1

1 しょうそう　2 かいきん　3 きんせい　4 ちくじ　5 しょうりょう　6 きょうさ　7 いんじゅん　8 たいかん　9 ちゅうてん　10 くんとう　11 こうじょ　12 ひけん　13 かちゅう　14 にょじつ　15 ふせつ　16 ろう　17 めいさつ　18 はんよう　19 しんちょく　20 こうがい　21 にせ　22 かたひじ　23 ひるがえ　24 かつ　25 うれ　26 いろど　27 ちぎ　28 い　29 うった　30 なつ

2

1 竜　2 戸　3 亠　4 石　5 衣　6 宀　7 一　8 口　9 虍　10 弓

3

1 ア　2 ウ　3 オ　4 イ　5 ウ　6 エ　7 ウ　8 ア　9 ウ　10 イ

4

問1

1 喝采　2 豪傑　3 高吟　4 充棟　5 墨客　6 泰山　7 眉目　8 懇切　9 破綻　10 比翼

問2

11 オ　12 カ　13 イ　14 ク　15 エ

5

1 謙虚　2 虐待　3 清澄　4 肥沃　5 卑近　6 遺憾　7 厳粛　8 威嚇　9 浴槽　10 造詣

6

1 錠剤　2 浄財　3 浮揚　4 扶養　5 押収　6 欧州　7 花瓶　8 過敏　9 障　10 触

7

1 状・壌　2 賓・頻　3 積・析　4 危・飢　5 斜・遮

8

1 甚だしい　2 覆う　3 恭しく　4 疎ましく　5 煩わしい

9

1 居候　2 成就　3 渇望　4 布施　5 撤廃　6 雲泥　7 払底　8 便宜　9 門扉　10 病巣　11 軽蔑　12 賄賂　13 雑巾　14 侮　15 覆　16 挟　17 傍　18 潜　19 酌　20 弦　21 萎　22 鍋　23 剛　24 緒　25 黒白

第3回 模擬試験問題 解答

別冊 14〜19ページ

1

1 ぎきょく　2 かもん　3 もんぴ　4 しゅんしょう　5 しゃく　6 そうけん　7 ぎょうてん　8 せいちょう　9 かんにん　10 せきじつ　11 おかん　12 あいびょう　13 るふ　14 にそう　15 しゅうぶん　16 こうし　17 いっしゅう　18 きょうりょう　19 こうばい　20 ごうまん　21 あ　22 ひい　23 ふもと　24 よそお　25 いしずえ　26 むね　27 しいた　28 こと　29 にお　30 あこが

2

1 瓦　2 田　3 木　4 辛　5 刀　6 ロ　7 大　8 甘　9 欠　10 彡

3

1 イ　2 ア　3 イ　4 エ　5 ウ　6 ウ　7 オ　8 エ　9 ア　10 エ

4

問1

1 勃勃　2 奪胎　3 乱麻　4 定離　5 煩悩　6 綱紀　7 雲泥　8 斬新　9 謹厳　10 内憂

問2

11 ケ　12 カ　13 ア　14 オ　15 ウ

5

1 一斉　2 挫折　3 拙劣　4 頑健　5 曖昧　6 厄介　7 午睡　8 払拭　9 捻出　10 妥協

6

1 冒頭　2 暴騰　3 酷似　4 告示　5 更迭　6 鋼鉄　7 渋滞　8 縦隊　9 凝　10 懲

7

1 策・索　2 賢・献　3 障・償　4 弊・幣　5 検・顕

8

1 懐かしく　2 統べる　3 焦がす　4 紡い　5 企てる

9

1 倫理　2 余剰　3 詰責　4 奨励　5 均衡　6 普請　7 暫定　8 胸襟　9 失踪　10 如実　11 柔軟　12 衷心　13 伴侶　14 惨敗　15 火照　16 芳　17 懇　18 仰　19 縫　20 阻　21 膝　22 潰　23 憤　24 縁　25 駒

本試験の答案用紙のサンプル

本試験で配られるB4サイズの答案用紙は、裏まで続いています。また、記入の仕方には、記述式とマークシート方式があります。受検する前に一度確認しておきましょう。

表　面

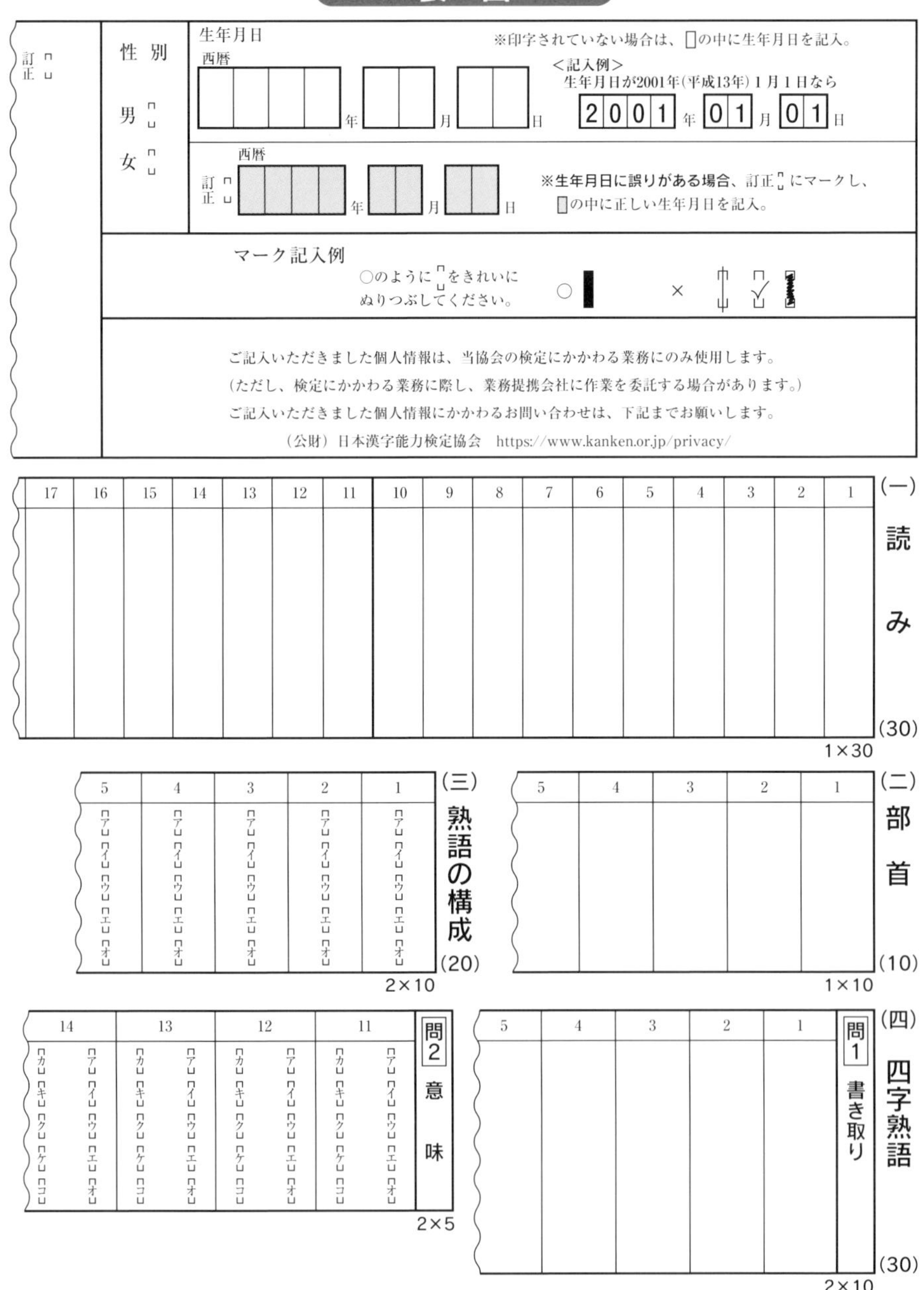

訂正

性別　男　女

生年月日

西暦　年　月　日

※印字されていない場合は、□の中に生年月日を記入。

<記入例>

生年月日が2001年(平成13年)1月1日なら

2001年01月01日

訂正　西暦　年　月　日

※生年月日に誤りがある場合、訂正□にマークし、□の中に正しい生年月日を記入。

マーク記入例

○のように□をきれいにぬりつぶしてください。

○　×

ご記入いただきました個人情報は、当協会の検定にかかわる業務にのみ使用します。

(ただし、検定にかかわる業務に際し、業務提携会社に作業を委託する場合があります。)

ご記入いただきました個人情報にかかわるお問い合わせは、下記までお願いします。

(公財)日本漢字能力検定協会　https://www.kanken.or.jp/privacy/

(一) 読み (30) 1×30

17　16　15　14　13　12　11　10　9　8　7　6　5　4　3　2　1

(三) 熟語の構成 (20) 2×10

5　4　3　2　1

ア　イ　ウ　エ　オ

(二) 部首 (10) 1×10

5　4　3　2　1

(四) 四字熟語 (30)

問2 意味 2×5

14　13　12　11

カ　キ　ク　ケ　コ　ア　イ　ウ　エ　オ

問1 書き取り 2×10

5　4　3　2　1

※答案用紙には、氏名、受検番号、生年月日などがあらかじめ印字されています。

※表面の「(三) 熟語の構成」「(四) 四字熟語 問2」はマークシート方式です。

裏面

（五）対義語・類義語 (20) 2×10

1	2	3	4	5	6

（六）同音・同訓異字 (20) 2×10

1	2	3	4	5

（七）誤字訂正 (10) 2×5

	1	2	3
誤			
正			

（八）送りがな (10) 2×5

1	2	3

（九）書き取り (50) 2×25

1	2	3

※裏面の「（五）対義語・類義語」「（六）同音・同訓異字」「（七）誤字訂正」「（八）送りがな」「（九）書き取り」は記述式となります。

その他の注意点

用紙は折り曲げたり、汚したりしてはいけません。

答えが書けなくても必ず提出しましょう。

また、マークシート方式の場合は、次のような場合は無効になりますので、注意してください。

・ボールペンでマークした場合
・マークがうすい場合
・マークが欄からはみ出している場合
・二つ以上マークした場合

HB以上の濃い鉛筆またはシャープペンシルできれいに塗りつぶしましょう。

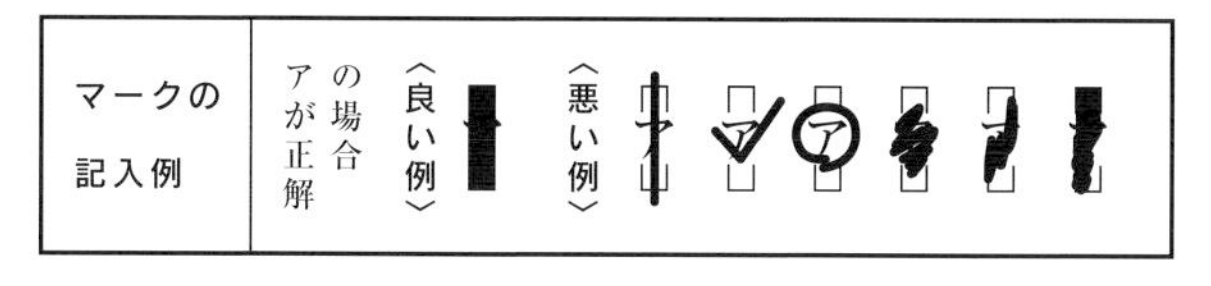

●編者
漢字学習教育推進研究会
大学教授ほか教育関係者、漢字検定１級取得者が中心となり、過去問題を分析、効率的な漢字学習法を研究している。

■お問い合わせについて

- 本書の内容に関するお問い合わせは、**書名・発行年月日を必ず明記**のうえ、文書・ＦＡＸ・メールにて下記にご連絡ください。電話によるお問い合わせは、受け付けておりません。
- 本書の内容を超える質問にはお答えできませんのであらかじめご了承ください。

本書の正誤情報などについてはこちらからご確認ください
(https://www.shin-sei.co.jp/np/seigo.html)

- お問い合わせいただく前に上記アドレスのページにて、すでに掲載されている内容かどうかをご確認ください。
- 本書に関する質問受付は、2026年２月末までとさせていただきます。

●文　書：〒110-0016 東京都台東区台東2-24-10 (株)新星出版社 読者質問係
●ＦＡＸ：03-3831-0902
●メール：https://www.shin-sei.co.jp/np/contact.html

■協会のお問い合わせ窓口

最新の情報は**公益財団法人日本漢字能力検定協会**にご確認ください。

●電話でのお問い合わせ：**0120-509-315（無料）**
●HPアドレス　：**https://www.kanken.or.jp/kanken/contact/**

頻出度順 漢字検定２級 合格！ 問題集

2024年２月25日　初版発行

編　　者　漢字学習教育推進研究会
発 行 者　富　永　靖　弘
印 刷 所　公和印刷株式会社

発行所　東京都台東区台東２丁目24　株式会社　新星出版社
〒110-0016　☎03(3831)0743

別冊

2024年度版

頻出度順

漢字検定2級 合格！問題集

この別冊は本冊から取り外して使用することができます

※本試験の答案用紙のサンプルは、本冊 254～255ページにあります。本試験を受検する前に必ず確認しておきましょう。

※本書は 2024年２月現在の情報をもとに作成しています。最新の情報に関しては公益財団法人日本漢字能力検定協会（本冊 7 ページ）にお問い合わせください。

新星出版社

第1回 模擬試験問題

試験時間 60分
合格ライン 160点
得点 ／200
月 日

1

次の――線の**漢字の読み**を**ひらがな**で記せ。

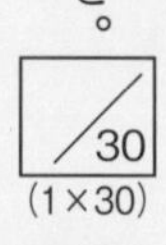
（1×30）

1 空が群青色に染まる。（　）
2 大名が城の普請を行う。（　）
3 身を賭して真実を追い求める。（　）
4 現場では人材が払底している。（　）
5 湖沼の水質を観測する。（　）
6 勝者が誇らしげに賜杯を掲げる。（　）
7 手作業で大豆を圧搾する。（　）
8 古流武術の秘奥に迫る。（　）
9 色とりどりの短冊がゆれる。（　）
10 別離から幾星霜を経て巡り合う。（　）
11 横柄な態度を咎（とが）められた。（　）

27 深呼吸して感情を鎮める。（　）
28 乱暴な言動を嫌悪する。（　）
29 嘲るような目つきで見つめる。（　）
30 蔑むような態度を示す。（　）

2

次の漢字の**部首**を記せ。

〈例〉菜 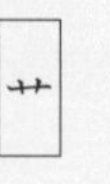 〔艹〕　間〔門〕

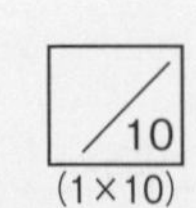
（1×10）

1 口（　）
2 斉（　）
3 爵（　）
4 缶（　）

6 軟（　）
7 亜（　）
8 麻（　）
9 臭（　）

12 碁盤の目のように整然と区画する。（　）（　）
13 学業の成就を祈願する。（　）（　）
14 汚泥を資源として再利用する。（　）（　）
15 互いに扶助し、協力して暮らす。（　）（　）
16 画家の作風の変遷をたどる。（　）（　）
17 長い籠城の末に勝利する。（　）（　）
18 山麓の公園でキャンプを楽しむ。（　）（　）
19 産卵のためサケが川を遡上する。（　）（　）
20 民家の軒下にツバメが営巣する。（　）（　）
21 前例に倣って儀式を執り行う。（　）（　）
22 山村で懇ろなもてなしを受ける。（　）（　）
23 品位を辱めるような行動を慎む。（　）（　）
24 色とりどりの布を接ぎ合わせる。（　）（　）
25 海外で事業を興す。（　）（　）
26 濃い霧が行く手を阻む。（　）（　）

5 升（　）（　）　10 賓（　）（　）

3

熟語の構成のしかたには次のようなものがある。

/20 (2×10)

ア 同じような意味の漢字を重ねたもの……（**岩石**）
イ 反対または対応の意味を表す字を重ねたもの……（**高低**）
ウ 上の字が下の字を修飾しているもの……（**洋画**）
エ 下の字が上の字の目的語・補語になっているもの……（**着席**）
オ 上の字が下の字の意味を打ち消しているもの……（**非常**）

次の熟語は右の**ア～オ**のどれにあたるか、**一つ**選び、**記号**で記せ。

1 媒介（　）
2 忍苦（　）
3 弾劾（　）
4 往還（　）
5 貴賓（　）
6 叙勲（　）
7 点滅（　）
8 不肖（　）
9 争覇（　）
10 逸脱（　）

4 次の**四字熟語**について、問1と問2に答えよ。

問1 次の**四字熟語**の（1〜10）に入る適切な語を下の□の中から選び、**漢字二字**で記せ。

/20 (2×10)

ア 精進（1）（　）
イ 内疎（2）（　）
ウ 秋霜（3）（　）
エ 合従（4）（　）
オ 羊質（5）（　）
カ （6）末節

がいしん
ききゅう
きょうさ
けっさい
こひ
しょう
はじゃ
れつじつ
れんこう
わちゅう

---

5 次の1〜5の**対義語**、6〜10の**類義語**を後の□の中から選び、**漢字**で記せ。□の中の語は一度だけ使うこと。

/20 (2×10)

対義語

1 混乱（　）
2 反逆（　）
3 永遠（　）
4 粗雑（　）
5 偉大（　）

類義語

6 卓抜（　）
7 永眠（　）
8 互角（　）
9 心配（　）
10 来歴（　）

きょうじゅん・けっしゅつ・けねん・せいきょ
せつな・ちつじょ・ちみつ・はくちゅう
ぼんよう・ゆいしょ

キ（7　　）扇動

ク（8　　）協同

ケ（9　　）顕正

コ（10　　）存亡

問2 次の11～15の**意味**にあてはまるものを問1の**ア**から**コ**の**四字熟語**から**一つ**選び、**記号**で記せ。

/10 (2×5)

11 外見は立派だが内実が伴わないこと。（　　）

12 処罰などが非常に厳しいこと。（　　）

13 人をそそのかし行動させること。（　　）

14 飲食を慎み、身を清めること。（　　）

15 誤った考えを正し、道理を明らかに示すこと。（　　）

6

次の――線の**カタカナ**を**漢字**に直せ。

/20 (2×10)

1 戦争の**サンカ**を今に語り継ぐ。（　　）

2 大企業の**サンカ**に入る。（　　）

3 子どもの**ユウカイ**事件が落着する。（　　）

4 温暖化により氷河の**ユウカイ**が進む。（　　）

5 **キョヒ**を投じて新産業を育成する。（　　）

6 不当な命令を**キョヒ**する。（　　）

7 死を悼み、**モ**に服す。（　　）

8 水田に**モ**が発生する。（　　）

9 **センパク**な知識を得意気にひけらかす。（　　）

10 **センパク**が海峡を航行する。（　　）

7 次の各文にまちがって使われている**同じ読みの漢字**が**一字**ある。**上に誤字**を、**下に正しい漢字**を記せ。

/10 (2×5)

1 医師や専門家は生活習慣病の予防法として、健康的な食事と適度な運動の実施を垂奨している。 （　）・（　）

2 小麦の高登は、世界情勢の影響で引き起こされており、小麦を栽培する農家の経営を圧迫させている。 （　）・（　）

3 効果的な行政運営に困難を抱える市町村が全国的に増加し、課題解決のための合閉が進められている。 （　）・（　）

4 行楽地で迷子になった幼児を発見して保護した男性に、警察署長から感謝状が贈提された。 （　）・（　）

9 次の——線の**カタカナ**を**漢字**に直せ。

/50 (2×25)

1 里山の風景に**キョウシュウ**を誘われる。 （　）

2 失敗を認めず、責任**テンカ**する。 （　）

3 農民は領主に**ネング**を納めた。 （　）

4 ご検討いただけますと**コウジン**です。 （　）

5 ガラス瓶を**シャフツ**して消毒する。 （　）

6 **ケイコク**の水は冷たく透き通っている。 （　）

7 父はとても子**ボンノウ**な人だった。 （　）

8 山頂に石碑を**コンリュウ**する。 （　）

9 首相**カンテイ**の前でデモが行われた。 （　）

10 血液は体内を**ジュンカン**している。 （　）

11 殿様が家臣に**ホウビ**を与える。 （　）

12 好奇心の**オウセイ**な少年だ。 （　）

5 体内に侵入した病原体を外敵として認識し排除することで、身体を正常に維持する働きを免液という。 （　・　）

8

次の――線のカタカナを漢字一字と送りがな（ひらがな）に直せ。

/10 (2×5)

〈例〉問題にコタエル。 答える

1 古い喫茶店の閉店をオシム。（　）

2 アルバイトをして授業料をマカナッた。（　）

3 契約の際に身分をイツワル。（　）

4 室内に虫がマギレ込む。（　）

5 流行語もいつかはスタレル。（　）

13 野菜や果物のシュビョウを販売する。（　）

14 ルール違反で失格のウき目にあう。（　）

15 悪人たちをコらしめる。（　）

16 けが人を二人でカツぐ。（　）

17 マッチをスって火をつける。（　）

18 幼子をイックしんで育てる。（　）

19 子どもたちが波打ち際でタワムれる。（　）

20 レンガ塀が異国情調をカモし出す。（　）

21 蚕のマユから糸を繰る。（　）

22 石のウスで粉を挽（ひ）く。（　）

23 一寸のコウイン軽んずべからず。（　）

24 カッしても盗泉の水を飲まず。（　）

25 キュウすれば通ず。（　）

第2回 模擬試験問題

試験時間 60分
合格ライン 160点
得点 ／200 月 日

1 次の――線の**漢字の読み**を**ひらがな**で記せ。

／30 (1×30)

1 危機が去ったとの判断は時期尚早だ。（　　）
2 開襟シャツを爽やかに着こなす。（　　）
3 均整のとれた枝ぶりが美しい。（　　）
4 問題点を上司に逐次報告する。（　　）
5 江戸時代の史料を渉猟する。（　　）
6 人を教唆した罪で罰せられる。（　　）
7 彼は因循な思想の持ち主だ。（　　）
8 女王の戴冠式が行われた。（　　）
9 企業が沖天の勢いで発展する。（　　）
10 先生の薫陶を受けた教え子は多い。（　　）
11 医療費の控除を受ける。（　　）

27 杯を交わして契りを結ぶ。（　　）
28 忌まわしい記憶がよみがえる。（　　）
29 企業を相手に訴える。（　　）
30 犬が飼い主に懐く。（　　）

2 次の漢字の**部首**を記せ。

〈例〉菜［艹］　間［門］

／10 (1×10)

1 竜（　　）
2 戾（　　）
3 亭（　　）
4 磨（　　）

6 寧（　　）
7 且（　　）
8 喪（　　）
9 虜（　　）

12 一流の作品に比肩する仕上がりだ。（　）
13 渦中の人物が胸の内を語る。（　）
14 出土品が昔の様子を如実に物語る。（　）
15 海底にケーブルを敷設する。（　）
16 策を弄するも失敗に終わる。（　）
17 古都の名刹を訪ね歩く。（　）
18 汎用性の高い優れたデザインだ。（　）
19 工事の進捗具合を尋ねる。（　）
20 論文に梗概を添付して提出する。（　）
21 偽のサイン色紙が出回る。（　）
22 肩肘張らずに生きていく。（　）
23 青空に洗濯物が翻る。（　）
24 子どもを肩に担ぎ上げる。（　）
25 愁いを帯びた音色に聴き入る。（　）
26 彩りよく野菜を盛りつける。（　）

5 褒（　）

10 弔（　）

3 熟語の構成

熟語の構成のしかたには次のようなものがある。

/20（2×10）

ア 同じような意味の漢字を重ねたもの……（岩石）
イ 反対または対応の意味を表す字を重ねたもの……（高低）
ウ 上の字が下の字を修飾しているもの……（洋画）
エ 下の字が上の字の目的語・補語になっているもの……（着席）
オ 上の字が下の字の意味を打ち消しているもの……（非常）

次の熟語は右の**ア～オ**のどれにあたるか、**一つ**選び、**記号**で記せ。

1 核心（　）
2 謹呈（　）
3 無窮（　）
4 衆寡（　）
5 奔流（　）
6 折衷（　）
7 公僕（　）
8 享受（　）
9 顕在（　）
10 慶弔（　）

4

次の**四字熟語**について、問1と問2に答えよ。

問1 次の**四字熟語**の（1〜10）に入る適切な語を下の□の中から選び、**漢字二字**で記せ。

／20（2×10）

ア 拍手（1）
イ 英俊（2）
ウ 放歌（3）
エ 汗牛（4）
オ 文人（5）
カ （6）北斗

かっさい
こうぎん
ごうけつ
こんせつ
じゅうとう
たいざん
はたん
びもく
ひよく
ぼっかく

5

次の1〜5の**対義語**、6〜10の**類義語**を後の□の中から選び、**漢字**で記せ。□の中の語は一度だけ使うこと。

／20（2×10）

対義語

1 横柄（　）
2 愛護（　）
3 汚濁（　）
4 不毛（　）
5 高遠（　）

類義語

6 残念（　）
7 荘重（　）
8 脅迫（　）
9 湯船（　）
10 学識（　）

いかく・いかん・ぎゃくたい・けんきょ
げんしゅく・せいちょう・ぞうけい・ひきん
ひよく・よくそう

キ（7　）秀麗

ク（8　）丁寧

ケ（9　）百出

コ（10　）連理

問2 次の11～15の**意味**にあてはまるものを**問1**の**ア**から**コ**の**四字熟語**から**一つ**選び、**記号**で記せ。

/10 (2×5)

11 詩文や書画にたけ、風雅を求める人のこと。（　）

12 学問の分野など、その道の第一人者のこと。（　）

13 大勢の人の中で特にすぐれた人物のこと。（　）

14 細やかな気配りができていて親切なこと。（　）

15 蔵書が非常に多いこと。（　）

6 次の——線の**カタカナ**を**漢字**に直せ。

/20 (2×10)

1 処方された**ジョウザイ**を服用する。（　）

2 寺の修繕のため**ジョウザイ**を募る。（　）

3 大規模な経済**フヨウ**策を発表する。（　）

4 三人の子どもを**フヨウ**する。（　）

5 違法な薬物を**オウシュウ**する。（　）

6 **オウシュウ**に留学し、芸術を学ぶ。（　）

7 あじさいを**カビン**に生ける。（　）

8 化学物質に**カビン**な反応を示す。（　）

9 大人げない態度が気に**サワ**る。（　）

10 愛犬の背中を優しく**サワ**る。（　）

7 次の各文にまちがって使われている**同じ読みの漢字**が**一字**ある。**上に誤字**を、**下に正しい漢字**を記せ。

/10 (2×5)

1 腐葉土を畑に混ぜ込むことで土状を改良し、高品質の農作物を持続的に収穫できるようにする。（・）

2 世界各地で異常気象や災害が賓発し莫大な被害が出るなか、温室効果ガス削減の取り組みは急務だ。（・）

3 室内の細菌感染度を調査するために、付着物を分積するための装置を机上の電話機などに取り付けた。（・）

4 大量の食品が日常的に棄てられる先進国と、危餓が深刻な途上国との間には、不公平な格差がある。（・）

9 次の――線の**カタカナ**を**漢字**に直せ。

/50 (2×25)

1 親類の家に**イソウロウ**する予定だ。（　）

2 大願**ジョウジュ**の絵馬を奉納する。（　）

3 勝利を**カツボウ**して努力する。（　）

4 感謝を込めてお**フセ**を包む。（　）

5 不平等な条約が**テッパイ**された。（　）

6 彼女とは知識量が**ウンデイ**の差だ。（　）

7 部品が**フッテイ**し、修理ができない。（　）

8 **ベンギ**上、AとBに分類する。（　）

9 城壁の**モンピ**は固く閉ざされていた。（　）

10 **ビョウソウ**を取り除くことに成功した。（　）

11 **ケイベツ**の眼差しを投げかけられた。（　）

12 **ワイロ**がはびこる状況を嘆く。（　）

5 不正行為を防ぐために、電波を斜断することができる技術の導入が、現在検討されている。（　・　）

8 次の――線の**カタカナ**を**漢字一字**と**送りがな（ひらがな）**に直せ。

/10 (2×5)

〈例〉問題に**コタエル**。　答える

1 暴風雨で**ハナハダシイ**被害を受ける。（　）（　）
2 恥ずかしくて両手で顔を**オオウ**。（　）（　）
3 立ち上がり**ウヤウヤシク**お辞儀をする。（　）（　）
4 過度な干渉を**ウトマシク**感じる。（　）（　）
5 **ワズラワシイ**交渉に粘り強く取り組む。（　）（　）

13 **ゾウキン**で廊下を拭き上げる。（　）
14 簡単な問題だと**アナド**っていた。（　）
15 常識を**クツガエ**すような発見だ。（　）
16 読みかけの本にしおりを**ハサ**む。（　）
17 **カタワ**らに辞書を置いて勉強する。（　）
18 日々の暮らしに危険が**ヒソ**む。（　）
19 旧友と酒を**ク**み交わす。（　）
20 弓の**ツル**をピンと張る。（　）
21 暑さで野菜の苗が**ナ**える。（　）
22 友人に**ナベ**料理を振る舞う。（　）
23 柔よく**ゴウ**を制す。（　）
24 堪忍袋の**オ**が切れる。（　）
25 法廷で**コクビャク**を争う。（　）

第3回 模擬試験問題

試験時間 60分
合格ライン 160点
得点 /200
月 日

1 次の――線の**漢字の読み**を**ひらがな**で記せ。

/30 (1×30)

1 戯曲を書いてみる。
2 大きな渦紋が描かれた皿だ。
3 門扉を開けて庭に出た。
4 春宵一刻を味わう。
5 宴席で酌をして回る。
6 チームの勝利が彼の双肩にかかる。
7 暁天の星を眺める。
8 山奥で清澄な水が湧き出す。
9 とうとう堪忍袋の緒が切れた。
10 昔日の栄光に思いをはせる。
11 悪寒がしたので、床を取る。

27 虐げられた人々が立ち上がる。
28 殊に古代の歴史に興味がある。
29 梅の匂いに誘われて散歩に出る。
30 憧れの晴れ舞台に立つ。

2 次の漢字の**部首**を記せ。

〈例〉菜 〔艹〕 間 〔門〕

/10 (1×10)

1 瓶
2 畝
3 栽
4 辣

6 嗣
7 奔
8 甚
9 款

12 愛猫の写真を部屋に飾る。（　　）
13 事実無根のうわさ話が流布する。（　　）
14 尼僧になるため修行を積む。（　　）
15 醜聞が世間を騒がせる。（　　）
16 音を立てて格子戸を開ける。（　　）
17 寄せられた批判を一蹴する。（　　）
18 彼の狭量な考えには呆(あき)れる。（　　）
19 急な勾配の坂を駆け上がる。（　　）
20 言葉の端々に傲慢さがにじみ出る。（　　）
21 空いた時間を勉強に充てる。（　　）
22 秀でた額と鋭い眼差しが印象的だ。（　　）
23 山の麓の旅館に泊まる。（　　）
24 華やかな装いで街を歩く。（　　）
25 地域発展の礎を築いた功労者だ。（　　）
26 欠席の旨を前もって連絡する。（　　）

5 刃（　　）
10 彰（　　）

3 **熟語の構成**のしかたには次のようなものがある。

/20 (2×10)

ア 同じような意味の漢字を重ねたもの……（岩石）
イ 反対または対応の意味を表す字を重ねたもの……（高低）
ウ 上の字が下の字を修飾しているもの……（洋画）
エ 下の字が上の字の目的語・補語になっているもの……（着席）
オ 上の字が下の字の意味を打ち消しているもの……（非常）

次の熟語は右の**ア〜オ**のどれにあたるか、**一つ**選び、**記号**で記せ。

1 毀誉（　　）
2 玩弄（　　）
3 早晩（　　）
4 殉難（　　）
5 逓減（　　）
6 汎用（　　）
7 未遂（　　）
8 遡源（　　）
9 扶助（　　）
10 罷業（　　）

4 次の**四字熟語**について、問1と問2に答えよ。

問1 次の**四字熟語**の（1〜10）に入る適切な語を下の□の中から選び、**漢字二字**で記せ。

/20 (2×10)

ア 雄心（1）（　　）
イ 換骨（2）（　　）
ウ 快刀（3）（　　）
エ 会者（4）（　　）
オ 百八（5）（　　）
カ （6）（　　）粛正

うんでい
きんげん
こうき
ざんしん
じょうり
だったい
ないゆう
ぼつぼつ
ぼんのう
らんま

5 次の1〜5の**対義語**、6〜10の**類義語**を後の□の中から選び、**漢字**で記せ。□の中の語は一度だけ使うこと。

/20 (2×10)

対義語

1 個別（　　）
2 貫徹（　　）
3 巧妙（　　）
4 虚弱（　　）
5 明瞭（　　）

類義語

6 面倒（　　）
7 昼寝（　　）
8 一掃（　　）
9 工面（　　）
10 譲歩（　　）

あいまい・いっせい・がんけん・ごすい
ざせつ・せつれつ・だきょう・ねんしゅつ
ふっしょく・やっかい

キ（7　　　）万里
ク（8　　　）奇抜
ケ（9　　　）実直
コ（10　　　）外患

問2 次の11〜15の**意味**にあてはまるものを問1の**ア**から**コ**の**四字熟語**から**一つ**選び、**記号**で記せ。

/10 (2×5)

11 極めてまじめで正直なこと。（　　）
12 規律などを戒め不正を取り締まること。（　　）
13 勇気がわいてくること。（　　）
14 人間を惑わす迷いや苦しみのこと。（　　）
15 こじれた物事を鮮やかに解決すること。（　　）

6 次の――線の**カタカナ**を**漢字**に直せ。

/20 (2×10)

1 物語の**ボウトウ**から引き込まれる。（　　）
2 株価が**ボウトウ**した要因を分析する。（　　）
3 両者は外見が**コクジ**している。（　　）
4 市長選が本日**コクジ**された。（　　）
5 不祥事を起こした大臣を**コウテツ**する。（　　）
6 **コウテツ**の意志で自らを鍛える。（　　）
7 **ジュウタイ**を避けて回り道をする。（　　）
8 四列**ジュウタイ**に整列する。（　　）
9 舞台の装置に工夫を**コ**らす。（　　）
10 善を勧め悪を**コ**らす。（　　）

7 次の各文にまちがって使われている**同じ読みの漢字**が**一字**ある。**上に誤字**を、**下に正しい漢字**を記せ。

/10 (2×5)

1 電子辞書は携帯性に優れており、収録された内容も豊富で、単語や漢字を素早く検策するのに便利だ。（　・　）

2 地域の振興に貢賢し、その業績が著しい市民は表彰され、感謝状と記念品が授与された。（　・　）

3 旅行先の観光地で盗難の被害にあったが、損害保険に加入していたため、所持品は補障された。（　・　）

4 紙弊の偽造が多発したため、改刷されたデザインを発行することになり、硬貨の製造枚数も影響を受ける可能性がある。（　・　）

9 次の――線の**カタカナ**を**漢字**に直せ。

/50 (2×25)

1 職業**リンリ**に基づいて任務を行う。（　）

2 **ヨジョウ**電力を買い取る仕組みだ。（　）

3 会見で記者に**キッセキ**される。（　）

4 毎日の適度な運動を**ショウレイ**する。（　）

5 需要と供給の**キンコウ**が保たれる。（　）

6 城の石垣を**フシン**する。（　）

7 **ザンテイ**的な順位が発表される。（　）

8 **キョウキン**を開いて議論を行う。（　）

9 **シッソウ**した人物が戻ってきた。（　）

10 努力の結果が**ニョジツ**に現れる。（　）

11 体の**ジュウナン**性を高める体操をする。（　）

12 **チュウシン**より感謝を申し上げる。（　）

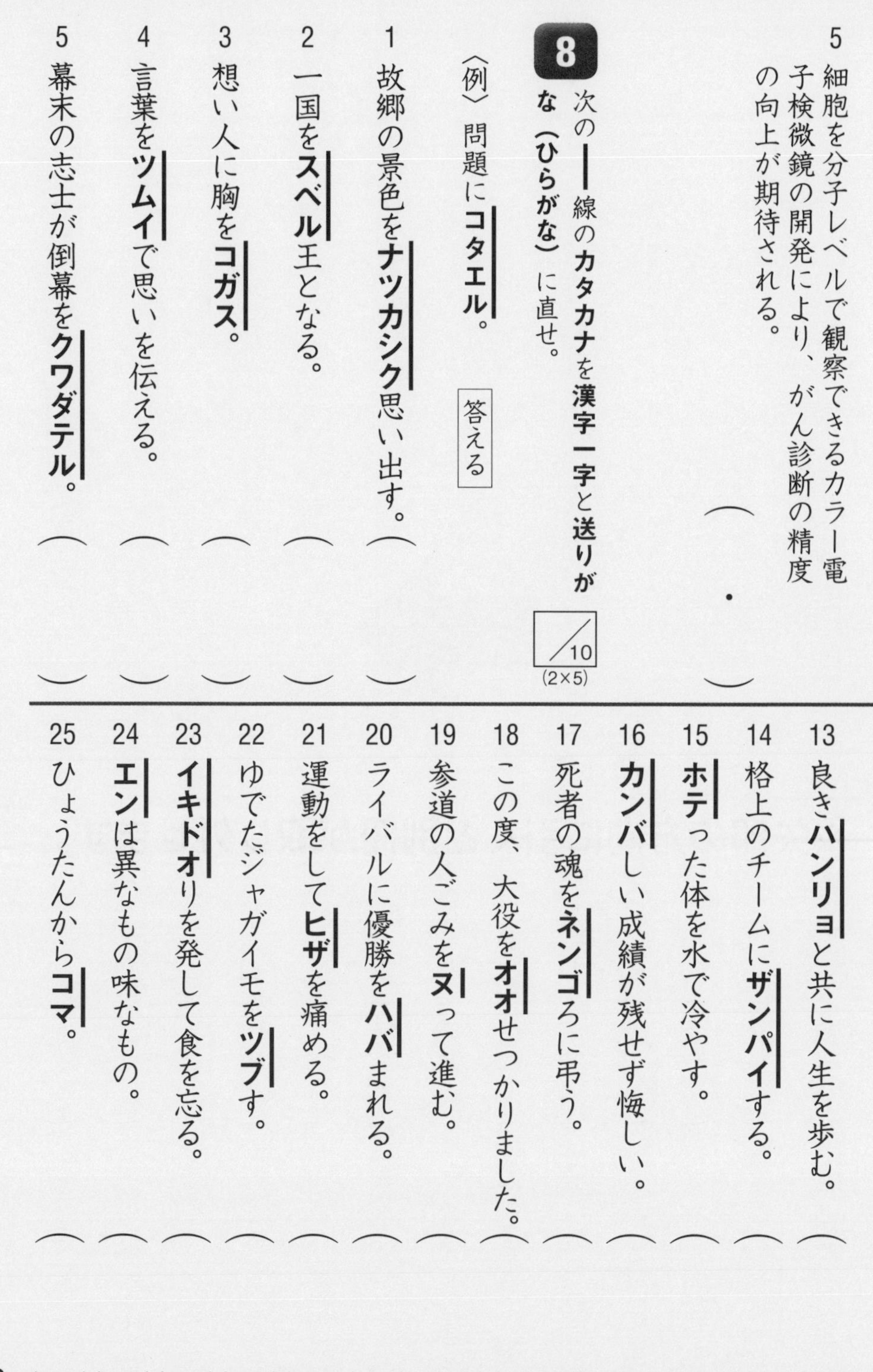

5 細胞を分子レベルで観察できるカラー電子検微鏡の開発により、がん診断の精度の向上が期待される。（　・　）

8

次の──線の**カタカナ**を**漢字一字**と**送りがな（ひらがな）**に直せ。　／10（2×5）

〈例〉問題に**コタエル**。　答える

1 故郷の景色を**ナツカシク**思い出す。（　）

2 一国を**スベル**王となる。（　）

3 想い人に胸を**コガス**。（　）

4 言葉を**ツムイ**で思いを伝える。（　）

5 幕末の志士が倒幕を**クワダテル**。（　）

---

13 良き**ハンリョ**と共に人生を歩む。（　）

14 格上のチームに**ザンパイ**する。（　）

15 **ホテ**った体を水で冷やす。（　）

16 **カンバ**しい成績が残せず悔しい。（　）

17 死者の魂を**ネンゴ**ろに弔う。（　）

18 この度、大役を**オオ**せつかりました。（　）

19 参道の人ごみを**ヌ**って進む。（　）

20 ライバルに優勝を**ハバ**まれる。（　）

21 運動をして**ヒザ**を痛める。（　）

22 ゆでたジャガイモを**ツブ**す。（　）

23 **イキドオ**りを発して食を忘る。（　）

24 **エン**は異なもの味なもの。（　）

25 ひょうたんから**コマ**。（　）

※矢印の方向に引くと別冊が取り外せます。